MAURICE LAMONTAGNE

LE FÉDÉRALISME CANADIEN

CANADIEN

Evolution et problèmes

LES PRESSES UNIVERSITAIRES LAVAL

QUÉBEC   1954   CANADA

LE FÉDÉRALISME CANADIEN

CANADIEN

Evolution et problèmes

MAURICE LAMONTAGNE

LE FÉDÉRALISME CANADIEN

CANADIEN

Evolution et problèmes

LES PRESSES UNIVERSITAIRES LAVAL

QUÉBEC   1954   CANADA

Tous droits réservés,

MAURICE LAMONTAGNE,

Québec, Canada, 1954.

Au Très Révérend Père Georges-H. Lévesque, O.P.,

en témoignage d'attachement

et de gratitude

AVANT-PROPOS

La fédération canadienne est presque centenaire mais elle demeure un problème d'actualité. C'est d'ailleurs une des caractéristiques du fédéralisme d'obliger les pays qui l'adoptent à repenser constamment leurs problèmes constitutionnels et à redéfinir les relations intergouvernementales à la lumière de leur expérience et de leur évolution.

Le fédéralisme canadien a été remis en question particulièrement depuis la dépression économique de 1930 qui a révélé de façon tragique certaines conséquences indésirables de l'industrialisation effectuée sous le signe de l'initiative privée. L'instabilité économique et l'insécurité sociale sont subitement apparues comme de graves dangers menaçant le bien-être de la population et le fondement même de la société politique. La dépression économique nous a également fait constater que seul l'Etat pouvait entreprendre efficacement la lutte contre ces deux déséquilibres inséparables du développement industriel. Plus tard, le deuxième conflit mondial et le prolongement de la guerre froide ont imposé à l'autorité publique de lourdes responsabilités.

Un grand nombre de Canadiens ont cru que les nouvelles fonctions de l'Etat avaient un caractère de permanence et qu'elles ne pouvaient être convenablement remplies au sein du fédéralisme tel qu'il avait évolué, surtout après 1920. Une nouvelle orientation était devenue nécessaire. Elle prit forme avec le déclenchement des hostilités pour ensuite se consolider.

Une autre catégorie de la population canadienne, tout en reconnaissant les effets de la dépression économique, de la guerre et de la tension internationale, a refusé de croire que l'instabilité économique, l'insécurité sociale et la défense imposaient à l'Etat de nouvelles responsabilités permanentes. Elle n'a pas vu, tout au moins, que ces

VIII

fonctions exigeaient une réadaptation du fédéralisme, une nouvelle division des tâches entre les gouvernements. Elle n'a pas admis mais combattu le nouveau fédéralisme.

Tel est, semble-t-il, le nœud du problème constitutionnel qui se pose au Canada et, avec une particulière acuité, à la province de Québec. Cette question a sans doute d'autres aspects. La diversité culturelle et les querelles partisanes ou personnelles ont aussi leur importance. Ces aspects ne peuvent cependant être vus dans leur véritable perspective que si l'on a d'abord établi et clarifié les données fondamentales.

C'est pourquoi le présent ouvrage aborde le fédéralisme canadien surtout dans ses aspects économique, social et politique. Cet angle de vision important est trop souvent négligé dans les discussions des problèmes constitutionnels au Canada. De ce point de vue, cette étude contribuera peut-être à combler une lacune. D'ailleurs, elle ne néglige pas l'aspect culturel et etchnique. Si elle ne le considère qu'en dernier lieu, ce n'est que pour tenter de le mieux définir et pour lui accorder une plus grande importance dans le choix des solutions possibles.

Cet ouvrage se divise en deux parties. La première retrace brièvement l'évolution du fédéralisme canadien depuis la Confédération. Une telle rétrospective paraît nécessaire pour plusieurs raisons. Les discussions sur les problèmes constitutionnels nous reportent fréquemment à l'histoire et reposent sur des interprétations qui ne coïncident pas toujours avec la réalité historique. Notre tentative de rétablir les faits dans leur véritable contexte est périlleuse mais nécessaire. Il est désirable de retourner vers le passé, même lorsqu'il s'agit de résoudre des problèmes présents, car l'histoire peut parfois suggérer des solutions intéressantes ou au moins indiquer si celles que l'on propose se situent dans les lignes de la tradition et de l'évolution.

La deuxième partie porte sur les principaux problèmes qui se posent à l'heure actuelle, au Canada, sur le plan privé: l'instabilité économique, le chômage structurel et saisonnier, les relations du travail, les monopoles, les problèmes de l'agriculture, l'insécurité sociale et les besoins culturels. Il est évident que ces questions ne peuvent être analysées sous tous leurs aspects dans un seul volume. Cette étude cherche surtout à indiquer leur origine, leur signification et pourquoi elles nécessitent l'intervention de l'Etat. Elle tente ensuite de montrer, dans chaque domaine, les objectifs et les méthodes de l'action de l'autorité publique. Elle aborde enfin le problème de la répartition des fonctions et des pouvoirs de l'Etat entre les gouvernements.

Dans ces domaines, il n'existe pas de solutions simples et valables pour tous les temps. Les propositions acceptables et réalisables sont presque inévitablement des compromis appuyés sur des critères divergents. Il ne faut pas s'attendre à trouver ici de solutions définitives ni satisfaisantes en tous points. Là où une grande flexibilité est nécessaire, elle tente d'éviter tout dogmatisme et tout absolutisme afin de parvenir, dans la plus grande objectivité possible, à une vérité relative et pratique.

Cette étude prend pour acquis qu'il est désirable de réduire au minimum les changements constitutionnels. La constitution d'un pays, comme le mot le sous-entend, est le fondement et la structure même de la société politique. Elle définit les principaux cadres juridiques de cette société et les règles pratiques qui guident les relations entre l'Etat et les citoyens ainsi qu'entre les différents gouvernements. Il est inadmissible qu'on la change à tout propos et sans raison suffisante. Par contre, nous n'admettons pas que la constitution d'un pays soit immuable. Pour toute société politique, seul le bien général des citoyens a une valeur de fin ultime. Lorsque le contenu ou les exigences de ce bien général changent, la constitution doit, s'il y a lieu, se transformer aussi. Elle ne remplit plus sa fin et elle perd sa raison d'être si elle paralyse les évolutions désirables, si elle met obstacle à la véritable solution des problèmes économiques et sociaux. En d'autres termes, dans l'ordre des valeurs, ce n'est pas le bien commun de la population qui doit s'adapter à la constitution politique mais bien celle-ci qui doit s'ajuster afin de permettre les évolutions qui s'avèrent désirables. Dans le domaine politique, les conceptions statiques manquent de réalisme et comportent de graves dangers. Refuser l'évolution, c'est parfois accepter implicitement la révolution. Plusieurs pays ont vu leur constitution bouleversée pour ne pas avoir su l'adapter à temps aux exigences impérieuses d'une époque.

Cet ouvrage n'en est pas un de vulgarisation ni de spécialisation. Il tente de simplifier et de résumer certains aspects les plus difficiles de la théorie économique sans les fausser. Il cherche surtout à rejoin-

dre l'honnête homme, habitué à considérer objectivement les problèmes de la vie sociale et à savoir « raison garder » en se haussant au-dessus des préjugés. Pour celui qui ne se laissera pas déconcerter par l'allure aride de certains passages, il peut aussi servir d'initiation à la science économique.

Ce volume, malgré ses proportions, n'aborde que sommairement de vastes problèmes. Même si l'analyse qu'il contient tente d'être objective, elle comporte probablement des erreurs et pèche par omission. Qui cependant nous jettera la première pierre ?

L'auteur, moins que quiconque, ne sera étonné du fait que ses vues ne rencontrent pas celles d'un grand nombre de gens. La diversité d'opinions est inévitable quand il s'agit de problèmes humains aussi enchevêtrés que ceux dont nous traitons. Justement pour cette raison, les solutions à ces problèmes présupposent qu'un dialogue authentique se soit engagé entre ceux qui cherchent et désirent véritablement la lumière. Ce livre propose ainsi un dialogue entre honnêtes hommes. A ce sujet, le grand économiste autrichien Joseph A. Schumpeter rappelle une règle que tout critique consciencieux devrait respecter: « It may be an interesting question to ask why a man says what he says; but whatever the answer, it does not tell us anything about whether what he says is true or false. We take no stock in the cheap device of political warfare of arguing about a proposition by attacking or extolling the motives of the man who sponsors it » [1]. Les motifs qui inspirent le présent ouvrage se ramènent tout simplement au désir d'apporter une contribution à la solution de certains problèmes qui touchent au bien-être de l'ensemble de la population canadienne.

Maurice Lamontagne

Faculté des Sciences sociales,
Université Laval.

Avril 1954.

---

[1] Joseph A. Schumpeter, History of Economic Analysis, Oxford University Press, 1954.

PREMIÈRE PARTIE

L'ÉVOLUTION DU
FÉDÉRALISME CANADIEN

INTRODUCTION

Cette étude a pour but d'analyser les principaux facteurs qui sont à l'origine de la fédération canadienne, la nature de cette fédération et l'évolution que celle-ci a subie depuis 1867. Il n'est donc pas question de reprendre au détail l'histoire constitutionnelle du Canada ni de remettre en cause les interprétations juridiques de notre constitution. Il ne s'agit pas non plus d'une simple description d'événements politiques mais d'une interprétation qui repose sur l'analyse de phénomènes économiques, sociaux et technologiques.

On s'étonnera sans doute du peu de place occupée dans cette étude par les facteurs d'ordre culturel et ethnique. Est-ce à dire qu'ils n'ont été que des facteurs secondaires ? En aucune façon. Ils ont exercé une influence prépondérante sur la nature de l'unification politique effectuée en 1867. C'est surtout grâce à leur action que le Canada est devenu une fédération plutôt qu'une union législative. Cette influence des forces culturelles et ethniques a été maintes fois décrite et analysée.

Toutefois, ce ne sont pas les facteurs ethniques qui ont joué le rôle prédominant dans la formation de l'Etat canadien. La diversité culturelle ne peut à elle seule expliquer pourquoi la fédération canadienne s'est organisée et s'est maintenue jusqu'ici. Certaines études ont tellement insité sur les facteurs qui ont divisé les Canadiens au cours de leur histoire en se limitant à l'analyse des forces ethniques, qu'il devient parfois difficile de comprendre pourquoi ceux-ci se sont unis et le sont restés.

Si une certaine unification politique est apparue comme désirable au Canada en 1867, c'est surtout pour des motifs économiques et sociaux. Ce sont les problèmes communs qui rapprochent et qui unissent. Par ailleurs, au cours de notre histoire, si les forces culturelles ont toujours agi dans le sens de la décentralisation, les phénomènes technologiques, économiques et sociaux n'ont pas toujours exercé une

6

influence de même degré et de même sens. C'est donc à l'analyse de ces derniers facteurs qu'il faut davantage se livrer afin d'expliquer pourquoi et comment le Canada a connu une certaine unification politique, pourquoi cette unification s'est maintenue et comment notre pays a évolué en oscillant entre deux pôles d'attraction, le gouvernement central et les gouvernements provinciaux.

Cette étude ne repose pas sur des documents originaux et inédits. De ce point de vue, elle ne prétend pas à l'originalité. Par contre, les faits et les statistiques qu'elle utilise sont puisés aux sources les plus sûres; en particulier, elle réfère fréquemment au premier volume du Rapport de la Commission Rowell-Sirois. Il ne faudrait pas lui en faire reproche car les données qu'elle utilise ainsi n'ont jamais été sérieusement mises en doute et il est souvent impossible de remonter à une autre source.

CHAPITRE PREMIER

ANTÉCÉDENTS ET NATURE DE LA FÉDÉRATION CANADIENNE

La meilleure façon de préciser la nature de la fédération canadienne est de la replacer dans son contexte historique et d'étudier ses antécédents. En d'autres termes, pour expliquer l'union politique effectuée en 1867, il est nécessaire d'indiquer les problèmes qui se posaient alors et qu'elle était censé résoudre.

A. Les antécédents de la fédération canadienne

La fédération canadienne s'explique d'une part par des facteurs d'unité d'ordre économique et politique et, d'autre part, par des facteurs de diversité d'ordre géographique et culturel. Elle est la conséquence d'un réflexe de défense beaucoup plus qu'elle n'a été voulue pour elle-même. Elle a été entrevue par plusieurs comme un mal nécessaire préférable à l'annexion aux Etats-Unis.

Les facteurs économiques ont joué un rôle prédominant sur le plan de l'unification politique. Au cours de la période précédant 1867, les colonies de l'Amérique du Nord traversaient une période difficile et entrevoyaient une situation pire encore dans un avenir immédiat. Les conditions économiques étaient caractérisées par la croissance rapide de la dette publique et la stagnation de l'activité économique traditionnelle presque exclusivement basée sur le commerce d'exportation. Il ne s'agissait pas d'une simple coïncidence car les diverses colonies étaient soumises à des influences communes défavorables.

Parmi celles-ci, la perte des préférences impériales et le retrait des privilèges commerciaux par les Etats-Unis eurent les plus graves conséquences. En effet, l'Angleterre avait déjà mis fin à son régime protectionniste pour se lancer dans une expérience de libre-échange. Les conséquences de cette volte-face n'apparurent pas immédiatement dans toute leur portée, car elles furent en partie compensées par des avantages commerciaux obtenus des Etats-Unis de 1854 à 1864. Le régime de réciprocité commerciale avec ce pays fut cependant de courte durée, car sa volonté de coopération se transforma vite en une attitude agressive et expansionniste. L'influence conjuguée de ces deux facteurs fit alors apparaître la fragilité de l'économie des colonies laissées à elles-mêmes. Enfin, à cette crise de structure venait s'ajouter le fardeau de plus en plus lourd d'une dette publique due à la construction d'un réseau de chemin de fer encore bien loin d'être terminé.

En plus de ces influences d'ordre général il fallait compter avec des facteurs ayant des incidences régionales. La substitution de l'acier et de la vapeur au bois et à la voile dans le domaine du transport maritime allait affecter profondément l'économie des provinces maritimes et d'une partie de la province de Québec. La construction de canaux, après celle des chemins de fer, avait rendu plus lourde la dette publique du Canada. D'ailleurs, ces vastes entreprises avaient abouti à un échec car elles n'avaient pas réussi à attirer vers le Saint-Laurent le commerce florissant de l'Ouest central. Enfin, les conflits politiques entre le Haut-Canada et le Bas-Canada démontraient à l'évidence que la constitution de 1840 devait être changée.

Les colonies ne pouvaient pas se replier sur elles-mêmes et tenter séparément de résoudre la crise de leurs exportations à l'intérieur de leurs propres frontières. Trouver d'autres marchés facilement accessibles en effectuant leur unification économique et, au besoin, en agrandissant le territoire vers l'Ouest devenait une nécessité pressante. Fort heureusement, plusieurs liens complémentaires existaient entre les différentes colonies. Le Canada-Uni constituait un marché intéressant pour le bois, le poisson et le charbon des futures provinces maritimes et pouvait contribuer à accroître l'activité de leurs ports de mer. Par contre, les colonies de l'Atlantique représentaient un nouveau débouché pour l'industrie manufacturière qui se développait au centre du pays. Enfin, la perspective d'exploiter le Nord-Ouest et d'étendre le territoire jusqu'au Pacifique, permettant ainsi le commerce avec l'Asie, laissait entrevoir des possibilités illimitées.

Cette extension des marchés et de la frontière économique ne pouvait se réaliser qu'à des conditions qui signifiaient non seulement l'unification économique mais aussi l'union politique. Il fallait supprimer les barrières douanières qui, jusque là, avaient paralysé le commerce intercolonial et relier le territoire en complétant le réseau des chemins de fer. Par ailleurs, les colonies ne pouvaient plus financer un tel projet. Seul un gouvernement central était capable de se procurer les crédits nécessaires pour le mener à bonne fin et d'unifier le territoire de l'Atlantique au Pacifique.

En dernière analyse, la crise de structure qui caractérise cette époque ne peut s'expliquer complètement que par les répercussions défavorables de la première grande révolution technologique. Celle-ci, commencée en Angleterre vers 1830, reposait surtout sur le charbon, la vapeur et l'acier. Elle eut pour conséquences directes le libre-échange en Angleterre et le protectionnisme aux Etats-Unis, ce qui contribua à paralyser le commerce d'exportation du Canada. Elle ne favorisait pas non plus le développement économique à l'intérieur du pays. Elle fit disparaître certaines industries importantes, comme la construction maritime. De plus, les dépôts de charbon et de fer connus alors étaient limités et mal situés. Enfin, le marché domestique était restreint par la faible densité de la population. Il existait bien certaines possibilités d'investissements, surtout dans le domaine de la construction des chemins de fer, mais les perspectives de profits ne semblaient pas suffisamment intéressantes pour attirer le capital privé. En somme, les conditions économiques résultant de la nouvelle technologie étaient bien différentes de ce qu'elles étaient dans d'autres pays favorisés par la révolution industrielle, tels l'Angleterre, la France, la Belgique, l'Allemagne et les Etats-Unis.

Si les motifs de rapprochement économique et politique entre les colonies étaient impérieux, des éléments de diversité subsistaient également. Les Canadiens de langue française, peu intéressés au mouvement d'industrialisation, ne voulaient pas être engloutis par une majorité de langue anglaise. Ils désiraient avant tout conserver leur culture et demeurer les maîtres de leurs institutions. Les colonies de l'Atlantique possédaient aussi une longue tradition d'autonomie et un héritage culturel qui leur était propre. Même sous les pressions économiques, elles ne pouvaient pas rompre subitement avec des traditions séculaires et s'intégrer à un type d'unité politique qui menacerait leur culture. De plus, les grandes diversités géographiques faisaient que les problèmes nationaux avaient de fortes incidences régionales et donnaient naissance à des particularismes tenaces. D'ailleurs, les grandes distances et l'état peu évolué du système de communications à

1

cette époque rendaient presque impossible l'administration du pays par un gouvernement unique.

Ainsi, on peut dire que les facteurs économiques favorisaient l'union législative, tandis que les facteurs culturels et géographiques justifiaient un haut degré de souveraineté régionale. La Confédération allait être un compromis entre ces deux tendances représentées par deux groupes différents.

B. Nature de la fédération canadienne

La fédération canadienne fut constituée par l'Acte de l'Amérique du Nord britannique. Toutefois, il est presque impossible — et il est dangereux — d'expliquer la nature et de définir l'esprit du fédéralisme canadien en s'en remettant exclusivement à la lettre de la constitution. En effet, toute fédération doit procéder à une répartition de pouvoirs et de responsabilités entre plusieurs gouvernements. Or, la vie politique d'un pays est tellement intégrée et complexe qu'il est impossible de la séparer en secteurs précis et bien délimités, surtout en recourant à des formules générales, comme c'est nécessaire dans toute constitution. La nôtre n'a pas su éviter cet écueil inhérent au fédéralisme et des expressions aussi générales que « la paix, l'ordre et la bonne administration du Canada », de même que « la propriété et les droits civils dans la province » peuvent donner lieu à des interprétations diverses. Un autre danger à éviter quand il s'agit d'expliquer la nature de la Loi de 1867 est de l'interpréter à la lumière de l'époque actuelle, comme s'il y avait eu parfaite coïncidence entre l'ordre d'intention et l'ordre d'exécution et comme s'il n'y avait pas eu d'évolution constitutionnelle depuis 1867.

En dernière analyse, il semble bien que la seule façon d'expliquer la nature de la fédération canadienne est de la replacer dans son contexte historique à la fois sur le plan des faits et de la pensée. En effet, l'intention des Pères de la Confédération ne pouvait être autre que de régler les problèmes qui se posaient à eux selon les méthodes et les conceptions acceptées à leur époque. De plus, il ne faut pas leur faire grief de ne pas avoir prévu l'évolution sociale et économique de notre pays jusqu'à nos jours ni l'éloge d'avoir trouvé une solution définitive aux problèmes du fédéralisme canadien. Ils constituaient un groupe d'hommes à l'esprit éminemment pratique, intéressés avant tout à régler les problèmes de leur époque. C'est en cela d'ailleurs qu'ils furent des hommes d'Etat.

Quelle était la situation économique, sociale et technologique que pouvaient observer les Pères de la Confédération ? A ce moment, l'économie canadienne reposait principalement sur l'agriculture. L'industrie manufacturière naissante était fortement décentralisée et composée d'une multitude de petites entreprises. L'exploitation agricole du type familial et l'artisanat prédominaient. Le grand mouvement d'industrialisation et d'urbanisation ne se dessinait pas encore. En somme, la famille pouvait se suffire à elle-même dans une très large mesure sur le plan économique et servait en même temps de principe d'intégration de toute la vie sociale. L'instruction était un privilège qui devait se payer par celui qui en jouissait et, en général, la famille supportait les différents risques sociaux tels que la vieillesse, la maladie, les infirmités et le chômage. L'entretien des routes était à la charge du propriétaire du sol. La philosophie politique de l'époque reflétait cette forme primitive d'organisation de la vie sociale. C'était l'apogée du libéralisme. Dans le domaine de ce que nous appelons aujourd'hui le bien-être et la sécurité sociale, l'Etat devait restreindre son intervention aux cas d'extrême misère. Même si, sur le plan économique, le peuple canadien ne s'en est jamais remis exclusivement à l'initiative privée, le contenu de la politique économique était relativement simple. Celle-ci consistait à favoriser le développement économique en complétant le réseau des chemins de fer et le système des canaux, afin de faciliter l'aménagement du territoire et les échanges commerciaux, et en érigeant un système douanier afin d'encourager les industries domestiques. Cette politique douanière avait pour autre fonction de constituer la principale source de revenus de l'Etat.

Sur le plan technologique, les Pères de la Confédération ne pouvaient pas prévoir la seconde révolution industrielle qui devait atteindre son maximum d'intensité avec la décade de 1920 et qui fut marquée par la généralisation d'inventions déjà connues et par de nouvelles découvertes. C'est ainsi qu'on peut mentionner l'automobile et l'avion dans le domaine du transport, le téléphone, la radio et plus tard la télévision dans celui des communications, l'électricité alimentée par l'énergie hydraulique dans celui de l'énergie, les industries chimiques, de la pâte et du papier et de l'aluminium dans celui de l'industrie manufacturière et, enfin, la découverte de nouvelle ressources, principalement dans le domaine minier. Cette deuxième révolution industrielle devait avoir les conséquences les plus profondes dans toutes les sphères de la vie sociale, poser des problèmes entièrement nouveaux qui n'ont pas encore reçu de solution adéquate et que nous analyserons plus loin. Disons, pour le moment, que le monde des Pères de la Confédération n'avait guère de ressemblance avec le nôtre, qu'ils pouvaient difficilement entrevoir ce qu'est devenu le Canada, et qu'il est assez simpliste de s'acharner à vouloir résoudre nos problèmes présents à partir des intentions et des objectifs qu'ils avaient à leur époque.

On peut maintenant tenter de définir ce que fut la fédération canadienne à ses débuts. Elle fut avant tout un compromis entre le groupe qui désirait une forte centralisation et même une union législative pour des raisons économiques et le groupe qui insistait sur la décentralisation pour préserver la diversité des cultures et des conceptions sociales. En général, on peut dire que les deux groupes ont gagné leur point et que, en tenant compte de la signification limitée de ces termes à l'époque, la politique économique a été centralisée et la politique sociale, y compris l'administration de la justice, décentralisée. En fait, en ce dernier domaine, on maintenait tout simplement le *statu quo*. Les responsabilités des provinces centrales, en particulier, étaient ainsi extrêmement réduites. En effet, elles perdaient les principales fonctions économiques de l'Etat à cette époque au profit du gouvernement fédéral et elles avaient déjà confié ou étaient sur le point de remettre leurs principales responsabilités dans le domaine social et culturel à des corporations municipales ou scolaires. Celles-ci se voyaient ainsi chargées d'un rôle important dans le domaine de l'éducation, de l'assistance et de la voirie. Tout cela était d'ailleurs normal, car si l'Etat était appelé à jouer un rôle, si minime soit-il en ces domaines, il était désirable qu'on le confiât au type de gouvernement le plus près de l'unité familiale sur qui reposait la responsabilité primordiale.

Sur le plan financier, le gouvernement fédéral assumait toutes les dettes des provinces dont le service constituait leur principale dépense. Le gouvernement central recevait le pouvoir de prélever des « deniers par tous modes ou systèmes de taxation ». Quant aux provinces, on leur accordait le droit de prélever des taxes directes, d'imposer des licences de toutes sortes et de retirer les revenus découlant de l'administration du domaine public. En fait, les colonies d'alors abandonnaient au gouvernement fédéral environ 80 pour cent de leurs sources de revenus. La taxation directe était confiée aux provinces dans le but de leur permettre de transmettre l'impôt foncier aux municipalités, car on croyait, à ce moment, les autres formes de taxation directe inutilisables. Cette croyance était tellement accréditée que lorsqu'on constata que les provinces ne pourraient pas éviter les déficits, on ne songea pas à la taxation directe comme source virtuelle de revenus et on accepta avec répugnance le système des subsides fédéraux. Il faut noter aussi que ces subsides étaient fixés définitivement et qu'ils ne devaient pas être revisés, car on croyait que les dépenses provinciales n'augmenteraient pas mais au contraire qu'elles diminueraient, principalement en Nouvelle-Ecosse et au Nouveau-Brunswick, avec la mise sur pied des administrations municipales. Cet arrangement devait avoir plus tard des conséquences importantes. On prévoyait donc, (comme ce fut d'ailleurs la réalité pendant un certain temps), que les provinces se financeraient avec les revenus provenant du domaine public et de l'émission des licences ainsi qu'avec les subsides fédéraux.

On a une bonne idée des différences entre l'ancienne et la nouvelle répartition des pouvoirs et des responsabilités en comparant les revenus et les dépenses de la colonie du Canada en 1866 et les estimés des mêmes items pour les provinces d'Ontario et de Québec après la Confédération. En 1866, le Haut-Canada et le Bas-Canada ont dépensé 10.5 millions, alors que leurs revenus se sont élevés à 11 millions. [1] Par contre, les estimés des revenus et des déboursés établis par Galt, et qui ont servi à déterminer le montant des subsides, étaient fixés respectivement à 1.3 et à 2.2 millions. De part et d'autre, les réductions étaient donc énormes et l'importance des provinces diminuait considérablement, surtout quand on songe que les revenus et les dépenses des municipalités s'élevaient à 5.4 millions en 1866 et que cette situation ne changeait pas avec la Confédération.

Si on ajoute à ce tableau que le gouvernement fédéral se voyait confier la réglementation du commerce, le contrôle des banques et de la monnaie, le droit de désaveu des lois provinciales ainsi que toutes les matières ne tombant pas dans les catégories de sujets exclusivement assignés aux législatures provinciales, on se rend compte de la forte centralisation qu'impliquait la constitution canadienne. Le Rapport de la Commission Rowell-Sirois a relevé des affirmations qui semblent illustrer les intentions des Pères de la Confédération quant au rôle secondaire assigné aux provinces:

« Galt, dans son discours de Sherbrooke, déclarait que les législatures locales seraient « des municipalités plus importantes que les autres ». Les membres du Parlement du Haut-Canada les qualifièrent à maintes reprises de « parlements locaux municipaux » et « de grands corps délibérants municipaux ». Tupper, à la Conférence de Québec, déclara qu'on se proposait « de conserver les gouvernements locaux dans les provinces maritimes parce qu'il n'y existait pas d'institutions municipales ». A l'assemblée législative de l'Ile du Prince-Edouard, George Coles se plaignit « de ce qu'on ne laisse à vrai dire à cette Chambre que le soin de légiférer sur les permis de chiens et la réglementation du pacage des pourceaux ». Il fut souvent question de « l'insignifiance des questions que l'on convenait de laisser aux gouvernements locaux »... A.-A. Dorion déclara: « il (le projet de fédération) donne tous les pouvoirs au gouvernement central, en réservant aux gouvernements locaux le moins de liberté d'action possible » J.-B.-E. Dorion combattit le projet « parce que l'on nous offre des parlements locaux qui seront nuls, n'ayant qu'un simulacre de pouvoir sur des questions d'une minime importance ». [2] »

Une déclaration de Sir John A. Macdonald, en 1865, mérite aussi d'être rapportée:

« En fait, les Américains commencèrent par où ils auraient dû finir... Ici nous avons adopté un système différent: nous avons concentré la force dans le gouvernement général. Nous avons déféré à la législature générale toutes les grandes questions de législation. Nous lui avons conféré, non seulement en les spécifiant et détaillant, tous les pouvoirs inhérents à la souveraineté et à la nationalité mais nous avons expressément déclaré que tous les sujets d'un intérêt général, non délégués aux législatures locales, seraient du ressort du gouvernement fédéré et que les matières locales seraient du ressort des gouvernements locaux... Toutes les grandes questions affectant les intérêts de la Confédération dans son ensemble sont laissées au

---

[1] *Rapport de la Commission Royale des relations entre le Dominion et les provinces*, Volume I, p. 41, tableau 3.
[2] *Ibid.*, pp. 34 et 46.

parlement fédéral, tandis que les questions et les lois d'intérêt local sont laissées à la « juridiction des parlements locaux... A part tous les pouvoirs spécialement désignés dans le 37ᵉ et dernier article de cette partie de la Constitution, se trouve conférée à la législature générale la grande législation souveraine, c'est-à-dire le pouvoir de légiférer sur toutes les matières d'un caractère général qui ne seront pas spécialement et exclusivement réservées au contrôle des législatures et des gouvernements locaux. Telle est justement la disposition qui manque à la Constitution des Etats-Unis; c'est là où l'on trouve ce côté vulnérable du système américain, le vide qui enlève à la Constitution américaine sa force de cohésion. C'est là ce que l'on peut appeler une sage et nécessaire disposition. Par elle nous concentrons la force dans le parlement central et faisons de la Confédération un seul peuple et un seul gouvernement, au lieu de cinq peuples et cinq gouvernements... une province unie, avec des gouvernements locaux et des législatures subordonnés au gouvernement fédéré et à la législature générale. » [1]

En somme, on confiait au gouvernement fédéral les grandes tâches de l'Etat. Son rôle devait être essentiellement dynamique et ses responsabilités consistaient à réaliser les grands objectifs de la Confédération. Plus précisément, il devait transformer les anciennes colonies en un marché unique, unifier la monnaie, étendre le territoire de l'Atlantique au Pacifique, faciliter l'aménagement de ce territoire par l'entreprise privée en complétant le système de chemins de fer et de canaux, en organiser le peuplement par l'immigration et protéger l'industrie naissante par un système douanier. Pour accomplir ce rôle, on lui attribuait pleine autorité dans le domaine du commerce national et international ainsi que dans celui de la politique monétaire et fiscale.

A l'autre extrême, les administrations purement locales avaient la tâche, alors relativement secondaire, d'aider la famille dans les domaines de l'instruction, du bien-être et de la voirie. Enfin, les gouvernements provinciaux, en plus de retenir certains contrôles législatifs, l'administration de la justice et du domaine public, devaient suppléer aux municipalités lorsque celles-ci n'étaient pas en mesure d'accomplir leur rôle. Comme sources de revenus, les municipalités recevaient

---

[1] *Essais sur le Québec contemporain*, édités par Jean-Charles Falardeau, Québec, 1953, pp. 138 et 139.

l'impôt foncier, et les provinces, des subsides fédéraux et les revenus provenant du domaine public et des licences.

Cette répartition des pouvoirs et des responsabilités semble bien correspondre aux intentions des Pères de la Confédération puisqu'elle s'accorde aux faits, au moins durant la première décade après la Confédération. D'être pour ou contre le compromis de 1867 ne devrait pas nous empêcher d'en interpréter objectivement la nature dans son contexte historique; on peut dire que, sans se rendre jusqu'à l'union législative, comme plusieurs le désiraient, on est allé au-delà de la simple fédération de type classique, comme certains le voulaient. C'est en ce sens, d'ailleurs, que la solution de 1867 fut un véritable compromis. Une telle affirmation n'implique pas nécessairement que les Pères de la Confédération ont eu raison. Elle ne signifie pas non plus que le texte constitutionnel sur lequel ils se sont entendus correspondait entièrement à leurs intentions ou qu'il ne donnait pas lieu à plusieurs interprétations possibles. L'histoire constitutionnelle que nous allons retracer brièvement est là pour démontrer le contraire. Elle nous rappelle cependant qu'avant de réclamer le retour non seulement à la lettre mais aussi à l'esprit de la Confédération, il nous faut être bien conscients de ce que nous demandons et éviter d'identifier nos propres conceptions avec les intentions des Pères de la Confédération.

Les considérations qui précèdent nous permettent de poser certaines conclusions qui serviront à résumer ce bref exposé des antécédents et la nature de la fédération canadienne.

1. L'unification politique de 1867 fut le résultat d'une grave crise de structure qui s'est manifestée sur plusieurs plans et qui s'explique, en définitive, par les répercussions défavorables de la première grande révolution industrielle sur le Canada. Les facteurs culturels et géographiques ont empêché cette intégration politique de devenir une véritable union législative.

2. La constitution canadienne accordait au parlement fédéral une position prédominante par rapport aux législatures provinciales. Pour s'en convaincre, on n'a qu'à considérer les responsabilités et les sources de revenus limitées qu'elle laissait aux provinces et les pouvoirs généraux qu'elle attribuait au parlement central par la clause résiduelle de l'article 91, sans compter le droit de réserve et de désaveu des lois provinciales. La Confédération de 1867 était donc un compromis entre l'union législative et la pure fédération.

CHAPITRE II

LA PRÉDOMINANCE DU GOUVERNEMENT FÉDÉRAL ET L'ÉMANCIPATION DES PROVINCES (1867-1920)

Les répercussions défavorables de la technologie et le manque de dynamisme de l'initiative privée expliquent dans une large mesure la création de la Confédération et le rôle important que l'Etat était appelé à jouer dans la lutte contre la stagnation économique. En somme, la fédération avait été formée en vue de régler les problèmes impérieux que l'ancienne structure politique ne pouvait plus résoudre. Il n'est donc pas étonnant que la nouvelle autorité centrale se vît confier la tâche de réaliser les objectifs de la Confédération.

Certains de ces objectifs, tels l'unification du système monétaire et l'abolition des barrières douanières entre les anciennes colonies, furent atteints dès 1867, tandis que d'autres ne le furent que plus tard. Dans leur ensemble, cependant, ils étaient devenus une réalité vers 1920. Au cours de cette période, précisément à cause des fonctions importantes qu'il exerçait, le gouvernement fédéral a vraiment dominé la scène politique. Par contre, les législatures provinciales se lancèrent avec succès à la conquête de leur autonomie même si elles ne furent en mesure de l'exercer qu'à partir de 1920.

A. Objectifs de la Confédération et prédominance du gouvernement fédéral

L'un des principaux objectifs de la Confédération était d'agrandir le territoire afin de créer une frontière économique semblable à l'Ouest américain. Dès 1870, le gouvernement fédéral achetait les vastes terres de la Compagnie de la Baie d'Hudson et établissait la nouvelle province du Manitoba. L'année suivante, la Colombie Britannique entrait dans la Confédération et, en 1873, l'Ile du Prince-Edouard se décidait à l'imiter. Ainsi, dès cette époque, le Canada s'étendait de l'Atlantique au Pacifique, bien que les provinces de la Saskatchewan et de l'Alberta devaient être formées seulement en 1905.

Il s'agissait également d'unifier cet immense territoire: ce fut la grande aventure de construction des chemins de fer et de perfectionnement du système de canaux. L'Intercolonial fut suivi par le projet d'un chemin de fer transcontinental dont la réalisation, retardée par la crise économique de 1873 et reprise en 1880, fut terminée en 1885, alors qu'on débouchait sur la côte du Pacifique. Le retour à la prospérité au début du présent siècle servit à déclencher une nouvelle phase de construction: projets du Nord-Canadien et du Grand-Tronc. Le gouvernement fédéral, les provinces et même les municipalités encouragèrent également par divers moyens la construction d'embranchements pour compléter et alimenter les systèmes transcontinentaux. Ce fut véritablement une fièvre généralisée. En 1896, on comptait déjà 16,270 milles de voies ferrées, et, en 1914, on atteignait 30,795 milles. Le Canada se classait déjà au premier rang dans le monde quant au nombre de milles de voie per capita [1]. Les conditions économiques et géographiques de l'époque ne commandaient pas un programme aussi élaboré suscitant des dédoublements souvent inutiles et qui allaient alourdir les finances gouvernementales pendant plusieurs décades. Jusqu'en 1914, la seule aide du gouvernement fédéral aux chemins de fer se totalisait à environ $600 millions, sans compter la concession de 31.8 millions d'acres de terre. Les dépenses ainsi effectuées furent considérablement augmentées lorsque le gouvernement fédéral dut s'emparer de différents réseaux pour constituer le *Canadien National*. De toute façon, on ne pouvait pas blâmer le gouvernement fédéral de n'avoir pas tenté d'unifier le territoire par un système de transports. D'ailleurs, il devait compléter cette politique en imposant une échelle de taux de transport peu élevés, grâce à un système compliqué de subventions.

Non seulement était-il nécessaire d'agrandir et d'unifier le territoire, mais il fallait aussi l'aménager et le mettre en œuvre. A cette fin, le gouvernement fédéral devait favoriser le développement de l'industrie manufacturière du centre du pays et la colonisation de l'Ouest. Même si ces deux objectifs étaient complémentaires, la conjoncture économique a voulu qu'on s'attache d'abord à la réalisation du premier.

[1] *Rapport de la Commission royale des relations entre le Dominion et les provinces*, Volume 1, pp. 72 et suivantes.

Au début de la Confédération, le gouvernement fédéral se servait des droits douaniers surtout comme source de revenus. La crise mondiale de 1873 et le refus des États-Unis d'accepter la réciprocité l'obligèrent cependant à changer cette attitude. Il fallait avant tout assurer un marché à l'industrie manufacturière naissante et, comme le commerce d'exportation n'offrait pas de perspectives intéressantes, on se devait de lui garantir au moins le marché domestique. Les droits douaniers devinrent le principal instrument du gouvernement fédéral dans sa lutte contre la crise et pour le développement industriel. C'est ainsi que fut inaugurée la politique nationale de 1879. Cette politique protectionniste devait être accentuée en 1887 et maintenue par la suite jusqu'à une période encore récente. On a appris depuis que le protectionnisme constitue un bien pauvre instrument de lutte contre les crises économiques et qu'il favorise certains développements industriels artificiels et même indésirables. Toutefois, cette politique a eu alors pour effet d'unifier davantage l'économie canadienne en intensifiant le commerce interrégional; elle fut aussi grandement responsable de la naissance et du développement de certaines industries importantes, telles que celles du textile, de la chaussure et même de l'acier, à un moment où la technologie et les facteurs de localisation industrielle ne favorisaient pas le développement de l'économie canadienne.

Le gouvernement fédéral joua aussi un rôle de premier plan dans la colonisation de l'Ouest, car il ne faut pas oublier qu'il retint jusqu'en 1930 le contrôle des terres sur le vaste territoire réparti aujourd'hui entre les trois provinces des Prairies. Jusqu'à la fin du siècle dernier, la colonisation de l'Ouest n'avait progressé que lentement. Mais à partir de cette période, elle s'est développée à une allure vertigineuse, grâce à tout un ensemble de facteurs qui favorisaient la culture du blé. Parmi ceux-ci, on peut mentionner, sur le plan international, le retour à la prospérité mondiale, l'industrialisation rapide des États-Unis et de l'Europe, la fin de la colonisation de l'Ouest américain, la réduction considérable des frais de transport océanique, et, sur le plan national, la construction de chemins de fer dans l'Ouest, la distribution gratuite de terres souvent non boisées et propres à la culture du blé, une structure favorable des taux de transport à l'intérieur du pays, et une vigoureuse politique d'immigration. Sous l'action combinée de tous ces facteurs, l'occupation des terres était déjà

presque terminée en 1913.   Comme l'indique le Rapport de la Commission Rowell-Sirois, de 1896 à 1913, la population, dans les trois
provinces des Prairies, s'accrut d'un million, la superficie des terres
cultivées augmenta de 10 millions à 70 millions d'acres et la production
de blé de 20 millions à 209 millions de boisseaux [1].   La colonisation
de l'Ouest et la construction de chemins de fer eurent pour effet immédiat de déclencher un grand mouvement d'expansion et de
prospérité à travers le Canada, même si elles ne purent se réaliser avec
beaucoup de discernement et sans de graves conséquences à long terme.

L'essor fut cependant ralenti par la crise économique de 1913.   Les
effets multipliés du « boom » du blé s'étaient graduellement épuisés ;
la baisse des prix et des exportations, l'affluence moins grande de capitaux étrangers et une première sécheresse dans les prairies de l'Ouest
étaient à l'origine de ce recul et révélaient ainsi la grande vulnérabilité de l'économie canadienne aux fluctuations économiques internationales.   Encore une fois, le gouvernement fédéral prit l'initiative,
mais alors ce fut en vertu des responsabilités que lui confiait la constitution en matière de défense nationale.

A la fin de cette période, c'est-à-dire après la guerre de 1914-1918,
le gouvernement fédéral avait épuisé les principales fonctions qu'il
avait assumées en 1867.   Il s'était surtout acquitté de la tâche importante que les répercussions défavorables de la technologie lui avait
imposée dans le domaine du développement économique.   En somme,
un certain équilibre économique avait été établi tant sur le plan international que national et des liens complémentaires entre les régions
avaient été créés.   Sur le plan du commerce extérieur, les exportations
de blé et l'entrée de capitaux étrangers nous permettaient de nous
procurer les biens de production et les matières premières dont nous
avions besoin.   Sur le plan national, on avait réussi, grâce à un système de transport et à une échelle de taux appropriés, à attirer le blé
vers les ports canadiens de l'Est.   De plus, les provinces de l'Ouest
et de l'Est étaient devenues, grâce à la politique douanière, des marchés intéressants pour les produits manufacturés du centre du pays.
Ainsi une certaine industrialisation avait été possible même si l'économie canadienne reposait avant tout sur la culture et l'exportation du
blé.

---

[1] *Rapport de la Commission royale des relations entre le Dominion et les
provinces*, Volume 1, p. 71.

B. Conquête de l'autonomie provinciale

Pendant que le gouvernement fédéral consacrait ses principales énergies à étendre, à unifier et à aménager le vaste territoire du Canada, les provinces travaillaient à leur émancipation. On se souvient que les Pères de la Confédération avaient voulu leur accorder des responsabilités limitées qu'ils s'attendaient même à voir diminuer avec la multiplication des administrations municipales. Ils avaient également eu l'intention de restreindre considérablement leurs sources de revenus. Enfin, ils avaient eu comme principal objectif d'accorder la prédominance au gouvernement fédéral, tant dans le domaine des responsabilités législatives et administratives que dans celui des sources de revenus.

Au lendemain de la Confédération, le gouvernement fédéral s'efforça donc de réaliser dans les faits l'esprit de la Constitution, tel qu'on le concevait à l'époque. Sa suprématie fut à peu près indiscutée pendant plusieurs années et s'affirma sur plusieurs plans, principalement par le fréquent exercice du droit de réserve et de désaveu des lois provinciales ainsi que par la revision des dispositions financières de 1867 et par l'admission de nouvelles provinces à l'intérieur de la Confédération, sans consultation préalable avec les gouvernements provinciaux. Cette hégémonie a pu s'établir parce que les intentions des Pères de la Confédération étaient encore claires à l'esprit des contemporains. Le mécontentement provincial qui se faisait jour ne se manifestait pas tant contre l'envahissement du domaine provincial par le pouvoir central que contre l'Acte de 1867 lui-même. On proposait, comme le fit la Nouvelle-Ecosse, soit de se retirer de la Confédération, soit de changer la constitution, comme le réclama la Conférence interprovinciale de 1887. Il faut ajouter que l'atmosphère était favorable à l'exercice de la suprématie du gouvernement fédéral, car le pays jouissait alors d'une grande prospérité et les provinces se trouvaient dans une position d'infériorité, ayant perdu la plupart de leurs chefs politiques passés dans l'arène fédérale.

Les gouvernements provinciaux ne tardèrent pas à manifester leur mécontentement, à réclamer la reconnaissance de droits souverains et à s'attaquer non plus à l'Acte de 1867 mais à l'envahissement, injustifié prétendaient-ils, du gouvernement fédéral. On assista ainsi à un singulier renversement de position des parties en présence. Jusque là, le gouvernement fédéral avait voulu appliquer la constitution tandis que les provinces désiraient la changer; dorénavant, et de plus en plus. à la suite de certaines victoires remportées au sujet de l'interprétation de la constitution, les provinces s'en firent les défenseurs et ce fut le gouvernement fédéral qui tenta d'obtenir des changements constitutionnels. Nous verrons plus loin comment s'est effectué ce renversement tactique.

Plusieurs facteurs sont à l'origine du mouvement d'émancipation des provinces. D'abord, les conséquences de la politique fédérale eurent des répercussions régionales défavorables, de même que les effets de la crise qui dura de façon presque ininterrompue de 1873 à 1896 et qu'on attribua souvent à la politique fédérale elle-même. Cette situation, jointe à des querelles ethniques, suscita des conflits entre le gouvernement fédéral et les provinces. L'exécution de Louis Riel, la participation à la guerre de l'Afrique du Sud, le problème des écoles dans l'Ouest et en Ontario ainsi que l'établissement de la conscription en 1917 suscitèrent des conflits ethniques qui mirent aux prises l'Ontario et le Québec et qui maintinrent un état de tension entre cette dernière province et le gouvernement fédéral pendant toute cette période. La politique fédérale concernant la construction des chemins de fer, le contrôle des terres de l'Ouest et le régime douanier créa du mécontentement à différentes reprises dans la Colombie-Britannique, le Manitoba, l'Ontario et surtout dans les provinces maritimes.

D'ailleurs, les gouvernements provinciaux, qui avaient à leur tête des chefs de plus en plus avertis, allaient manifester un sentiment jaloux de leurs prérogatives. Ce réflexe est bien naturel car lorsqu'on investit quelqu'un d'une certaine autorité, il veut normalement l'affirmer et l'accroître. Ce sentiment fut encore renforci par de pures querelles politiques. Il est arrivé souvent, en effet, que des partis politiques différents furent au pouvoir au même moment dans les provinces et sur le plan fédéral. On pouvait donc s'attendre à ce que les querelles partisanes et les animosités personnelles, qui atteignaient leur paroxysme au cours des campagnes électorales, se continuaient après les élections.

Le paternalisme du gouvernement fédéral à l'égard des provinces, les répercussions régionales défavorables de sa politique nationale, la crise économique prolongée de la dernière partie du siècle, les conflits ethniques, la prise de conscience par les gouvernements provinciaux de leur propre importance et les querelles partisanes entre gouvernements eurent une influence considérable et conduisirent à la première affirmation collective des « droits provinciaux » émise par la Conférence interprovinciale de 1887. Cette thèse se rapprochait beaucoup de celle du « droit des Etats » qu'on appliquait aux Etats-Unis et que les Pères de la Confédération canadienne avaient voulu éviter. Il est à remarquer que seuls les chefs provinciaux adversaires politiques du parti au pouvoir à Ottawa assistaient à cette réunion.

Dans la lutte entreprise pour obtenir leur autonomie et pour accroître leurs pouvoirs, les gouvernements provinciaux trouvèrent deux puissants alliés: le peuple et le Conseil Privé. L'attachement que le peuple avait à l'égard des anciennes colonies ne fut pas reporté sur le nouveau Dominion mais plutôt sur les gouvernements provinciaux. Plusieurs raisons expliquent ce phénomène. D'abord, la Confédération ne fut pas le résultat d'un mouvement populaire; elle fut avant tout l'œuvre d'un groupe restreint de chefs politiques et d'hommes d'affaires. Les discussions qui y menèrent furent conduites en secret et la population l'accepta sans l'avoir désirée. De plus, le gouvernement fédéral était éloigné du peuple, surtout à cette époque où les moyens de transport et de communications étaient loin d'être suffisants. La population ne se rendait pas compte des bienfaits de sa politique qui étaient surtout d'ordre national et à long terme; elle voyait avant tout ses répercussions régionales défavorables qui, jointes aux conséquences de la crise prolongée, engendrèrent la misère dans plusieurs régions du pays. C'est donc vers les gouvernements provinciaux que la population se tourna pour recevoir protection et secours. Ceux-ci apprirent vite que le plus sûr moyen d'accroître leur popularité consistait à rendre le gouvernement fédéral responsable des maux du peuple et à l'attaquer ensuite violemment. Les gouvernements provinciaux se firent les défenseurs de la population qui, en retour, supporta ardemment la cause de l'autonomie des provinces.

Le Conseil Privé devint également un précieux allié des gouvernements provinciaux. Nous avons vu que les Pères de la Confédération avaient voulu un régime fédératif très centralisé. Ils le réalisèrent en fait, surtout quand on considère la signification bien particulière des mots qu'ils utilisèrent dans la rédaction de notre Constitution. C'est ainsi par exemple que pour eux l'expression de « taxation directe » ne voulait dire que l'impôt foncier. On se rendit bientôt compte que ces termes pris en eux-mêmes et une fois dégagés d'un contexte historique particulier pouvaient signifier bien autre chose que ce qu'avaient voulu dire les Pères de la Confédération et que les réalités qu'ils servaient à désigner pouvaient changer considérablement avec l'évolution des faits et de la pensée dans le domaine social, économique et même technologique. Pour ne donner qu'un exemple entre plusieurs, les routes qui étaient entretenues surtout par le propriétaire du sol à l'époque de la Confédération ne ressemblaient guère aux grands boulevards modernes construits aujourd'hui à grands frais par les gouvernements provinciaux. La fédération canadienne en 1867 était donc en fait très centralisée, mais virtuellement, surtout quand on connaît l'évolution ultérieure, elle contenait des germes de décentralisation qui tendraient à se développer. En d'autres termes, on allait s'apercevoir qu'il pouvait y avoir de grandes différences entre l'esprit de la Confédération et la lettre de la constitution.

Il y avait trois façons différentes d'envisager cette constitution: on pouvait l'interpréter en fonction soit des intentions des Pères de la Confédération, soit des exigences des problèmes particuliers à chaque époque, soit du droit et des traditions politiques britanniques. Le Conseil Privé ne pouvait choisir d'autre méthode d'interprétation que la dernière lorsqu'on commença, vers 1880, à l'interroger sur la nature de notre Constitution. En effet, la méthode historique et la méthode fonctionnelle ne pouvaient pas être adoptées par une cour de justice britannique.

Les principales décisions du Conseil Privé concernant l'interprétation de notre Constitution s'échelonnent de 1881 à 1925 environ. Elles consistèrent d'abord à affirmer le pouvoir souverain des législatures provinciales dans leur propre domaine. Puis elles contribuèrent à étendre les responsabilités législatives et administratives provinciales et à restreindre celles du parlement fédéral. La plupart des problèmes peuvent être considérés comme affectant « la paix, l'ordre et la bonne administration » — relevant ainsi du parlement central — , ou comme reliés à « la propriété et les droits civils dans la province », ou encore comme ayant une incidence « purement locale ou privée dans la province », c'est-à-dire du domaine des législatures provinciales. En 1882, une première décision du Conseil Privé permettait une large interprétation de la juridiction fédéral. Toutefois, cette interprétation fut renversée lors de la cause célèbre de la prohibition générale en 1896. C'est aux remarques que fit alors Lord Watson qu'est due la tendance à restreindre l'application de l'article 91 aux cas d'urgence et à limiter les pouvoirs du parlement central aux seules catégories énumérées dans ce même article. D'autres décisions contribuèrent même à restreindre certaines catégories spécifiquement désignées à l'article 91 ; c'est ainsi que la clause concernant « la réglementation du trafic et du commerce » est devenue en elle-même presque sans effet et que le droit attribué au parlement fédéral (art. 92, sec. 10, par. c) de déclarer certains travaux, même situés à l'intérieur d'une province, « être pour l'avantage général du Canada », fut restreint dans son exercice. L'article 92 concernant la juridiction des législatures provinciales reçut, par contre, une large interprétation.

Non seulement les décisions du Conseil Privé eurent pour résultat d'affirmer la pleine souveraineté des provinces dans leur domaine et d'étendre leurs responsabilités législatives et administratives, mais elles aboutirent également à accroître leurs pouvoirs de taxation. Pour les Pères de la Confédération, la taxation directe ne posait pas de problème de définition puisqu'elle signifiait tout simplement l'impôt foncier. Elle souleva des difficultés, cependant, quand on en vint à découvrir et à adopter de nouvelles formes de taxes. On s'entend généralement aujourd'hui pour dire qu'une taxe est directe lorsqu'elle est payée au gouvernement par celui qui la supporte et qu'elle est indirecte si l'individu qui la supporte en dernière analyse n'est pas celui qui en a versé le montant au gouvernement. Ces définitions, toutefois, peuvent difficilement servir à classifier les différentes taxes, car il n'est pas toujours facile de déterminer l'incidence d'un impôt et une même taxe peut avoir des incidences différentes selon les circonstances. La solution apportée par le Conseil Privé à cette question quasi insoluble consista tout simplement à adopter la définition de John Stuart Mill, selon laquelle « un impôt direct est exigé des personnes mêmes qui selon l'intention ou le désir des autorités devraient l'acquitter ». On faisait ainsi d'un élément purement subjectif, à savoir l'intention du législateur, le principe de distinction entre la taxation directe et indirecte et on ouvrait ainsi la porte à l'envahissement par les provinces des sources de revenus strictement réservées au parlement fédéral.

On a prétendu que le Conseil Privé, en interprétant notre Constitution, s'était inspiré des caractéristiques générales d'un fédéralisme abstrait et non des traits propres au fédéralisme canadien, qu'il avait été influencé par le sentiment général favorable à l'autonomie provinciale et qu'il n'avait pas tenu compte, parce qu'il les ignorait, des buts premiers de la Confédération ainsi que des conditions économiques et politiques qui auraient dû en déterminer l'évolution. Quoi qu'il en soit, il ne semble pas exagéré de dire que la constitution canadienne, telle qu'interprétée à la fin de la période présentement étudiée, était davantage l'œuvre du Conseil Privé, et de Lord Watson en particulier, que celle des auteurs mêmes de la Confédération. C'est pourquoi Eugène Forsey a pu appeler les membres de ce Conseil les « beaux-Pères » de la Confédération. [1] Voici d'ailleurs le témoignage d'un admirateur et d'un continuateur de Lord Watson, Lord Haldane:

« He completely altered the tendency of the decisions of the Supreme Court and established in the first place the sovereignty (subject to the power to interfere of the Imperial Parliament alone) of the legislatures of Ontario, Quebec and the other provinces... In a series of masterly judgments, he expounded and established the real constitution of Canada... nowhere is his memory likely to be more gratefully preserved than in its distant Canadian provinces whose rights of self-government he placed on a basis that was both intelligent and firm. » [2]

Cet ensemble de facteurs et, en particulier, le désir d'émancipation des gouvernements provinciaux, partagé d'ailleurs par la population, l'évolution sociale et économique, de même que les décisions du Conseil Privé, contribuèrent à changer profondément le caractère de la fédération canadienne et à émanciper les provinces du gouvernement fédéral.   Il en résulta une augmentation importante dans les responsabilités, les dépenses et les sources de revenus des législatures provinciales.

C. FINANCES PUBLIQUES ET PROBLÈME FISCAL

L'idée émise au moment de la Confédération que les responsabilités administratives et financières des provinces allaient diminuer ou, tout au plus, se maintenir, ne correspondit pas longtemps à la réalité. Bien au contraire, ces obligations augmentèrent presque aussi rapide-

---

[1] *Essais sur le Québec contemporain*, édité par Jean-Charles Falardeau, Québec, 1953, p. 140.
[2] Cité par W. A. Mackintosh, dans un article du symposium: *Federalism*, Melbourne, 1952, p. 95.

ment que celles du gouvernement fédéral. Comme le démontre le tableau I, l'accroissement fut d'abord lent à cause de la crise et de la limitation des sources de revenus. Il suivit à peu près l'augmentation de la population. Toutefois, avec le retour à la prospérité, à partir de 1896, les dépenses provinciales s'accrûrent rapidement, surtout dans les nouvelles provinces de l'Ouest où tout était à créer et où il fallait faire vite pour suivre le développement économique vertigineux de cette époque. Les plus anciennes provinces participèrent également à cet accroissement en se hâtant de perfectionner l'aménagement du domaine public et en s'acquittant, de concert avec les municipalités, de leurs responsabilités croissantes dans les domaines de l'instruction, du bien-être et de l'administration générale.

TABLEAU 1: Déboursés aux comptes courants des gouvernements provinciaux, au Canada, en 1874, 1896, 1913 et 1921

EN MILLIERS DE DOLLARS

CATÉGORIE DE DÉPENSES	1874	1896	1913	1921
Service net de la dette.	—	1,526	2,304	14,384
Bien-être.	657	1,472	4,343	12,437
Instruction publique.	1,421	2,003	9,600	20,850
Agriculture et domaine public.	726	951	7,434	9,174
Transport.	1,222	924	8,631	8,119
Justice, législation, administration générale et divers.	3,933	4,276	15,069	25,689
TOTAL.	7,959	11,152	47,381	90,653

Source: *Rapport de la Commission Rowell-Sirois*, Vol. 1, pp. 66 et 113.

L'intention des Pères de la Confédération de restreindre les provinces aux revenus provenant du domaine public, des licences et des subventions fédérales, fut concrétisée et prédomina jusque vers 1896, comme le révèle le tableau 2. Il est très important de se rappeler qu'à l'époque de la Confédération, les subsides étaient considérés comme un règlement final des obligations financières du Dominion à l'égard des provinces. Celles-ci, voyant leurs responsabilités augmenter et ne fondant que peu d'espoirs sur les impôts directs, entreprirent

TABLEAU 2: Revenus aux comptes courants des gouvernements provinciaux, au Canada, en 1874, 1896, 1913 et 1921

EN MILLIERS DE DOLLARS

CATÉGORIE DE REVENU	1874	1896	1913	1921
Subventions du Dominion.............	3,842	4,301	12,851	11,865
Impôts				
Corporations commerciales..........	—	156	3,490	11,162
Successions.......................	—	428	3,611	9,724
Revenu personnel.................	—	13	119	485
Propriété immobilière..............	42	180	1,753	9,720
Amusements......................	—	—	—	3,032
Autres...........................	1	177	347	1,199
Sous-total........................	43	954	9,320	35,322
Permis de véhicules à moteur..........	—	—	470	8,381
Autres licences, permis, droits, amendes, peines...........................	651	1,756	6,678	8,360
Domaine public....................	1,413	2,801	11,046	14,786
Régie des alcools..................	—	—	2,248	7,856
Vente de biens et services............	97	63	815	747
Autres............................	619	97	1,507	3,083
Sous-total........................	2,780	4,717	22,764	43,213
TOTAL........................	6,665	9,972	44,935	90,400

Source: *Rapport de la Commission Rowell-Sirois*, Vol. 1, pp. 68, 91, 114.

la lutte pour obtenir une hausse des subventions fédérales. Au cours de toute cette période, les provinces ont multiplié leurs démarches, tant sur le plan singulier que collectif, afin de faire augmenter les subsides. Ce thème fut le principal objet des importantes conférences gouvernementales de 1887, 1902, 1906 et 1913. Ce fut ensuite la guerre et les tentatives de cette nature furent interrompues. De son côté, le gouvernement fédéral n'accepta jamais sans répugnance de discuter cette question. D'après lui, elle avait été réglée définitivement en 1867. De plus, le maintien des subsides à leur niveau initial pouvait constituer un moyen efficace pour limiter l'expansion des responsabilités législatives et administratives des provinces et pour les amener à la prudence financière. Bien qu'il y eut plusieurs revisions particulières de la formule initiale, soit pour faciliter l'entrée d'une nouvelle province dans la Confédération, soit pour venir en aide à un gouvernement provincial rencontrant des difficultés particulières, on ne procéda qu'à un seul rajustement général. En 1907, on tenta encore une fois d'en arriver à un règlement définitif — cette ambition utopique persistait toujours — qui consistait à relever les subventions d'environ un tiers et à assurer leur accroissement selon l'augmentation de la population. Il n'y eut pas d'autre revision générale avant 1941.

Etant donné l'accroissement des responsabilités financières provinciales et le refus du gouvernement fédéral d'ajuster les subsides en conséquence, les provinces durent se résoudre à recourir à de nouvelles taxes. Il est très important de noter qu'historiquement ce n'est qu'avec répugnance que les provinces se résignèrent à exercer leurs pouvoirs de taxation. Ce furent la Colombie-Britannique et, à un moindre degré, le Québec qui montrèrent la voie. En 1896, la plupart des provinces avaient eu recours aux principales formes de taxation directe reconnues par le Conseil Privé. On peut dire qu'au cours de cette période, les revenus provenant du domaine public et des licences ont à peu près conservé l'importance qu'ils avaient au début dans les budgets provinciaux. Par contre, comme l'indique le tableau 3, les subventions fédérales perdirent leur place prédominante et leur importance diminua considérablement. Le vide ainsi créé fut graduellement comblé par les impôts.

TABLEAU 3: Distribution en pourcentage des revenus provinciaux aux comptes courants, au Canada, par principales catégories de revenus, en 1874, 1896, 1913 et 1921

Catégorie de revenu	1874	1896	1913	1921
Subventions fédérales.................	57.7	43.1	28.6	13.1
Impôts.............................	0.6	9.6	20.7	39.1
Revenus des licences, du domaine public, etc................................	41.7	47.3	50.7	47.8

Source: Tableau 2.

Ainsi, sous la pression de plusieurs facteurs et surtout grâce à l'opinion publique, au Conseil Privé et à l'évolution sociale et économique, le gouvernement fédéral avait cédé du terrain, ce qu'il fit d'ailleurs de bon gré sous le régime Laurier. Les gouvernements provinciaux avaient réussi à échapper à son étreinte en accroissant leurs responsabilités et en recourant à de nouvelles sources de revenus. Leur émancipation était devenue une réalité et elles allaient dorénavant exercer leur autonomie.

CONCLUSION

Sous le régime de la Confédération, le Canada n'a pas appliqué la philosophie du libéralisme dans le domaine économique. Dès la naissance de la fédération, nous avons connu un système d'interventionnisme très poussé: on a eu recours à l'entreprise publique, à un vaste programme d'investissements publics, à des formules variées d'aide et de subventions gouvernementales ainsi qu'à un système douanier conçu comme un instrument de contrôle économique. Et c'est parce qu'on a confié au gouvernement fédéral la responsabilité de cette politique économique que celui-ci a eu une tâche considérable à accomplir. On peut dire que jusque vers 1920 tout au moins, la prospérité au Canada a toujours été le résultat d'une conjoncture internationale favorable et de l'action dynamique du gouvernement fédéral, soit dans le domaine de la politique économique, soit dans celui de la défense nationale.

Par contre, la politique sociale se résumait à très peu de chose à cause des conditions de cette époque et de l'influence de la philosophie du libéralisme qu'on acceptait dans ce domaine. Les responsabilités sur ce plan appartenaient exclusivement à l'individu et à la famille. L'Etat ne devait intervenir que par exception et c'était aux administrations municipales qu'on confiait d'abord cette tâche. Les gouvernements provinciaux ne devaient s'en mêler qu'en dernier ressort.

Les législatures provinciales ne voulurent pas se résigner à ce rôle secondaire et entreprirent de s'émanciper en augmentant leurs responsabilités. Au cours de cette campagne, ils furent favorisés par l'opinion publique, l'évolution sociale et économique et les décisions du Conseil Privé. Celui-ci, en attribuant aux provinces les pouvoirs résiduels, en rendant inopérante la clause sur la réglementation du commerce et en faisant de l'intention de la législature provinciale le critère servant à reconnaître les taxes directes, s'est peut-être laissé influencer par l'opinion publique et s'est inspiré des caractéristiques générales d'un fédéralisme abstrait, mais il a peu tenu compte des objectifs et du texte de la constitution canadienne. Il faut bien remarquer qu'à cette époque les provinces voulaient s'émanciper en augmentant leurs responsabilités et en faisant accroître les subventions fédérales. Elles ne pensaient pas que la hausse des subsides porterait atteinte à leur indépendance puisqu'elles n'ont pas cessé de réclamer leur revision et que ce n'est qu'avec répugnance qu'elles se décidèrent à recourir à l'impôt direct. On serait porté à croire que la doctrine de l'« autonomie » provinciale a bien évolué depuis, car on a pu voir récemment des provinces remettre d'assez bonne grâce certaines de leurs responsabilités au gouvernement fédéral et refuser la hausse substantielle des subsides fédéraux pour conserver certains impôts directs dont certains n'étaient même pas utilisés.

Au cours de cette période, les anciennes différences régionales se sont maintenues et d'autres sont apparues. Sur le plan culturel, le Québec et les provinces maritimes ont conservé et affermi leurs traits propres, l'Ontario et la Colombie-Britannique ont maintenu leurs liens avec l'Angleterre, tandis que les provinces de l'Ouest étaient littéralement envahies par une population de différentes origines ethniques, n'ayant aucune attache envers les traditions canadiennes et connaissant généralement assez mal la nature et les causes du compromis qui avait abouti à la Confédération.

Sur le plan économique, les différences n'étaient pas moindres. Les provinces maritimes, qui avaient cru un instant pouvoir profiter de la Confédération, voyaient leur économie péricliter et leurs petites industries manufacturières disparaître à cause de la concurrence venant du centre du pays. Les provinces d'Ontario et de Québec possédaient une économie assez diversifiée, basée sur l'industrie manufacturière. Enfin, l'économie des provinces de l'Ouest était très spécialisée, reposant principalement sur la culture du blé; elles étaient donc sans protection contre la mévente de ce produit et contre la sécheresse.

Sur le plan de l'administration publique, il y avait également des divergences profondes. Les provinces maritimes et les provinces de l'Ouest avaient déjà des difficultés financières, les unes à cause de la stagnation de leur économie, les autres à cause de son instabilité.

CHAPITRE III

L'APOGÉE DE L'AUTONOMIE PROVINCIALE
(1921-1930)

Les années se situant entre les deux conflits mondiaux constituent une période de contrastes. Cette phase se caractérise, sur le plan économique, par un développement rapide et par la pire crise de notre histoire; sur le plan social, par l'affermissement de la responsabilité individuelle et par un vaste programme de secours directs; enfin, sur le plan politique, par l'apogée et la faillite de l'autonomie provinciale. Nous allons maintenant étudier ces contrastes au détail en considérant successivement, au cours des deux chapitres qui vont suivre, les deux moments de cette période.

Pour parvenir à occuper la place prédominante à l'intérieur de la fédération canadienne, les provinces avaient dû d'abord s'émanciper du gouvernement fédéral. Toutefois, cette conquête juridique de l'autonomie n'était pas suffisante; il fallait en plus un climat économique et social favorisant l'exercice des droits provinciaux et contribuant à diminuer le rôle du gouvernement fédéral. Ce climat nécessaire, la deuxième grande révolution technologique le créa. Celle-ci se généralisa à partir de 1920 et, contrairement à la première, elle eut des répercussions très favorables sur notre pays. Comme conséquence, l'initiative privée se chargea complètement du développement industriel et le gouvernement fédéral perdit son rôle traditionnel. Par contre, l'industrialisation rapide amena l'urbanisation et fit surgir de nombreux problèmes sociaux dont la solution dépassait les cadres municipaux et exigeait l'intervention des législatures provinciales. Ainsi, on peut dire que la prédominance des législatures provinciales dans la fédération canadienne s'est réalisée grâce à un déplacement des problèmes faisant l'objet de la politique générale et non pas à cause d'une redistribution des pouvoirs entre les différents gouvernements. Dans la mesure où ce dernier facteur a joué, on peut ajouter

qu'elle provient de la centralisation de responsabilités jusque là déte-
nues par les municipalités et non pas d'une décentralisation de pouvoirs ayant déjà appartenu au gouvernement fédéral. Ces constatations générales se dégagent nettement de l'évolution économique,
sociale et politique survenue au cours de cette période, comme nous
allons le constater.

A. La situation économique

Le premier conflit mondial marque une transition entre deux grandes périodes de développement industriel dominées par deux révolutions technologiques bien différentes. A partir de 1920, le
mouvement d'industrialisation a pris de nouveaux aspects que nous
allons d'abord indiquer; nous en dégagerons ensuite les principaux
effets sur la politique économique.

a. *Aspects nouveaux de l'industrialisation*

On se souvient que la période antérieure avait été caractérisée par
une technologie où dominaient le charbon, la vapeur et l'acier et qui
avait particulièrement favorisé l'expansion économique des Etats-
Unis et de l'Europe. Le Canada n'était pas en mesure de profiter de
cette situation car les dépôts de houille et de fer qu'il possédait à
l'époque étaient limités et mal localisés. L'impulsion était alors venue
du gouvernement fédéral qui, par sa politique en matière de chemins
de fer, de colonisation et de droits douaniers, permit une grande
expansion de la culture du blé et de la production manufacturière,
principalement dans le domaine des biens de consommation. Il s'agissait donc d'une économie un peu artificielle qui dépendait étroitement
de la politique gouvernementale.

Au début du siècle, les premiers signes d'une autre révolution industrielle étaient apparus mais ce n'est qu'à partir de 1920 que la nouvelle technologie se généralisa. Celle-ci reposait principalement sur le
pétrole, les pouvoirs d'eau, l'électricité et les substituts de l'acier, tels
que l'aluminium, le cuivre, le plomb et le zinc. Le bois aussi acquit
une nouvelle importance en servant à la fabrication du papier et plus
tard des produits plastiques. Enfin, toute une multitude de nouveaux
produits, dont les principaux furent l'automobile, l'avion, les appareils
électriques et les produits chimiques, apparurent sur le marché.

3

Cette nouvelle technologie, qui signifiait le début du déclin de l'Europe occidentale, favorisait grandement le Canada. La nouvelle ère industrielle fut marquée par l'essor de l'industrie minière dans le nord de l'Ontario et du Québec. Le marché pour le bois de la Colombie-Britannique s'étendit considérablement grâce à l'ouverture du canal de Panama. L'industrie du papier fit des progrès prodigieux. Les centrales d'énergie électrique se multiplièrent. Enfin, les industries de l'automobile, des appareils électriques et des produits chimiques s'établirent au Canada afin d'alimenter le marché domestique.

Deux autres aspects de notre industrialisation méritent d'être signalés. Etant donné la nature des ressources à exploiter, la technologie de cette époque et la nécessité d'une production sur une grande échelle pour abaisser les coûts, l'industrialisation exigea de fortes mises de capitaux pour chaque projet et donc un régime de grandes entreprises. Il était donc presque impossible de créer de nouvelles compagnies dont la situation financière serait suffisamment solide dès le début pour attirer les épargnes de la population canadienne qui, en général, n'aime pas prendre de trop grands risques. C'est pourquoi notre système économique fut caractérisé par un régime d'entreprises de seconde génération n'ayant pas atteint leur majorité, encore contrôlées par la compagnie-mère et ayant pour la plupart émigré des Etats-Unis ou de l'Angleterre. Ce fut le cas des industries de l'automobile, des produits chimiques, du pétrole, de l'aluminium et aussi, dans une large mesure, des industries du papier, du tabac et des appareils électriques. L'absentéisme des propriétaires a été la cause de problèmes complexes dans le domaine de l'administration des entreprises au Canada. Le contrôle de notre économie en vue de l'intérêt national et les relations humaines dans l'entreprise n'en sont que deux illustrations.

Si on ajoute aux facteurs favorisant un régime de grandes entreprises la faible densité de la population canadienne, on s'explique facilement une autre caractéristique de notre industrialisation, à savoir, la forte concentration économique. Celle-ci s'est opérée sur deux plans. Sur le plan géographique d'abord, car les nouvelles industries se concentrèrent surtout dans les provinces d'Ontario, de Québec et de Colombie Britannique. En 1929, 82 pour cent des produits manufacturés étaient fabriqués dans l'Ontario et le Québec. Ceci avait pour effet d'accentuer le déséquilibre déjà existant au début de cette période dans le rendement des impôts directs entre les différentes ré-

gions du pays. Sur le plan industriel également, car le régime de la
production massive dans un pays à faible densité de population ne
pouvait pas tolérer un grand nombre d'entreprises dans une même
industrie. On peut dire qu'au Canada, dans plusieurs secteurs de
l'économie, la concurrence n'a pas été éliminée parce qu'elle n'a jamais
existé, du moins dans son sens propre. Il faut ajouter que si nous
avons vécu dans une économie libre de l'intervention systématique de
l'Etat, nous avons connu, par contre, une économie dirigée par un
petit groupe d'individus sans doute honnêtes et efficaces, mais n'ayant
souvent à répondre de leurs actes ni à l'Etat ni aux consommateurs
ni aux fournisseurs de matières premières ni aux autres agents productifs de l'entreprise ni même aux actionnaires. Remarquons enfin
qu'il y a une contradiction au moins apparente entre la concentration
économique que nous venons de signaler et la décentralisation politique que nous constaterons plus loin.

b. *Effets de l'industrialisation sur la politique économique*

Ces nouveaux aspects de l'industrialisation eurent des effets marquants sur le rôle et le contenu de la politique économique. On se
souvient que lors de la première période de développement industriel,
cette politique avait joué un rôle dynamique en stimulant l'initiative
privée en dépit d'une technologie défavorable et qu'elle avait surtout
visé à coloniser l'Ouest, à construire un réseau de transports et à établir un système de protection douanière. Enfin, elle avait été confiée
principalement au gouvernement fédéral.

A partir de 1920, les facteurs technologiques devenaient favorables
au Canada. L'exploitation de nos ressources naturelles offrait des
perspectives de profits assez élevés pour attirer en masse les capitaux
privés. L'initiative privée était donc capable enfin d'assumer la
responsabilité du développement économique et n'avait plus besoin
du stimulant qui, jusque là, lui était venu de l'Etat. La politique
économique, qui avait été centrée sur l'expansion industrielle, perdit
ainsi son rôle dynamique et fut graduellement reléguée à l'arrière-plan.
La prospérité de cette décade fut attribuable sans doute à une conjoncture internationale favorable, mais peut-être davantage à un vaste
programme d'investissements privés, alors qu'auparavant les périodes
d'intense activité étaient dues aux mêmes forces extérieures mais
aussi aux investissements publics.

Non seulement la politique économique traditionnelle perdit son rôle dynamique mais elle souffrit également de l'incompatibilité de ses objectifs. La nouvelle industrialisation eut pour effet d'atténuer la solidarité économique établie entre les différentes régions du pays par la première période d'expansion et de faire apparaître d'autres inconvénients du protectionnisme douanier. On se souvient qu'alors le régime industriel reposait sur l'exportation du blé de l'Ouest et sur l'exploitation du marché domestique par l'industrie manufacturière de l'Est. Dans ce contexte, lorsque le gouvernement fédéral venait en aide aux fermiers de l'Ouest, il favorisait indirectement l'industrie de l'Est en lui ouvrant des débouchés. En d'autres termes, il existait à cette époque des liens d'interdépendance économique. Avec la nouvelle industrialisation, l'Est développa ses propres industries d'exportation et devint graduellement moins dépendant du blé comme facteur dynamique d'expansion. Ainsi, la politique économique qui favorisait une région n'était plus nécessairement dans les intérêts de l'autre. De plus, les nouvelles industries, contrairement aux anciennes, n'avaient pas besoin de la protection douanière mais, au contraire, étaient gênées dans leur expansion par les barrières douanières des autres pays. Ces facteurs engendrèrent des conflits entre régions et entre industries; ils furent la cause d'exigences contradictoires sur le plan de la politique nationale laquelle, manquant d'orientation précise et souffrant de l'incompatibilité de ses objectifs, perdit tout dynamisme.

Enfin, le contenu même de la politique économique se transforma. La nouvelle industrialisation reposait avant tout sur l'exploitation des ressources naturelles. C'est donc dans cette nouvelle direction que fut orientée la politique économique. Elle consista surtout à aménager les ressources et à en faciliter l'accès à l'initiative privée.

Ces transformations sont à l'origine du déclin du gouvernement fédéral et de l'ascension des législatures provinciales que nous constaterons plus loin. En effet, la politique économique avait constitué jusque là la principale responsabilité en temps de paix du gouvernement fédéral. Or, avec la nouvelle industrialisation, la politique économique avait non seulement perdu son rôle dynamique traditionnel, mais, en changeant de contenu, elle était passée en grande partie sous la juridiction des gouvernements provinciaux de qui relevait l'exploitation des ressources naturelles.

B. La situation sociale

Après avoir indiqué certaines caractéristiques économiques de l'industrialisation, il s'agit maintenant d'en retracer les principales répercussions sociales. La première conséquence de l'industrialisation est l'urbanisation et la spécialisation des tâches. En 1931, la population urbaine du Québec s'élevait à 63 pour cent de la population totale. De 1921 à 1931, la population de Montréal et de Toronto augmenta respectivement de 30 et de 33 pour cent alors que celle du Canada n'accroissait que de 18 pour cent.

En passant de la campagne à la ville, de la ferme à l'usine, les individus et les familles subissent un changement profond dans leur régime de vie. Des besoins et des risques nouveaux font que la famille cesse d'être autonome. Le coût élevé de l'habitation et le besoin d'une instruction plus poussée exigent des dépenses onéreuses. Les enfants et les vieillards cessent d'être « utiles » ; ils constituent une charge qui peut facilement devenir intolérable, étant donné l'exiguité du logement et l'impossibilité pour la femme de travailler à l'extérieur. Enfin, la perte du revenu, à cause du chômage ou de la maladie du chef de famille, aboutit souvent à une catastrophe. Continuer à dire, dans ce nouveau contexte, que la famille doit être la seule responsable de sa propre sécurité, c'est non seulement perpétuer l'erreur philosophique du libéralisme dans le domaine social, mais c'est aussi se refuser à voir une évidente réalité. En effet, l'urbanisation et le travail industriel ont créé des problèmes qui ne peuvent recevoir de solutions que sur le plan collectif.

L'industrialisation eut comme autre conséquence le développement rapide d'un grand nombre de groupements sociaux et professionnels. Elle avait été marquée, avons-nous dit, par la concentration d'un pouvoir économique presque discrétionnaire entre les mains d'un petit nombre d'industriels. Cette concentration provoqua une réaction de défense, principalement de la part des cultivateurs et des ouvriers, réaction qui vint bientôt accentuer le caractère monopolistique de notre structure économique et sociale. Le Congrès des métiers et du travail, le mouvement des Fermiers-unis, le Conseil canadien de l'agriculture, les « pools » de l'Ouest et le mouvement coopératif agricole prirent un essor considérable tandis que la Confédération des travailleurs catholiques du Canada s'organisait au début de cette pé-

riode. Plusieurs de ces groupements tentèrent d'abord de régler eux-
mêmes les problèmes de leurs membres, mais ils ne tardèrent pas à se
transformer en groupes de revendication et à déboucher sur le plan
politique, là où résidait leur véritable force.

Sur le plan de la pensée sociale, l'industrialisation n'avait pas encore
eu le temps de manifester ses effets. La guerre de 1914-1918 de
même que l'inflation et la crise qui l'avaient suivie, avaient amené une
certaine évolution, mais celle-ci était en partie voilée par la prospérité
intense d'alors. Ce n'est qu'au cours de la décade suivante qu'apparurent les changements en ce domaine.

C. La situation politique

Sur le plan politique, nous avons déjà dit que cette période fut
marquée par l'éclipse du gouvernement fédéral et par la prédominance
des législatures provinciales. Il s'agit maintenant de décrire plus en
détail cette transformation importante de notre structure politique.

a. *Le comportement du gouvernement fédéral*

Plusieurs facteurs expliquent le comportement du gouvernement
central. D'abord, nous avons déjà expliqué qu'il avait épuisé les
fonctions que lui avait confiées la Confédération et que lui avait laissées le Conseil Privé. De plus, la population, fatiguée par la guerre
et les impôts, se tournait de plus en plus vers les gouvernements provinciaux et ne demandait pas au gouvernement fédéral d'entreprendre
d'autres projets. Les divisions politiques et les faibles majorités par-
lementaires contribuèrent aussi à l'inertie du Dominion. Enfin, les
frais assumés au cours de la première période d'expansion économique
et les dépenses de guerre avaient affaibli sa position financière. Après
une période d'activité fébrile, le gouvernement fédéral désirait sans
doute se reposer. Il ne s'agissait plus, pour lui, que de diminuer sa
dette, de retourner aux domaines traditionnels de taxation et d'administrer une politique économique qui, de toute façon, n'exerçait plus
un rôle dynamique dans l'expansion de l'économie nationale.

De 1921 à 1930, l'augmentation des déboursés du Dominion ne
constitua que 16.5% de l'accroissement total des dépenses gouvernementales et plus de 75% des sommes payées par le gouvernement fédéral en 1930 furent consacrées au service de la dette, à la défense,

aux pensions des vétérans et à l'administration générale. Les droits douaniers et l'accise, qui rapportaient 93% des revenus fédéraux en 1913 et seulement 42% en 1921, en fournissaient 60% en 1930, bien que le Dominion ne se fût retiré d'aucun des champs de taxation qu'il avait utilisés pour la première fois au cours de la guerre. Notons enfin que, même si le revenu total de tous les gouvernements augmenta de 148 millions de 1921 à 1930, celui du Dominion diminua de 16 millions. Dans cette tentative du gouvernement fédéral de retourner au passé, il n'y eut qu'un écart marqué par la législation sur les pensions de vieillesse dont il finança la moitié.

b. *Le comportement des provinces*

L'accroissement des dépenses publiques au cours de cette période fut attribuable à l'utilisation grandissante de l'automobile et à l'industrialisation. Il porta surtout sur la voirie, l'assistance sociale et l'instruction publique. On se souvient qu'au cours du dix-neuvième siècle en particulier, la responsabilité en ces domaines était presque exclusivement d'ordre privé et que l'Etat n'avait alors qu'une fonction auxiliaire et exceptionnelle qu'on avait d'ailleurs confiée principalement aux administrations municipales. Sous le nouveau régime de l'automobile et de l'industrialisation, il devint de plus en plus impossible de maintenir cet arrangement. Les familles abandonnèrent graduellement certaines de leurs responsabilités traditionnelles aux municipalités et celles-ci se virent bientôt obligées de s'en remettre de plus en plus aux gouvernements provinciaux. La route, d'abord entretenue par le propriétaire du sol adjacent, passa sous le contrôle de la municipalité, puis sous celui de la province, lorsque les travaux de voirie en vinrent à coûter aussi cher que la construction des lignes de chemin de fer. Ainsi, l'organisation de plusieurs domaines de la vie sociale fut « socialisée » et centralisée par les provinces.

Le détail de l'évolution de cette période peut être constaté en consultant le tableau 4. On peut en avoir une idée d'ensemble en se rappelant ce qui a déjà été dit du comportement du gouvernement fédéral et en se rendant compte que les dépenses municipales n'augmentaient que de 40% de 1921 à 1931, tandis que celles des provinces haussaient de 103%. De plus, au cours de la même période, la dette nette des provinces et des municipalités s'accroissait d'un milliard et celle du gouvernement fédéral seulement du quart de cette somme.

Etant donné leurs obligations sans cesse grandissantes, les provinces et les municipalités durent augmenter leurs revenus. Les administrations municipales furent obligées d'accroître le taux de l'impôt foncier qui continuait à être leur principale source de revenus. Quant aux provinces, elles avaient déjà couvert le champ de la taxation directe, tel que défini de façon un peu simpliste par le Conseil Privé, mais les revenus qu'elles en tiraient s'accrûrent considérablement sans qu'il fût nécessaire d'en élever les taux, à la suite de l'industrialisation et de la prospérité. La régie des alcools et les permis d'automobiles fournirent un apport considérable. Enfin, elles envahirent plus avant le domaine fiscal réservé au gouvernement fédéral. Cette invasion consista à utiliser les taxes sur la consommation, qui, de leur nature, sont essentiellement indirectes, en ayant recours à un stratagème légal qui faisait du vendeur le représentant et le percepteur du gouvernement provincial. Ce furent d'abord les taxes sur les amusements et sur l'essence. Les taxes de vente et sur le tabac devaient bientôt suivre. Ainsi, la confusion et le chevauchement dans le domaine fiscal s'intensifiaient, mais ils étaient dûs surtout à l'invasion par les provinces du domaine réservé au gouvernement fédéral. Par un singulier renversement de la situation initiale, les recettes provenant du domaine public et des subsides fédéraux ne rapportaient plus, en 1930, que 10% et 8% respectivement des revenus provinciaux.

Il n'en reste pas moins cependant que les sources de revenus étaient très inégalement partagées entre les provinces à cause des différences dans la structure et dans le rythme d'évolution des économies régionales. Par exemple, avec 60% de la population, les provinces d'Ontario et de Québec recevaient, en 1930, 87% des impôts sur les successions. C'est pourquoi, lors de la Conférence fédérale-provinciale de 1927, malgré l'intense prospérité de l'époque, toutes les provinces, sauf l'Ontario et le Québec, firent des réclamations au gouvernement fédéral. La situation financière des provinces maritimes et de celles de l'Ouest était particulièrement intolérable. A la suite des recommandations de la Commission Duncan, le gouvernement fédéral augmenta ses subventions aux provinces maritimes et, grâce à des octrois aux compagnies de chemins de fer, réduisit les taux de transport dans leurs territoires. En 1930, il remettait aux provinces de l'Ouest l'administra-

TABLEAU 4: Dépenses des gouvernements, au Canada, compte courant, 1921 et 1930

EN MILLIERS DE DOLLARS

	MUNICIPALES		PROVINCIALES		DOMINION		TOTAL [a]	
	1921	1930	1921	1930	1921	1930	1921	1930
Service net de la dette	36,944	55,740	14,384	29,476	152,488	149,088	202,475	232,522
Défense	—	—	—	—	17,249	23,256	17,249	23,256
Pensions et soins ultérieurs	—	—	—	—	53,688	55,341	53,688	55,341
Assistance sociale	18,786	31,510	12,437	34,678	4,911	17,698	36,134	83,882
Instruction publique	66,280	84,705	20,850	33,775	924	702	88,057	119,191
Agriculture et domaine public	—	—	9,174	21,241	17,596	23,298	26,722	44,484
Transports	30,962	42,159	8,119	28,328	41,666	29,083	80,747	99,570
Subventions aux provinces	—	—	—	—	12,212	19,036	—	—
Justice, législation, administration générale et divers	51,911	71,614	25,689	35,902	53,733[b]	70,332[c]	131,333[b]	177,849[c]
TOTAL	204,883	285,728	90,653	183,400	354,467	387,844	636,405	836,095

Source: Rapport de la Commission Rowell-Sirois, Volume 1, p. 150.

[a] Les paiements entre gouvernements ont été éliminés.

[b] Comprend le déficit des Postes de 4,045.

[c] Comprend le déficit des Postes de 6,081.

tion de leurs ressources naturelles avec une compensation financière basée sur un estimé de la perte encourue par les provinces à la suite des concessions de terres. Par ailleurs, il refusa systématiquement de reviser les subsides généraux et statutaires et il préféra recourir à une autre formule, à savoir, le système des subsides conditionnels et spécifiques, qu'il n'appliqua d'ailleurs que sur une échelle restreinte, dans des domaines tels que l'aide aux vieillards, au chômage et à l'enseignement technique.

CONCLUSION

Ainsi, l'évolution économique et sociale conséquente à la deuxième grande révolution technologique a permis aux provinces d'exercer l'autonomie que leur avaient accordée la Constitution et le Conseil Privé. La politique économique, tout en perdant de son rôle traditionnel, passa en partie sous la juridiction des gouvernements provinciaux et porta surtout sur la construction des routes et l'exploitation des ressources naturelles. Par contre, la politique sociale prit de l'importance quand se développèrent les besoins et les risques collectifs créés par l'industrialisation et l'urbanisation. Les municipalités, qui avaient les principales responsabilités administratives et financières en ce domaine, furent rapidement dépassées par l'ampleur des problèmes et les gouvernements provinciaux durent assumer des charges de plus en plus lourdes dans ce secteur. De plus, si on se rappelle juqu'où les provinces avaient réussi à étendre leurs pouvoirs de taxation, on peut se faire alors une bonne idée de l'importance qu'elles avaient acquise à l'intérieur de la fédération canadienne.

Jamais le Canada n'était venu plus près de former une véritable confédération, c'est-à-dire, une association d'états souverains formée en vue de réaliser une politique commune dans le domaine des relations extérieures et de la défense. Les provinces avaient assumé de grandes responsabilités mais elles pouvaient recourir à plusieurs sources de revenus. Le gouvernement fédéral s'était retiré à l'écart comme pour se faire oublier. Les Pères de la Confédération n'auraient certes pas reconnu leur œuvre.

CHAPITRE IV

LA GRANDE DÉPRESSION ET LA CRISE DU FÉDÉRALISME CANADIEN

L'équilibre apparemment satisfaisant qui s'était établi au cours de la décade précédente fut brusquement rompu par la grave crise économique de 1930. Cette dépression fut mondiale et il ne s'agit pas d'en retracer ici les causes générales. Notre intention est de montrer comment la conception qu'on se faisait alors du comportement de l'Etat et de la répartition des fonctions entre les différents gouvernements au Canada ont empêché notre pays d'organiser un système de défense efficace contre cette catastrophe. Au terme de cet exposé, nous serons en mesure de définir la nature de la crise qui menaçait le fédéralisme canadien au moment où le deuxième conflit mondial fut déclenché.

A. Les effets de la crise économique

Les causes immédiates de la crise économique au Canada furent la chute des investissements privés et la baisse des exportations. Dès 1929, la valeur courante de nos exportations avait commencé à diminuer et ce n'est que grâce à une hausse plus considérable des investissements nets que le volume du revenu national réussit à se maintenir. En 1930, comme le révèle le tableau 5, ces deux catégories de dépenses, qui exercent une influence déterminante sur notre économie, diminuèrent ensemble, et ce fut le commencement de la débâcle du revenu national. De 1929 à 1933, les investissements et les exportations baissèrent de 74% et de 54% respectivement, entraînant une chute de 42% dans le revenu national exprimé en dollars courants. Après 1933, l'activité économique reprit lentement pour retomber de nouveau en 1938 et la prospérité ne revint vraiment qu'après le début des hostilités. De 1929 à 1933, les prix des produits d'exportation diminuèrent de 40%, la production industrielle de 39% et l'emploi de 30%, alors que le nombre des chômeurs atteignait près de 650,000.

Toutefois, ces indices généraux ne rendent pas compte de toute la situation car la crise affecta les industries et les groupes de la population active à des degrés divers et de façons différentes. En général, on peut dire que l'agriculture et les pêcheries eurent surtout à souffrir de la diminution des prix tandis que l'industrie manufacturière et la construction furent principalement affectées par le chômage et par l'inutilisation de leur capacité de production. De 1929 à 1933, la moyenne des prix agricoles avait baissé de 60% et l'indice de leur disparité avec les prix des produits industriels ne s'établissait plus qu'à 67%. Par contre, les prix d'exportation du poisson étaient réduits de moitié, tandis que celui de la morue sèche diminuait de près de 70%. Quant aux produits manufacturés, les industries de biens de production furent beaucoup plus touchées que les industries de biens de consommation puisque leur niveau d'activité tomba à 48% comparativement à 84%. En somme, les groupes qui eurent le plus à souffrir furent les agriculteurs, surtout ceux de l'Ouest, les pêcheurs, les ouvriers des industries d'exportation et de la construction et, à un moindre degré, l'ensemble des actionnaires; quelques groupes furent moins frappés tandis que d'autres, comme les détenteurs d'obligations et d'hypothèques, virent leurs revenus réels augmenter. On peut enfin s'imaginer que les effets de la dépression furent différents d'une région à l'autre, mais cet aspect sera analysé plus loin. [1] loin. [1]

Le Canada avait connu les bienfaits de l'industrialisation au cours de la décade précédente; il en connaissait maintenant les inconvénients. L'industrialisation, en effet, avait non seulement contribué à intensifier la crise, mais elle nous avait enlevé nos principaux moyens traditionnels de défense. En d'autres termes, le Canada pouvait constater, à la suite de plusieurs autres pays, que lorsque l'initiative privée se charge du développement industriel, elle engendre en même temps l'instabilité économique.

B. État de la pensée en matière de politique fiscale

La crise économique prit le monde au dépourvu. Aux Etats-Unis, en particulier, l'optimisme était à son maximum et l'opinion

---

[1] Les statistiques contenues dans ce paragraphe et le précédent sont tirées du Rapport de la Commission Rowell-Sirois, Vol. 1, Ch. VI.

Tableau 5: Investissements, exportations et produit national brut au Canada, de 1928 à 1939

ANNÉE	INVESTISSEMENTS			EXPORTATIONS			PRODUIT NATIONAL BRUT	
	Total en millions	Pourcentage du produit national	Per capita	Total en millions	Pourcentage du produit national	Per capita	Total en millions	Per capita
1928	1,296	21.2	132	1,339	21.9	137	6,105	623
1929	1,518	24.6	152	1,152	18.7	115	6,166	617
1930	1,287	23.2	126	864	15.6	85	5,546	544
1931	881	19.3	85	588	12.9	57	4,560	438
1932	491	13.0	47	490	13.0	47	3,767	359
1933	327	9.2	31	529	14.9	50	3,552	335
1934	416	10.3	39	649	16.1	61	4,034	377
1935	505	11.6	47	725	16.7	67	4,345	402
1936	590	12.6	54	938	20.0	85	4,701	427
1937	828	15.5	75	997	18.6	90	5,355	482
1938	773	14.8	69	838	16.0	75	5,233	505
1939	765	13.4	68	925	16.2	82	5,707	505

Source: *Private and Public Investment in Canada, 1926-1951*, Ministère du Commerce, Ottawa, p. 145, tableau 1.

populaire en était venue à croire que les crises étaient un phénomène du passé qui ne se reproduirait plus. Bien peu de gens, parmi les gouvernants, les hommes d'affaires et les économistes, ont pu prévoir à la fin de la décade de 1920 qu'une nouvelle dépression était imminente. Dans le domaine de la pensée économique, les instruments d'analyse de l'époque ne permettaient pas encore de saisir le mécanisme fondamental qui engendrait de tels phénomènes, tandis que la conception de la vie politique et les techniques d'intervention acceptées à ce moment ne permettaient pas d'éviter les conséquences néfastes des fluctuations économiques, encore moins de prévenir la reproduction des cycles eux-mêmes. La conception qu'on se faisait alors de la politique fiscale, c'est-à-dire des règles que l'Etat doit suivre pour déterminer son programme de dépenses et de financement, reposait avant tout sur l'explication qu'on donnait des fluctuations économiques et sur les principes philosophiques du libéralisme économique.

A cette époque, on pensait encore que la seule position d'équilibre stable du système économique était celle qui correspondait au plein emploi des ressources productives et au maximum de bien-être général. On ne niait pas l'existence des fluctuations économiques mais on les interprétait comme étant des oscillations autour de la position d'équilibre et des écarts temporaires et de courte durée de la situation normale. On les expliquait par une multitude de facteurs, soit extérieurs à l'économie, comme les taches du soleil, la psychologie des affaires, l'intervention indue de l'autorité publique, soit internes, comme la rigidité des salaires, le déséquilibre entre les coûts et les prix et le sur-investissement. Sans nier que plusieurs de ces facteurs peuvent exercer une certaine influence, on reconnaît généralement aujourd'hui qu'aucun d'entre eux ne réussit à rendre compte du mécanisme fondamental qui engendre les cycles économiques. Les explications du phénomène demeurant imprécises et incomplètes, il n'est pas étonnant de constater une certaine confusion quant aux remèdes à apporter. On se bornait généralement à proposer la diminution des interventions gouvernementales directes, la lutte contre les rigidités du système, une politique monétaire ferme permettant de maintenir l'intérêt à un taux élevé ainsi que la confiance dans le système monétaire et, enfin, une politique douanière protectionniste afin d'encourager les industries domestiques et d'atténuer les effets internes des facteurs instables de l'extérieur. Toutefois, certains économistes, et parmi les

meilleurs, comme Hayek, adoptaient une attitude encore plus négative et plus fataliste; ils voyaient les crises comme un mal nécessaire,
engendré par la prospérité inflationnaire de la période antérieure,
qui permettait un dégonflement salutaire du système économique
et contre lequel il était non seulement difficile mais dangereux de
se défendre. En d'autres termes, le chômage généralisé était conçu
comme une plaie sociale inévitable plutôt que comme un problème
économique à résoudre. Il s'agissait surtout d'atténuer le malaise
engendré par la plaie avant qu'elle ne guérisse d'elle-même et non de
guérir et si possible de prévenir le mal économique avant qu'il n'exerce
ses ravages sociaux.

Ces conceptions ne s'inspiraient pas seulement d'une analyse scientifique incomplète de la réalité, mais aussi des principes erronés de la
philosophie du libéralisme économique. Ceux-ci peuvent se résumer
aux deux normes suivantes en ce qui concerne le comportement de
l'autorité publique dans le domaine économique: d'abord, l'Etat doit
intervenir le moins possible dans l'économie; en d'autres termes, son
rôle doit être négatif. En deuxième lieu, lorsqu'il doit absolument
intervenir, il doit le faire en respectant les règles du jeu de façon à
ne pas rompre l'équilibre vers lequel tend « naturellement » le système
économique selon cette conception; en d'autres termes, il doit se comporter à peu près comme s'il était une entreprise privée.

Ces principes généraux furent systématiquement appliqués à la
politique fiscale. Dans ce domaine, la première règle exigeait que les
dépenses publiques fussent réduites au minimum et que seuls les services les plus essentiels fussent fournis à la population. La seconde
norme exigeait un budget équilibré, c'est-à-dire un niveau de taxation
tout juste suffisant à financer les dépenses. La taxation elle-même
était conçue uniquement comme un moyen pour l'Etat de se procurer
des revenus. Elle constituait d'ailleurs la seule source normale de revenus, même si elle était toujours considérée comme un fardeau contribuant à abaisser le standard de vie du peuple, car l'emprunt et
l'expansion monétaire devaient être évités comme des hérésies.

On croyait ainsi neutraliser les effets de la politique fiscale. La
neutralité de cette politique semblait nécessaire parce qu'on pensait
que si le système économique était laissé à lui-même et qu'aucune
intervention artificielle ne se produisait, il retournerait rapidement et
par son propre mécanisme à sa position d'équilibre de plein emploi.

En fait, la politique fiscale ainsi conçue était neutre, en ce sens que les revenus et les dépenses de l'Etat étaient tellement faibles comparativement à ceux du secteur privé de l'économie que leurs effets pouvaient être négligés. Elle était neutre aussi en ce sens qu'elle était conçue en vue de distribuer ses avantages et ses charges de façon à ne pas changer la position financière respective des individus et des différents groupes. Sur un autre plan, toutefois, cette neutralité n'était qu'une fiction et nous verrons plus loin que non seulement la politique fiscale de cette époque n'a pas joué le rôle bienfaisant qu'on pouvait en attendre mais qu'elle a exercé une influence défavorable sur la conjoncture économique.

En somme, un minimum de dépenses publiques, un budget équilibré et la taxation neutre constituent les éléments essentiels de la politique fiscale qu'on tentait d'appliquer alors. Elle se résumait à identifier l'Etat à une entreprise privée et elle l'obligeait à se comporter comme celle-ci, en s'adaptant au mécanisme automatique du système économique, ce qui signifiait que les dépenses publiques devaient diminuer lorsque les revenus baissaient et que les taxes devaient être accrues lorsque leur rendement devenait insuffisant à financer les dépenses incompressibles. Une telle conception ne pouvait être plus fidèle aux principes du libéralisme économique.

Cependant elle ne soulevait pas trop d'objections. Sa simplicité même la rendait facile d'application. Il s'agissait tout simplement de n'effectuer que les dépenses les plus urgentes et d'imposer suffisamment de taxes pour les financer. Par contre, elle était acceptée du public parce qu'elle correspondait au sens commun et aux règles que la majorité des individus appliquent dans leur vie quotidienne. En effet, l'ensemble des citoyens constatent qu'ils ne peuvent dépenser plus qu'ils ne gagnent, ils croient que l'emprunt n'est pas une méthode normale de financer leurs dépenses et ils reconnaissent la nécessité de payer leurs dettes le plus tôt possible. C'est pourquoi, quand ces règles sont appliquées dans le domaine des finances publiques, les gens sont naturellement portés à les accepter comme les seuls principes possibles d'une bonne administration.

Il n'en reste pas moins que cette conception de la politique fiscale s'inspirait directement des principes philosophiques erronés du libéralisme économique, qu'elle reposait sur une théorie scientifique très incomplète et qu'elle était mal adaptée aux circonstances où elle fut appliquée. Non seulement elle ne réussit pas à résoudre les problèmes de cette décade, mais elle contribua à les aggraver.

C. LE COMPORTEMENT DES GOUVERNEMENTS

Les trois principaux secteurs de la politique économique de l'Etat, à savoir, la politique monétaire, douanière et fiscale, furent mis à contribution au cours de la crise. Il s'agit maintenant de voir de quelle façon ils furent utilisés.

a. *La politique monétaire et douanière*

La politique monétaire du Canada fut essentiellement « orthodoxe ». On évita soigneusement toute mesure d'intervention jugée artificielle, telle l'expansion et la dévaluation monétaire, et on laissa au mécanisme ordinaire du marché le soin de fixer la valeur du dollar. On craignait que l'expansion du crédit et la dévaluation produisent une inflation incontrôlable et la perte de confiance dans notre système monétaire, ce qui eût eu pour effet, en particulier, de provoquer une vente massive des titres canadiens détenus par les étrangers et une rareté excessive de devises étrangères. On sait aujourd'hui que ces deux craintes étaient injustifiées. Toutefois, ce n'est qu'après 1932 que le gouvernement fédéral tenta d'influencer la structure des taux d'intérêt dans le sens de la baisse, et en 1934, il favorisa l'expansion du crédit par une émission d'obligations de $52.5 millions. Il fallut cependant attendre le début des opérations de la Banque du Canada en 1937 pour voir l'application d'une politique monétaire souple et, à ce moment, les pires effets de la crise avaient disparu. En matière de commerce international, la politique monétaire classique qui fut suivie au Canada au cours des années antérieures, alors que la plupart des autres pays avaient eu recours à la dévaluation et à l'expansion du crédit, eut pour effet de réduire les revenus de nos industries d'exportation et d'encourager les industries étrangères dont nous importions. En effet, la dévaluation des monnaies étrangères par rapport au dollar canadien avait pour conséquence de hausser les prix de nos produits sur les marchés extérieurs par rapport à ceux des produits de nos concurrents, ou d'accentuer la baisse des prix de nos marchandises d'exportation en monnaie canadienne. Pour des raisons inverses, les exportateurs étrangers qui nous vendaient se trouvaient en meilleure posture. Sur

4

le plan national, cette politique, en rendant le crédit difficile d'accès, n'a pas créé les conditions qui auraient pu atténuer la crise et accélérer la reprise. De façon générale, on peut dire que notre politique monétaire eut un effet défavorable sur l'ensemble de l'économie canadienne et qu'elle accentua les incidences industrielles et régionales de la crise.

Notre politique douanière devint fortement protectionniste. Elle fut orientée de façon à servir deux objectifs. D'abord, elle devait supporter notre politique monétaire, en réduisant les importations, ce qui permettait de créer une balance favorable de paiements, de maintenir le crédit du Canada à l'étranger et d'éviter la dévaluation. Ensuite, elle devait favoriser l'industrie manufacturière du centre du pays en réduisant considérablement la concurrence étrangère sur le marché domestique. La hausse des droits douaniers, les méthodes administratives arbitraires et discrétionnaires utilisées pour évaluer les tarifs et la lourde charge des droits spécifiques contribuèrent puissamment à atteindre ces objectifs. La politique douanière favorisa les industries protégées mais elle aralysa les autres en les empêchant de réduire leurs frais de production et elle réduisit le revenu réel de leurs travailleurs. En accentuant la disparité des prix, elle intensifia le déséquilibre entre les différentes industries et les diverses régions du Canada. Sans elle, les industries non protégées auraient probablement pu se relever plus rapidement et le revenu réel de leurs travailleurs aurait été plus élevé, ce qui aurait sans doute produit un effet aussi bienfaisant dans le secteur des industries protégées que la protection douanière. Les répercussions générales sur l'économie canadienne auraient été ainsi beaucoup plus favorables. Cependant, il fallut attendre les accords impériaux de 1932 et surtout le traité commercial de 1935 avec les Etats-Unis pour que les droits douaniers soient diminués de façon appréciable. Ainsi, la politique douanière, comme la politique monétaire, n'eut pas d'effets favorables sur l'ensemble de l'économie et contribua à accentuer les incidences désastreuses de la crise à la fois sur le plan industriel et sur le plan régional.

b. *La politique fiscale*

En fait, nous le savons mieux aujourd'hui, ce n'est pas de ces deux secteurs de la politique économique qu'on pouvait attendre une influence vraiment déterminante mais bien de la politique fiscale. Nous avons déjà décrit la conception qu'on se faisait au cours de cette décade des principes et du contenu général de la politique fiscale. Il s'agit maintenant de voir comment elle fut appliquée concrètement au Canada. Nous analyserons séparément les deux aspects de cette politique, les dépenses et les recettes publiques.

1. Les dépenses publiques

Au cours de la crise, les dépenses publiques ont diminué, avec celles du secteur privé de l'économie, quoique à un rythme moins rapide. Elles ont ainsi contribué à accentuer le mouvement général de baisse et donc aussi la dépression. Comme le révèle le tableau 6, cette diminution des dépenses publiques est beaucoup plus attribuable aux administrations provinciales et municipales qu'au gouvernement fédéral. D'autre part, l'influence défavorable des dépenses gouvernementales sur l'ensemble de l'économie n'est pas entièrement révélée par la diminution de leur niveau. Le changement dans la composition des dépenses et la façon de dépenser eurent aussi de mauvais effets.

On admet généralement que les dépenses d'investissement, à cause de leurs effets multipliés, sont celles qui favorisent le plus le volume global d'emploi et de revenu. Or, de 1930 à 1933, elles ont diminué de près de 60%. Par contre, les dépenses de secours ont augmenté au cours de la période, surtout après 1931, et elles portèrent principalement sur les secours directs. De 1930 à 1940, la valeur des travaux par rapport aux dépenses totales de secours représentait 43% pour le gouvernement fédéral, 35% pour les provinces, 16% pour les municipalités et 36% pour l'ensemble des gouvernements [1].

Enfin, le programme des dépenses de secours fut déterminé sous l'inspiration du moment et non selon un plan systématique; il fut appliqué trop tard et sans tenir compte des caractéristiques régionales; il comportait des standards qui variaient souvent d'une municipalité à l'autre et eut pour conséquence d'intensifier l'immobilité de la main-d'œuvre.

Ces critiques visent beaucoup moins le système d'administration publique de cette période que la conception fausse qui l'inspirait. Il ne faut pas accuser les gouvernements d'alors de ne pas avoir réussi à prévenir ou à résoudre le problème du chômage, car tel n'était

---

[1] *Private and Public Investment in Canada*, 1926-1951, p. 245.

TABLEAU 6: Dépense nationale, dépenses et investissements publics et dépenses de secours, Canada, 1930-1939

EN MILLIERS DE DOLLARS

ANNÉE	Dépense nationale brute[1]	Dépenses publiques nettes[2]	DÉPENSES PUBLIQUES NETTES		INVESTISSEMENTS PUBLICS				Dépenses de secours
			fédérales[2]	autres[2]	total	fédéral[3]	provincial[4]	municipal[5]	
1930	5,546	1,031	367	664	556	260	151	145	18
1931	4,560	1,047	387	660	477	204	142	131	96
1932	3,767	978	365	613	309	112	92	105	95
1933	3,552	889	359	530	230	96	57	77	97
1934	4,034	972	387	585	264	106	95	63	158
1935	4,345	1,023	431	592	295	116	106	73	172
1936	4,701	1,014	436	578	311	133	99	79	160
1937	5,355	1,091	451	640	408	156	168	84	165
1938	5,233	1,174	498	676	404	160	148	96	—
1939	5,707	1,119	457	662	393	160	137	96	—

[1] *National Accounts, Income and Expenditure*, 1926-1950, pp. 26 et 27.

[2] *Government Transactions Related to the National Accounts*, 1926-1951, pp. 14 et 15.

[3] *Private and Public Investment in Canada*, 1926-1951, p. 186, Tableau 82.

[4] *Ibid.*, p. 189, Tableau 90.

[5] *Ibid.*, p. 197, Tableau 108.

Source: *Rapport de la Commission Royale d'enquête sur les relations entre le Dominion et les Provinces*, Vol. 1, p. 175, Tableau 56.

pas l'objectif de leur politique. A ce moment-là, nous l'avons déjà signalé, on ne considérait pas le chômage comme un problème économique dont l'Etat devait assumer la responsabilité. On l'envisageait surtout comme une plaie sociale temporaire mais inévitable dont on devait atténuer les plus néfastes répercussions. La responsabilité en ce domaine retombait d'abord sur les individus et les familles. Si l'initiative privée ne suffisait plus, il appartenait aux municipalités d'intervenir et, au besoin, de demander l'aide des gouvernements provinciaux. Ce n'est qu'en dernier ressort que le gouvernement fédéral pouvait assumer un rôle. Une telle conception du problème du chômage explique dans une très large mesure l'insuffisance des dépenses publiques, la place prépondérante des secours directs, la lenteur, le manque de plan et de direction de l'action gouvernementale. Elle a également déterminé pour une bonne part le rôle joué par chaque type de gouvernement au cours de cette période.

Nous avons déjà indiqué que la crise eut des incidences régionales et locales très marquées. Elle frappa surtout les régions de l'Ouest où elle fut accompagnée d'une sécheresse généralisée, et les centres industriels. Les localités les plus frappées furent celles qui eurent le plus besoin de secours et qui pouvaient le moins en attendre de leurs administrations locales et provinciales, à la suite de la diminution rapide de leurs recettes et de l'impossibilté d'accroître indéfiniment une dette déjà élevée avant la crise. La responsabilité administrative et financière décentralisée aboutissait donc à un cercle vicieux.

La dépression, dont les effets primaires avaient été localisés, eut des effets secondaires qui en généralisèrent les répercussions: ce furent bientôt toutes les administrations municipales et provinciales qui ne purent supporter davantage le fardeau de leurs responsabilités. Si de 1930 à 1937, comme le démontre le tableau 7, les municipalités du Canada réussirent à diminuer leurs dépenses, sauf dans le domaine du bien-être, elles n'y arrivèrent qu'en diminuant leurs services et en abandonnant une partie de leurs responsabilités aux autres gouvernements. Dans la province de Québec, en particulier, la situation des administrations municipales était particulièrement pénible car ces dernières durent financer le quart des dépenses de secours; la dette de la région métropolitaine de Montréal s'accrut de 252 à 345 millions au cours de cette période.

Les provinces tentèrent par tous les moyens de s'acquitter de leurs responsabilités en ce qui regarde les secours aux chômeurs. Pour pouvoir augmenter leurs dépenses dans le domaine du bien-être, elles réduisirent le plus possible celles des autres secteurs. Mais ce ne fut pas suffisant. Elles durent donc avoir recours à l'emprunt et le montant de leur dette s'accrut rapidement. De 1930 à 1937, la somme consacrée au service net de la dette augmenta de 29.4 millions à 50.9 millions. Pour avoir voulu se suffire davantage à elles-mêmes, les municipalités et la province de Québec, qui en 1930 avaient la dette *per capita* la plus basse au Canada, venaient en tête du pays sous cet aspect en 1937. Pour plusieurs provinces, la faillite aurait été inévitable si l'aide extérieure n'était pas venue.

TABLEAU 7: Dépenses des Gouvernements imputées au compte courant, 1930-1937. Tous les Gouvernements.

EN MILLIERS DE DOLLARS

	MUNICIPALITÉS		PROVINCES		DOMINION	
	1930	1937	1930	1937	1930	1937
Service net de la dette.....	55,740	54,813	29,476	50,911	149,098	167,043
Défense.................	—	—	—	—	23,256	33,614
Pensions et soins ultérieurs.	—	—	—	—	55,341	54,437
Bien-être public..........	31,510	53,223	34,678	87,806	17,698	109,998
Enseignement...........	84,705	76,506	33,775	32,121	702	272
Agriculture et terres publiques.................	—	—	21,241	20,636	23,298	17,909
Transports..............	42,159	30,559	28,328	25,191	29,083	18,000
Subventions aux provinces.	—	—	—	—	19,036	21,210
Dépenses générales: Justice, législation, administration générale et divers.................	71,614	66,936	35,902	41,835	70,332[a]	55,685
TOTAL.................	285,728	282,037	183,400	258,500	387,844	478,168

[a] Comprend le déficit du ministère des Postes: 6,081.

Source: Rapport de la Commission Royale des relations entre le Dominion et les Provinces, Vol. 1, p. 190, tableau 72.

Le gouvernement fédéral dut donc intervenir et son rôle s'accrut à mesure que la crise se prolongea et devint plus intense. Cette intervention s'exerça sur différents plans et selon plusieurs méthodes. D'abord, le gouvernement fédéral entreprit lui-même certains travaux de secours et vint en aide aux chômeurs itinérants. Toutefois, comme l'indique le tableau 8, il accorda surtout des octrois conditionnels destinés à aider les administrations provinciales et municipales à défrayer certaines de leurs dépenses. De plus, le gouvernement vint au secours de certaines industries, en comblant les déficits considérables des chemins de fer publics, en tentant, par ses achats massifs, de stabiliser le marché du blé et en accordant des subventions pour le transport et la production du charbon. Les subsides traditionnels et sans condition furent revisés dans le cas de toutes les provinces, sauf l'Ontario et le Québec, et ils furent augmentés de 7 millions au cours de cette période. Enfin, le gouvernement fédéral prêta 160 millions aux provinces de l'Ouest.

2. *Les revenus des gouvernements*

En somme, le programme de dépenses publiques eut pour effet d'accentuer la crise par son insuffisance, sa composition et l'inefficacité de ses méthodes administratives. L'autre aspect de la politi-

TABLEAU 8: Dépenses de secours par les gouvernements au Canada, de 1930 à 1937

EN MILLIERS DE DOLLARS

SOURCE DE LA DÉPENSE	1930	1931	1932	1933	1934	1935	1936	1937
Organismes provinciaux-municipaux:								
Part des municipalités.	4,764	16,216	20,837	22,974	23,471	24,000	23,123	18,341
Part des provinces....	9,199	41,972	37,461	39,071	74,341	69,518	59,165	79,466
Part du Dominion....	3,140	33,531	33,806	28,020	43,307	40,694	51,541	54,547
Organismes fédéraux..	1,292	4,765	2,915	7,879	17,353	38,722	26,463	12,802

Source: Rapport de la Commission Rowell-Sirois, Vol. 3, tableau 33, pp. 96 et 97.

que fiscale, celui du financement, a probablement eu des conséquences encore plus défavorables sur l'ensemble de l'économie. En effet, on tenta le plus possible d'appliquer le principe de l'équilibre du budget. Dans le cas des provinces et des municipalités, il s'agissait presque d'une nécessité car, on l'a bien vu au cours de cette période, leurs possibilités d'emprunt étaient limitées, mais dans le cas du gouvernement fédéral, la situation était bien différente car il avait plein pouvoir dans le domaine de la politique monétaire. De toute façon, on appliqua les principes de finance publique acceptés à ce moment-là et on s'efforça de défrayer les dépenses à même les revenus courants.

Au lieu de diminuer les impôts pour stimuler l'activité économique, on les augmenta pour compenser la baisse de leur rendement, ce qui eut pour conséquence d'accentuer le malaise dans le secteur privé de l'économie. Ainsi, dans le but de stabiliser les revenus, on accrut les anciens impôts et on imposa de nouvelles taxes. La taxe de vente fédérale augmenta de 1 à 8%, l'impôt foncier, l'impôt sur le revenu des individus et des corporations, les droits douaniers, les taxes d'accise

TABLEAU 9: Pourcentage du produit national perçu en taxes par les gouvernements fédéral, provinciaux et municipaux, au Canada, de 1929 à 1939.

ANNÉE	PRODUIT NATIONAL	POURCENTAGE PERÇU EN TAXES		
		Gouvernement fédéral	Provinces et municipalités	Total
1929..............	100.0	6.4	8.9	15.3
1930..............	100.0	4.8	10.1	14.9
1931..............	100.0	4.9	12.1	17.0
1932..............	100.0	5.6	14.6	20.2
1933..............	100.0	6.8	14.8	21.6
1934..............	100.0	7.2	13.8	21.0
1935..............	100.0	7.1	14.1	21.2
1936..............	100.0	8.4	14.2	22.6
1937..............	100.0	8.5	13.1	21.6
1938..............	100.0	7.2	13.3	20.5
1939..............	100.0	7.9	12.2	20.1

Source: National Accounts, Income and Expenditure, 1926-1950, tableau 1, pp. 26 et 27 ainsi que: Government Transactions Related to the National Accounts, 1926-1951, tableau 2, pp. 14 et 15.

et plusieurs autres subirent des hausses considérables. Certaines provinces et municipalités eurent recours à la taxe de vente, d'autres à une taxe sur les salaires. On utilisa surtout les taxes de consommation dont le caractère régressif avait les plus mauvais effets.

On peut constater l'orientation et la portée de la politique de financement à cette période en consultant le tableau 9. Les gouvernements qui percevaient sous forme d'impôts environ 15% du revenu national en 1929 augmentèrent cette proportion continuellement jusqu'en 1936, alors que celle-ci atteignait 22.6%. On peut facilement déduire de cette constatation les conséquences défavorables qu'a pu exercer la politique fiscale sur l'ensemble de l'économie.

La pratique intensifiée de la double taxation constitue une autre caractéristique du régime fiscal de cette époque. Au cours de cette période, les provinces avaient tellement multiplié leurs sources de revenus qu'elles avaient recours à tous les modes de taxation utilisés alors, sauf les droits de douane et d'accise. Ce n'est donc pas à cause du manque de sources de revenus qu'elles n'ont pas réussi à remplir leurs responsabilités financières, mais bien parce que les sources elles-mêmes avaient été presque taries par la dépression. Il n'en reste pas moins que les citoyens devaient supporter la double taxation et même, dans certains domaines, la triple taxation. Un tel système ne pouvait pas être toléré longtemps car il imposait de lourds fardeaux distribués inégalement entre les différents groupes et les diverses régions du pays.

En somme, la politique économique suivie au cours de la crise ne fut pas adaptée aux circonstances. Au lieu d'améliorer les conditions économiques de cette période, elle contribua à les empirer. A l'analyse, il semble bien qu'il y eut à l'origine un manque de réalisme. Lorsque l'initiative privée remplaça l'Etat et se chargea du développement industriel au début de la nouvelle révolution technologique, on ne se rendit pas compte que cette profonde transformation nécessitait une adaptation du rôle de l'Etat et que la politique devait être orientée de façon à assurer la stabilité à court terme, étant donné le caractère instable des investissements privés. Au lieu d'opérer ce changement radical en vue de lutter efficacement contre la crise, on s'en remit presque exclusivement à l'ancienne politique économique qui reposait sur le protectionnisme douanier et on demanda à l'Etat d'imiter le comportement de l'entreprise privée. Plutôt que de tenter de stabiliser une économie industrialisée et d'établir un système de sécurité sociale, on

préconisa même, en certains milieux, le retour à l'économie paysanne
et artisanale ainsi qu'au système de sécurité individuelle et familiale.
Ainsi, on raisonnait comme si le retour à l'ancienne situation de fait
était possible et comme si ce retour pouvait offrir une solution aux
problèmes nés de l'évolution même des faits.

D. La crise du fédéralisme canadien

La conception que l'on se faisait de la politique économique n'était
pas la seule à être inadéquate. La répartition des responsabilités
administratives et financières entre les gouvernements empêchait également notre pays de lutter efficacement contre la crise économique.
En fait, la grande dépression révélait que notre structure politique traversait une crise profonde.

D'une part, les responsabilités législatives et administratives du gouvernement fédéral étaient alors très limitées; son rôle était presque
réduit à celui de pourvoyeur de fonds pour les autres gouvernements.
Cette fonction, le gouvernement central était en mesure de la remplir
non pas tant parce qu'il pouvait recourir à toutes les formes de taxation, mais parce qu'il avait pleine autorité en matière monétaire et que
sa capacité d'emprunt était beaucoup plus grande que celle des autres
gouvernements. Par contre, la plupart des problèmes de cette période
et, en particulier, le chômage et l'insécurité sociale relevaient des municipalités qui, en plus d'être incapables de les résoudre, avaient des
sources de revenus très limitées. Les administrations locales durent
donc s'en remettre de plus en plus aux législatures provinciales qui
devinrent ainsi les véritables pivots de la fédération canadienne.

Ainsi, la doctrine de l'autonomie législative, administrative et financière des provinces recevait son application la plus intégrale depuis
la Confédération, mais, en même temps, elle aboutissait à un échec
qui en révélait les faiblesses, attribuables surtout à la nature des responsabilités des provinces et à la limitation de leur capacité financière.

Les responsabilités des gouvernements provinciaux étaient appelées
à s'accroître, sur une longue période, avec l'augmentation de la population, la hausse du standard de vie, l'incapacité grandissante des municipalités, l'évolution des faits économiques et des conceptions sociales.
Par contre, elles étaient incompressibles sur une courte période et devaient même augmenter au cours d'une dépression avec les dépenses
de secours et le fardeau plus lourd des dettes publiques. Enfin, en

temps normal, les exigences financières de ces responsabilités étaient distribuées à peu près également entre les provinces selon la population; mais, en période de dépression, cet équilibre partiel était brisé, car les charges financières étaient plus lourdes dans les régions les plus frappées.

Sur le plan des sources de revenus, les provinces, après s'être décidées avec répugnance à utiliser la taxation directe, réussirent ensuite, grâce à certaines décisions du Conseil Privé, à des stratagèmes légaux et à une certaine complicité passive du gouvernement fédéral, à s'introduire dans le champ de la taxation indirecte portant sur les marchandises et les services. Cette situation comportait un haut degré d'autonomie financière puisque les provinces pouvaient dorénavant recourir à toutes les formes de taxation, sauf les droits de douane et d'accise.

Par contre, cet arrangement comportait de graves inconvénients pour les provinces elles-mêmes étant donné la nature de leurs responsabilités, sans mentionner, pour le moment, l'extrême désavantage d'avoir dix politiques fiscales différentes à l'intérieur d'un même pays. En premier lieu, alors que les dépenses provinciales étaient en grande partie incompressibles, les sources de revenus, surtout celles provenant de la taxation directe, étaient irrégulières et leur rendement variait dans le même sens que les fluctuations de l'activité économique, ce qui n'était pas le cas des subsides statutaires. De plus, si en temps normal, les responsabilités financières étaient à peu près également réparties entre les provinces selon leur population, les sources de revenus étaient loin de l'être, car toutes les provinces, sauf l'Ontario et le Québec, ne pouvaient pas attendre de sommes considérables des impôts directs, étant donné la forte concentration des grandes compagnies et des industries prospères au centre du pays. Enfin, au cours d'une dépression, c'était dans les provinces les plus frappées, où les responsabilités financières étaient les plus lourdes, que les revenus de la taxation baissaient le plus.

On s'aperçut bientôt, particulièrement pendant la crise, que les finances provinciales étaient bien insuffisantes, non parce que les pouvoirs de taxation des provinces étaient trop limités, mais parce que l'assiette de l'impôt était trop restreinte en certains cas, et que les sources de revenus elles-mêmes se tarissaient au cours d'une dépression. Il ne faut surtout pas oublier que les gouvernements provinciaux avaient une capacité limitée d'emprunt et qu'ils n'avaient aucune autorité en matière monétaire, ce qui les empêchaient de recourir à des déficits budgétaires importants et répétés. C'est d'ailleurs pourquoi toutes les provinces durent demander le secours financier du gouvernement central au cours de la crise et que certaines d'entre elles réussirent à peine à éviter la faillite, même après avoir reçu des octrois et des prêts spéciaux du pouvoir fédéral.

Ainsi, la réalité elle-même se chargeait de révéler qu'il existait une certaine incompatibilité entre l'autonomie législative et administrative d'une part et l'autonomie financière d'autre part. Les Pères de la Confédération avaient réussi à éviter cette difficulté en recourant aux subsides statutaires, mais l'évolution économique et constitutionnelle l'avait fait surgir. Le fédéralisme canadien avait été établi sur des différences régionales que la conquête de l'autonomie financière avait temporairement mises de côté en plaçant les provinces sur un même pied, en principe du moins. La triste réalité de la dépression venait rappeler que les transferts d'argent par l'administration fédérale d'une région à l'autre et d'un gouvernement à l'autre constituaient une condition essentielle à l'existence de notre fédéralisme et à l'autonomie réelle des provinces dans le domaine législatif et administratif.

La thèse de l'autonomie provinciale intégrale, en s'affirmant, aboutissait à un échec et risquait de produire son antithèse, c'est-à-dire la perte complète de l'indépendance des provinces. Les faits démontraient que celles-ci ne pouvaient s'acquitter adéquatement des principales responsabilités de l'Etat moderne, surtout dans le domaine de la stabilité économique et de la sécurité sociale. En temps de prospérité, certaines d'entre elles auraient pu les remplir mieux que les autres parce qu'elles pouvaient jouir de revenus gagnés en partie aux dépens de leurs voisines, étant donné la forte concentration géographique des industries vivant du marché national. Par contre, leur contribution ne pouvait pas être importante. De plus, en temps de dépression, malgré leur avantage marqué par rapport aux autres, elles devaient aussi faire appel à l'aide fédérale.

Ainsi, le fédéralisme canadien était menacé parce qu'il ne parvenait pas à résoudre les graves problèmes de cette époque et qu'il frappait d'incapacité la majorité des provinces. La constitution telle qu'appliquée alors n'était plus adaptée aux conditions de temps de guerre et de dépression; elle ne donnait des résultats satisfaisants qu'en période de prospérité et encore, dans le cas de deux provinces seulement, l'Ontario et le Québec. Des changements pour notre structure politique étaient donc devenus essentiels et urgents.

Placé dans un contexte devenu différent et ayant à faire face à des problèmes nouveaux, le Canada se retrouvait dans une situation analogue à celle d'avant 1867. Les colonies d'alors subissaient la menace extérieure des Etats-Unis, leur commerce d'exportation traversait une période difficile, elles devaient supporter les conséquences de la première révolution industrielle et aménager leur territoire en fonction des techniques nouvelles, alors que le fardeau de leurs dettes s'alourdissait rapidement. Leur souveraineté était devenue un danger beaucoup plus qu'une protection, par suite de l'importance des tâches à accomplir et des difficultés à surmonter. C'est pourquoi elles acceptèrent l'idée de la Confédération proposée par le Canada-Uni. Elles confièrent au gouvernement central leurs principaux pouvoirs et leurs plus importantes sources de revenus avec la mission d'accomplir la grande tâche de l'époque, c'est-à-dire l'unification, l'aménagement, le développement et le peuplement du territoire.

L'évolution économique et sociale, l'interprétation subséquente de la Constitution et les jalousies politiques ont fait que les provinces ont repris au cours des récentes décades une grande partie de la souveraineté que possédaient les anciennes colonies avant la Confédération. Ce retour à l'ancien état de choses coïncidait avec une nouvelle crise de structure qui se manifestait sur plusieurs plans. Elle était surtout caractérisée par la menace extérieure, les difficultés du commerce international, les conséquences d'une deuxième révolution industrielle — principalement l'instabilité économique, l'urbanisation et l'insécurité sociale — les exigences du réaménagement du territoire en fonction des nouvelles techniques — en particulier, le besoin de centrales électriques, de logement, de grandes routes et d'une nouvelle canalisation du St-Laurent —. Les provinces, sur qui retombaient une grande part de ces responsabilités, se montraient de plus en plus incapables de résoudre ces problèmes et d'entreprendre les grandes œuvres qui s'imposaient, d'autant plus qu'elles avaient été obligées d'assumer graduellement plusieurs fonctions des municipalités et que leurs dettes devenaient très lourdes. Il fallait donc remettre en question le fédéralisme canadien, reviser ses modalités, revenir à ses objectifs initiaux, en d'autres termes, refaire la Confédération.

Cette fois, cependant, ce fut le gouvernement fédéral qui prit l'initiative avec la collaboration de plusieurs provinces. Si le Canada-Uni avait joué un rôle prépondérant dans les pourparlers qui avaient conduit à la Confédération de 1867, les provinces d'Ontario et de Québec s'opposèrent systématiquement aux nouvelles tentatives en se retirant sur la position avantageuse qu'elles occupaient à l'intérieur de la fédération canadienne avec le retour de la prospérité. Ainsi, il existait une analogie frappante entre la situation du Canada et celle du monde international. Les provinces avaient évolué de telle façon qu'elles ressemblaient à des puissances souveraines. Nous avions, à l'intérieur du pays, nos petites nations qui collaboraient plus ou moins avec le gouvernement fédéral et nos « deux grands » qui défendaient jalousement, avec leur droit de veto, leurs prérogatives et leurs intérêts acquis. Les « deux grands » en étaient arrivés à considérer l'autonomie intégrale comme un dogme interdisant toute forme de compromis. Les réunions fédérales-provinciales de cette époque et encore plus celles qui allaient suivre, ressemblaient étrangement aux conférences internationales sur le désarmement, telles que décrites par Emery Reves dans son livre « Manifeste démocratique »:

« L'assemblée était composée de délégués de nations souveraines qui ne pensaient qu'à sauvegarder leurs intérêts nationaux. Chacun des délégués n'avait qu'une idée en tête: conserver pour son propre pays le plus d'armements possible. Si l'un d'eux avait consenti une réduction des armements de son propre pays, on l'aurait considéré comme un traître à sa patrie. Et quand ils rentraient chez eux, après avoir victorieusement résisté à toute tentative de réduction d'armements nationaux, on les fêtait comme de grands patriotes qui avaient bien représenté les droits souverains de leur pays sans permettre aucune « ingérence étrangère ». [1]

Pendant qu'on défendait jalousement les « droits souverains » des provinces, des problèmes économiques et sociaux très graves continuaient à se poser. Il fallait tout de même leur trouver une solution. C'est précisément ce qu'on tenta de faire au cours de la période suivante.

---

[1] E. Reves, *Manifeste démocratique*, Paris, 1943, p. 60.

CHAPITRE V

RETOUR À LA PRÉDOMINANCE DU GOUVERNEMENT FÉDÉRAL

La période allant de 1940 jusqu'à aujourd'hui n'a pas été marquée par l'apparition de facteurs nouveaux sur le plan de l'évolution des faits économiques et de leurs implications sociales. De ce point de vue, les tendances fondamentales de la période antérieure continuèrent à se manifester, mais en s'amplifiant grâce à une conjoncture particulièrement favorable. C'est sur le plan de la pensée économique, des conceptions sociales, du rôle de l'Etat et de la structure de notre système fédératif que des changements importants sont survenus. Nous dégagerons ces transformations en analysant successivement la situation économique, sociale et politique du Canada depuis le début du deuxième conflit mondial.

Les projets de revision constitutionnelle qui furent soumis à partir de 1935, mais qui aboutirent à un échec, ne seront pas analysés. Nous nous limiterons à les signaler. Il y eut d'abord le « New Deal » du gouvernement Bennett qui fut déclaré inconstitutionnel en grande partie en 1937. La conférence fédérale-provinciale de 1940, convoquée pour considérer la mise en application des recommandations de la Commission royale d'enquête sur les relations entre le Dominion et les provinces, aboutit à un échec complet. Il en fut de même de la conférence de 1945 alors qu'on étudia à peu près les mêmes problèmes qu'au cours de la précédente mais dans le contexte de l'après-guerre. Enfin, le même sort fut réservé à la réunion de 1950 où l'on tenta de s'entendre sur une procédure pour amender les articles de la Constitution concernant les matières de juridiction partagée. On doit regretter ces échecs successifs qui ont aggravé le caractère statique de notre régime fédératif.

A. La situation économique

La guerre et les dépenses gouvernementales qu'elle entraîna mirent fin à la crise. Alors que le premier conflit mondial avait marqué la transition entre la première période d'expansion industrielle et la deuxième, la guerre de 1939 ne fut que la continuation et l'intensification de la deuxième révolution industrielle commencée vers 1920.

A partir du début du conflit mondial, le développement de l'économie canadienne fut extrêmement rapide. On peut subdiviser cette période en trois phases. La première, celle de la guerre, est marquée surtout par l'importance des dépenses publiques, le progrès de l'industrie manufacturière et la stabilité relative des prix, attribuable à un système rigide de contrôles gouvernementaux. La deuxième est caractérisée par le retour à l'initiative privée, la découverte de nouvelles ressources et les pressions inflationnaires; elle se termine en 1949 par un fléchissement économique aux Etats-Unis qui ne put exercer toutes ses répercussions au Canada avant le début de la troisième phase. Celle-ci, enfin, se distingue par le début du conflit coréen, l'importance des dépenses publiques d'armements et une nouvelle poussée inflationnaire qui semble maintenant terminée.

Le tableau 10 donne une idée d'ensemble de l'évolution du revenu national en termes monétaires et réels, permettant ainsi de constater les effets de l'expansion économique et de l'inflation. Il indique également la contribution réelle des différentes catégories de dépenses au revenu de la nation. On peut aussi y retracer les trois phases que nous avons décrites brièvement.

Des changements importants sont survenus dans la structure de notre économie. Alors que l'importance relative de l'agriculture diminuait constamment au cours de cette période, c'est l'industrie manufacturière qui se développa le plus rapidement pendant la guerre. Les industries déjà établies connurent une expansion considérable et d'autres furent lancées en vue de manufacturer une multitude de produits qui n'avaient jamais été fabriqués au Canada. Après la guerre, ce fut surtout la production minière qui prit de l'expansion. Les découvertes de champs pétrolifères, de dépôts de fer, de titanium et d'uranium ne furent que les plus spectaculaires. On a d'ailleurs de bonnes raisons de croire que d'autres suivront.

Sur le plan régional, la prédominance des provinces centrales s'est maintenue, mais il semble que l'ancien déséquilibre entre les différentes régions soit en voie de disparaître. De nouveaux territoires ont été ouverts à l'industrialisation. Les provinces de l'Ouest méritent d'être

TABLEAU 10: Revenu national et principales catégories de dépenses au Canada, 1940-1952

EN MILLIONS DE DOLLARS

ANNÉE	Revenu national (dollars courants)	Revenu national (dollars constants)[3]	DÉPENSES EN DOLLARS CONSTANTS[3]				
			Dépenses privées en biens de consommation et services	Dépenses publiques en biens et services	Investissements bruts domestiques	Exporta- tions	Importa- tions
1940[1]	6,872	6,487	4,127	1,122	1,069	1,681	-1,456
1941	8,517	7,481	4,432	1,567	974	2,194	-1,649
1942	10,539	8,941	4,622	3,138	1,065	1,945	-1,730
1943	11,183	9,374	4,679	3,517	535	2,728	-2,056
1944	11,954	9,721	5,030	4,001	575	2,614	-2,450
1945	11,850	9,315	5,471	2,814	547	2,548	-2,004
1946	12,026	9,045	6,189	1,484	1,218	2,079	-1,930
1947	13,768	9,165	6,478	1,149	1,640	2,053	-2,113
1948	15,613	9,438	6,368	1,189	1,669	2,104	-1,869
1949[2]	16,462	9,722	6,612	1,321	1,684	2,016	-1,910
1950	18,203	10,330	7,022	1,375	2,067	2,027	-2,095
1951	21,450	10,899	6,991	1,692	2,447	2,220	-2,340
1952	23,011	11,554	7,381	2,169	2,146	2,453	-2,442

[1] De 1940 à 1949: *National Accounts, Income and Expenditure, 1926-1950*, p. 27, tableau 1, et p. 28, tableau 3.
[2] De 1949 à 1952: *National Accounts, Income and Expenditure, 1949-1952*, p. 16, tableau 1, et p. 50, tableau 47.
[3] Chiffres basés sur la valeur du dollar au cours de la période 1935-1939.

5

mentionnées tout particulièrement, sans toutefois oublier le Nouveau-Québec, le Labrador et bientôt peut-être la Gaspésie et le Nord du Nouveau-Brunswick.

Depuis la deuxième guerre mondiale, comme le montre le tableau 11, trois provinces ont connu un développement économique plus rapide que l'ensemble du Canada. Ce sont l'Alberta, l'Ontario et la Colombie-Britannique. Parmi les provinces qui se sont développées plus lentement que l'ensemble du pays, il y a lieu de mentionner le Québec qui vient néanmoins en tête du pays pour l'augmentation de la production minière, le Nouveau-Brunswick et surtout la Saskatchewan qui semble au début d'une période d'expansion importante.

En somme, au cours de cette période, le développement de l'économie canadienne s'est poursuivi à un rythme accéléré. De plus, les perspectives de longue période sont excellentes et l'on peut croire que le Canada deviendra un jour l'un des plus grands pays industriels du monde, surtout si ses ressources naturelles sont exploitées en vue d'établir un équilibre de structure satisfaisant. Tout peut dépendre en définitive de l'étendue et des répercussions favorables ou néfastes de la révolution atomique. Enfin, sur le plan régional, les différences de structure économique qui, dans le passé, furent une source constante de difficultés semblent s'atténuer par l'industrialisation rapide de nouveaux territoires. Par contre, il ne faudrait pas croire que les problèmes de courte période ne se posent plus, car l'expansion économique séculaire continuera de s'effectuer par fluctuations, ce qui signifie que l'inflation et le chômage seront de graves menaces.

B. Situation sociale

L'industrialisation ayant été accélérée au cours de cette période, ses répercussions sociales furent du même coup amplifiées. De 1939 à 1950, alors que l'emploi augmenta de 24% au Canada et de 85% dans l'industrie manufacturière, il diminua de 22% dans l'agriculture. Cette évolution rapide eut ses avantages et ses inconvénients. Elle contribua à accroître le standard de vie de la population. Le revenu personnel *per capita* en dollars constants s'éleva de 54%; dans l'industrie manufacturière, le taux moyen horaire des salaires augmenta de 49% en termes réels tandis que la longueur de la semaine de travail diminuait de 11%.

Le confort matériel s'accrut sur tous les plans. De 1939 à 1950, le nombre de téléphones par mille habitants augmenta de 73%, les ventes d'automobiles de 210% et le nombre de maisons de 44%. Le nombre de ménages ayant l'électricité s'éleva de 69%, un appareil de T.S.F., de 62%, un réfrigérateur électrique, de 81%. Par contre, le nombre de familles n'étant pas propriétaires de leur logement subissait une hausse de 82% au Canada et de 114% dans la province de Québec. La rareté de logements apparaissait dans toute son acuité. L'insécurité économique et sociale, momentanément atténuée par la prospérité, n'en devenait pas moins une menace plus dangereuse avec l'industrialisation plus poussée.

Sur un autre plan, le mouvement de concentration du pouvoir économique s'accentuait, tandis que la réaction de défense des ouvriers, des cultivateurs et même des consommateurs s'intensifiait. Le Conseil canadien de l'agriculture, les quatre grandes centrales ouvrières et le mouvement coopératif firent de rapides progrès et tentèrent d'exercer une influence dans plusieurs secteurs de la vie sociale, y compris le plan politique. La vie privée, organisée auparavant en fonction de la famille, devint de plus en plus collective. En somme, la structure et le comportement de la société subissaient des transformations profondes.

Alors que les conceptions sociales n'avaient pas évolué avec les faits au cours de la première phase de cette révolution industrielle, elles changèrent rapidement pendant la deuxième. La crise et la guerre exercèrent une influence considérable en ce domaine. Les individus et les familles constataient qu'ils étaient dépassés par les problèmes auxquels ils avaient à faire face. Ils cherchèrent de plus en plus à s'organiser en groupements privés. Ceux-ci réussirent à résoudre par eux-mêmes certains problèmes mais ils en vinrent à constater à leur tour que la solution de certains problèmes devait être confiée à l'Etat ou exigeait tout au moins son concours. Ainsi, l'organisation de la vie sociale par les groupements professionnels et privés s'avérait insuffisante. Pour assurer une plus grande sécurité individuelle et familiale, la collectivisation, sur le plan privé, devait être complétée par une certaine socialisation. C'est pourquoi on en vint à abandonner les principes philosophiques du libéralisme dans le domaine social et à réclamer que l'Etat assumât une plus grande part de responsabilité en ce qui concerne les risques collectifs résultant de l'industrialisation.

TABLEAU 11: Indices d'expansion industrielle au Canada et par province en 1952 par rapport à 1946[1]

PROVINCE	Population	Emploi civil	INDUSTRIE MANUFACTURIÈRE				Production minière	Énergie électrique
			Établissements	Emploi	Production brute	Investissement		
Terre-Neuve	114.0	106.1[2]	—	—	303.3	108.0[2]	300.0	111.4[2]
Prince-Édouard	109.6	86.4	—	—	218.2	150.0	—	88.5
Nouvelle-Écosse	106.7	105.6	121.4	110.0	180.4	135.4	182.9	121.8
Nouveau-Brunswick	109.6	92.0	120.0	113.0	195.3	153.4	220.0	100.0
Québec	115.0	113.5	113.0	119.9	209.7	105.1	295.7	122.4
Ontario	116.2	115.3	115.8	124.1	229.7	200.3	250.0	142.1
Manitoba	109.8	92.1	114.3	113.2	174.7	116.7	187.5	146.8
Saskatchewan	101.2	88.2	—	91.7	164.3	228.9	233.3	123.1
Alberta	120.8	105.3	146.2	126.1	198.4	723.4	316.7	223.7
Colombie-Britannique	119.4	113.6	155.6	128.0	222.2	177.0	266.2	166.7
Canada	117.3	111.1	122.1	122.9	218.7	175.9	267.8	137.9

Source: Progress and Impact of Canadian Industrial Development by Provinces, 1939-1952.

[1] En général, 1946 sert de base, sauf en ce qui concerne les investissements, alors que l'année 1947 sert de point de comparaison. Dans leur ensemble, les indices sont basés sur les données préliminaires de 1952.

[2] L'année 1950 sert de base.

C. La situation politique

L'évolution des faits et des idées dans le domaine économique et social eut certes une influence sur la transformation de la société canadienne au cours de cette période mais elle joua surtout un rôle passif de conditionnement, en ce sens qu'elle créa un climat et une situation qui favorisèrent l'action de facteurs plus déterminants. C'est au plan politique qu'il faut se reporter pour découvrir les forces dynamiques qui sont à l'origine des changements profonds survenus dans notre pays depuis 1939. Cette période se caractérise surtout par le rôle prédominant joué par l'Etat dans le domaine de la défense nationale, de la sécurité sociale et de stabilisation économique. Elle marque également le retour à la position prédominante du gouvernement fédéral que celui-ci avait déjà occupée après la Confédération mais qu'il avait perdue depuis. Nous considérerons successivement le contenu de la politique générale, de la politique économique et sociale, de la politique fiscale ainsi que le problème des relations fédérales-provinciales, en nous limitant toutefois aux principales innovations.

a. *La politique générale*

Le Canada a intensifié sa participation à la vie internationale au cours de cette période. Il prit une part active au conflit, à la réorganisation du monde d'après-guerre ainsi qu'à l'élaboration du système de défense collective contre le communisme. Il augmenta considérablement sa représentation à l'étranger, devint membre des Nations-Unies et de tous les organismes internationaux spécialisés qui furent créés par la suite, et fut à l'origine de l'OTAN. Notre pays devint le véritable maître de sa politique étrangère avec tous les avantages et les obligations qu'une telle souveraineté comporte. Il s'agissait en fait d'une nouvelle responsabilité du gouvernement fédéral rendue nécessaire par l'évolution du Commonwealth.

Sur le plan même de notre association avec le Commonwealth, une étape importante de notre émancipation fut accomplie. Le Canada mit fin à son statut de Dominion, fit reconnaître son droit à changer sa propre constitution dans les matières relevant exclusivement du gouvernement fédéral, abolit les appels au Conseil Privé, nomma pour la première fois un gouverneur général d'origine canadienne et se donna, au moins dans les faits, un hymne national. Enfin, on créa la citoyenneté canadienne.

Sur le plan national, une dixième province, celle de Terre-Neuve, vint s'ajouter à la Confédération. Le nombre des organismes chargés de favoriser l'épanouissement des deux cultures officielles au Canada fut augmenté. La Société Radio-Canada développa son réseau radiophonique et inaugura son service de télévision. L'Office national du film, le Musée national et la Bibliothèque nationale furent établis. Le Conseil national des recherches, en plus d'entreprendre ses propres travaux, distribua des octrois de plus en plus nombreux aux chercheurs dans les universités. Le gouvernement fédéral, avec l'assentiment de toutes les provinces sauf celle de Québec, vint en aide aux universités canadiennes en leur accordant des subventions annuelles réparties selon la population. Enfin, un nouveau ministère fédéral fut établi en vue de rendre plus efficace notre politique d'immigration et de s'occuper des questions ayant trait à la citoyenneté.

b. *La politique économique et sociale*

La politique économique du gouvernement fédéral, sous le régime de la loi des mesures de guerre, prit une importance considérable. Elle consista à mobiliser l'économie en vue de l'effort de guerre, à orienter les ressources vers la production militaire sans trop nuire à la consommation civile ni gonfler la structure des prix. Ce fut l'expérience la plus poussée d'économie dirigée jamais connue au Canada. L'analyse de cette politique n'entre pas dans les cadres de la présente étude car ses principaux éléments furent graduellement mis de côté avec la fin du conflit. C'est surtout sur la politique économique d'après-guerre qu'il faut insister, étant donné son caractère de permanence.

Plusieurs organismes gouvernementaux contribuèrent à l'élaboration de cette politique. Dès la fin de l'année 1939, on formait un comité spécial du cabinet sur la démobilisation et le rétablissement. Trois organismes consultatifs vinrent bientôt se greffer à celui-ci: le Comité consultatif de la démobilisation et du rétablissement, le Comité consultatif de politique économique et le Comité consultatif de la reconstruction. Enfin, deux comités spéciaux de la Chambre des Communes et du Sénat étudièrent les mêmes problèmes.

Le gouvernement fédéral s'est inspiré de ces études préliminaires dans la préparation du Livre blanc intitulé « Emploi et revenu » publié en 1945. Il énonçait les objectifs de sa politique dans les termes suivants :

« Dans l'intérêt des militaires et de la population civile, la tâche principale de la reconstruction doit consister à assurer une transition graduelle et ordonnée de l'économie de guerre à l'économie de paix et à maintenir un niveau stable et élevé d'emploi et de revenus. Le gouvernement adopte cet objectif comme premier but de sa politique ». [1]

Le gouvernement fédéral décidait ainsi de jouer un rôle important dans la stabilisation de l'économie. Il s'agissait là d'une nouvelle responsabilité assumée par l'autorité centrale. En vue d'assurer la réalisation de cet objectif général, tous les secteurs de la politique économique furent utilisés.

Dans le domaine du commerce international, d'innombrables difficultés se posaient à la fin de la guerre. Le Canada participa activement à tous les organismes créés au cours de cette période en vue de faciliter les échanges entre nations. Il se fit le plus ardent défenseur du commerce multilatéral et de la réduction générale des droits douaniers. Comme ces objectifs ne pouvaient pas être atteints rapidement et que la plupart des pays traversaient une crise du change, notre pays consentit des prêts à plusieurs de nos clients traditionnels afin de les aider à rétablir leur économie, de stabiliser nos exportations et de maintenir une certaine diversification de nos marchés. Puis, ce fut la crise du dollar et le programme d'austérité, notre participation au Plan Marshall, à l'aide mutuelle et au réarmement de l'Europe. Pendant toute cette période, notre commerce international fut dominé par l'influence gouvernementale qui en a assuré non seulement la stabilisation mais aussi le développement. Le taux du change et les mouvements de capitaux étaient également contrôlés et ce n'est que récemment que nous sommes revenus au marché libre en ces domaines.

Considérant que les investissements publics pouvaient jouer un rôle important dans la hausse et la stabilisation du revenu national, le gouvernement fédéral résolut de préparer un vaste programme de travaux publics dont la réalisation pouvait facilement être avancée ou retardée selon les circonstances. Une telle plannification permit de réduire au minimum les investissements publics non essentiels dans la

---

[1] *Emploi et revenu*, Ottawa, 1945, p. 3.

période d'après-guerre, ce qui contribua de façon importante à atténuer les pressions inflationnaires.

La politique de stabilisation appliquée dans les autres domaines permit d'assurer des revenus élevés aux consommateurs et, indirectement, un flot continu de dépenses de consommation. De plus, le programme de sécurité sociale inauguré au cours de cette période eut un effet évident sur la distribution du revenu national entre les différentes classes de la société et exerça une influence favorable sur la consommation globale. Par contre, l'augmentation des taxes et les restrictions sur le crédit au consommateur eurent pour effet de ralentir la hausse de ces dépenses.

Dans le domaine monétaire, le gouvernement fédéral tenta d'adopter sa politique à la conjoncture. Alors qu'on craignait le chômage au cours de la période de transition, les taux d'intérêt furent maintenus à un niveau peu élevé, ce qui contribua à alléger le fardeau de la dette publique et à encourager les investissements privés. La Banque d'expansion industrielle fut établie afin de faciliter aux petites entreprises l'accès au crédit. Par contre, au début de la guerre coréenne, la politique monétaire devint plus stricte: les taux d'intérêt furent élevés et les restrictions au crédit firent de nouveau leur apparition.

Dans ses relations avec l'industrie privée, la politique économique conserva son caractère de souplesse et de stabilisation. D'abord, il faut reconnaître que les mesures prises en vue de favoriser le commerce international, de plannifier les investissements publics, de stabiliser les dépenses de consommation et le flot monétaire devaient nécessairement exercer une influence sur le secteur de l'industrie privée. De plus, le gouvernement canadien eut recours à une technique nouvelle qui consistait à accélérer ou à retarder la dépréciation pour fins d'impôts en vue de stimuler ou de décourager les investissements privés. Il prit des dispositions destinées à encourager la construction de logements. Enfin, il vint en aide à plusieurs industries, principalement à l'agriculture, aux pêcheries, aux meuneries, aux mines d'or et à l'industrie du fer et de l'acier. Les principales mesures en ce domaine furent le programme de soutien des prix des produits de l'agriculture et des pêcheries destiné à empêcher les baisses exagérées, la somme de 65 millions distribuée aux cultivateurs de l'Ouest en compensation des pertes subies en vertu des accords sur le blé avec l'Angleterre et la subvention accordée pour le transport des graines de semence venant de l'Ouest.

La politique sociale a subi des transformations profondes au cours de cette période. D'abord, un véritable système de sécurité sociale fut inauguré avec l'assurance-chômage et ses services connexes, suivis par les allocations familiales et les pensions de vieillesse à tous les citoyens ayant atteint 70 ans. Les vieillards indigents âgés d'au moins 65 ans reçurent aussi des pensions financées conjointement par le gouvernement fédéral et les provinces. De plus, le ministère fédéral du Bien-être et de la Santé établit un programme d'octrois aux provinces pour la construction d'hôpitaux et l'amélioration des conditions de santé de la population. Le ministère des Anciens Combattants organisa un système de pensions et d'aide pour le bénéfice des vétérans et de leur famille. Enfin, avec la loi nationale sur l'habitation de 1944, y compris les importantes modifications subséquentes et la création de la Société centrale d'hypothèques et de logement, le gouvernement décidait de contribuer par différents moyens à la solution du problème du logement. L'une des modifications les plus importantes apportées récemment à la loi permet au gouvernement fédéral et à tout gouvernement provincial d'entreprendre conjointement, après entente, la construction d'habitations. La mise de fonds et les frais d'exploitation sont partagés à raison de 75% et de 25% entre le gouvernement fédéral et celui de la province.

c. La politique fiscale

1. *Sur le plan fédéral* [1]

La conduite de la guerre et les nouvelles initiatives prises par le gouvernement fédéral dans l'après-guerre eurent des répercussions directes sur la politique fiscale. L'étude du comportement des revenus et des dépenses tels que reproduits dans les tableaux 12, 13 et 14, le fait clairement constater

I — LES REVENUS

En 1952, les revenus du gouvernement fédéral s'élevaient à dix fois ce qu'ils étaient en 1939. La montée fut assez régulière, sauf en 1945,

---

[1] Voir aussi: K. W. Taylor, « Canadian Fiscal Policies in the War and Post-war years, » *Proceedings 1952*, National Tax Association.

1948 et 1949, alors qu'il y eut une baisse. Trois facteurs expliquent cette considérable hausse des revenus : le meilleur rendement des impôts causé par la prospérité et l'inflation, la hausse rapide des taux et enfin le recours à de nouvelles sources telles que l'impôt sur les excédents de bénéfices et sur les successions ainsi que les épargnes obligatoires. A partir de 1945, certaines sources de revenus furent abandonnées tandis que le taux de plusieurs taxes fut diminué. Ainsi, la taxe de 10% sur les importations et celle de 8% sur la vente de plusieurs biens de production furent abolies en 1945. L'impôt sur les excédents de bénéfices fut réduit en 1945 et en 1946 puis révoqué en 1947. Le taux de base de l'impôt sur le revenu des corporations fut diminué de 40% à 30% en 1946, tandis que l'impôt sur le revenu des individus fut réduit en moyenne de 65% au cours de la période de 1945-1949. Plusieurs changements effectués en 1949 dans le système de taxation complétèrent les rajustements d'après-guerre. Les taxes furent de nouveau augmentées en 1950 et en 1951, à la suite du conflit coréen. L'impôt sur le revenu des individus fut augmenté de 20%, celui sur le revenu des corporations de 40% ; la taxe de vente s'élevait de 8% à 10%, la taxe d'accise de 10% à 15% puis à 25% ; enfin, les taxes sur l'alcool et le tabac subissaient également une hausse considérable. De nouveau en 1953, les taxes, dans leur ensemble, étaient diminuées. Un changement important dans la structure du système de taxation du gouvernement fédéral se produisit au cours de cette période : alors qu'en 1939, les taxes sur la consommation fournissaient 68% des revenus et les impôts sur le revenu 32%, en 1952, ces deux mêmes catégories de taxation contribuaient respectivement 35% et 54% du revenu total.

DÉPENSES OU REVENUS	1939	1940	1941	1942	1943	1944	1945	1946	1947	1948	1949	1950	1951	1952
Dépenses:														
Biens et services	735	1,165	1,689	3,726	4,227	5,022	3,704	1,832	1,570	1,798	2,128	2,326	3,212	4,216
Fédéral	222	690	1,204	3,250	3,736	4,488	3,110	1,090	639	679	880	980	1,678	2,496
Provinces et municipalités	513	475	485	476	491	534	594	742	931	1,119	1,248	1,346	1,534	1,720
Paiements de transferts	401	378	375	421	471	578	948	1,561	1,302	1,327	1,425	1,475	1,481	1,835
Fédéral	174	181	193	245	287	380	737	1,344	1,042	1,001	1,022	1,020	987	1,400
Provinces et municipalités	227	197	182	176	184	198	211	217	260	326	403	455	494	435
Subsides	−17	53	74	93	211	267	262	236	180	75	77	63	128	97
Fédéral	−18	52	69	87	205	261	257	231	174	71	73	60	125	94
Provinces et municipalités	−1	1	5	6	6	6	5	5	6	4	4	3	3	3
Transferts à d'autres gouvernements														
Fédéral	79	70	54	150	148	155	157	174	192	150	182	251	259	367
Dépenses totales	1,198	1,666	2,192	4,390	5,057	6,022	5,071	3,803	3,244	3,350	3,812	4,115	5,080	6,515
Fédéral	457	993	1,520	3,732	4,376	5,284	4,261	2,839	2,047	1,901	2,157	2,311	3,049	4,357
Provinces et municipalités	741	673	672	658	681	738	810	964	1,197	1,449	1,655	1,804	2,031	2,158
Déficit ou surplus	−41	−63	65	−1,561	−1,777	−2,566	−1,687	−133	773	746	440	648	1,044	214
Fédéral	−2	−137	−27	−1,722	−1,941	−2,708	−1,830	−244	685	762	497	640	1,026	188
Provinces et municipalités	−39	74	92	161	164	142	143	111	88	−16	−57	8	18	26
Taxes directes	227	466	806	1,124	1,338	1,436	1,408	1,450	1,492	1,507	1,520	1,721	2,457	2,692
Fédéral	147	367	710	1,076	1,286	1,387	1,357	1,389	1,359	1,318	1,308	1,489	2,172	2,490
Provinces et municipalités	80	99	96	48	52	49	51	61	133	189	212	232	285	202
Taxes indirectes	716	883	1,128	1,178	1,328	1,378	1,265	1,505	1,784	1,847	1,907	2,081	2,596	2,784
Fédéral	310	453	674	750	889	922	782	957	1,136	1,086	1,048	1,115	1,495	1,595
Provinces et municipalités	406	430	454	428	439	456	483	548	648	761	859	963	1,101	1,189

Source: Government Transactions Related to the National Accounts, 1926-1951, p. 15 et National Accounts, Income and Expenditure, 1949-1952, pp. 41 et 42.

TABLEAU 13: Dépenses en biens et services des gouvernements au Canada, de 1939 à 1952

MILLIONS DE DOLLARS

DÉPENSES	1939	1940	1941	1942	1943	1944	1945	1946	1947	1948	1949	1950	1951	1952
Fédérales:														
Gages, salaires, etc........	85	107	120	174	209	217	232	248	250	269	315	330	404	454
Soldes et allocations militaires........	32	193	386	641	910	1,068	1,117	340	83	82	115	137	201	270
UNNRA, aide mutuelle, etc........	—	—	—	1,002	518	960	858	97	38	19	—	—	—	—
Dépenses militaires à l'étranger......	—	13	58	145	603	1,261	630	74	—	—	—	—	—	—
Autres dépenses........	105	377	640	1,288	1,496	982	273	331	268	309	450	513	1,073	1,772
Provinciales et municipales:														
Gages, salaires, etc........	240	239	244	251	272	292	317	270	424	508	561	603	682	750
Intérêts de la dette se rapportant à des actifs immobiliers......	87	85	85	86	82	76	86	75	74	72	75	84	85	99
Autres dépenses........	186	151	156	139	137	166	191	297	433	539	612	699	767	871

Source: Government Transactions Related to the National Accounts, 1926-1951, p. 17 et National Accounts, Income and Expenditure, 1949-1952, p. 45.

MILLIONS DE DOLLARS

PAIEMENTS	1939	1940	1941	1942	1943	1944	1945	1946	1947	1948	1949	1950	1951	1952
Fédéraux:														
Allocations familiales	—	—	—	—	—	—	114	240	261	269	291	307	318	330
Pensions aux vétérans	34	33	34	34	36	41	49	60	70	89	87	87	87	115
Assurance-chômage	—	—	—	—	1	3	16	49	31	40	69	99	77	119
Intérêt sur la dette sans actifs immobiliers	118	120	133	153	218	276	355	420	431	431	439	405	407	421
Fonds de sécurité de vieillesse	—	—	—	—	—	—	—	—	—	—	—	—	—	317
Autres	22	28	26	58	32	60	203	575	249	172	136	112	98	95
Provinciaux et municipaux:														
Accidents du travail	15	17	20	23	26	28	30	31	35	38	40	41	45	48
Pensions de vieillesse	40	40	40	42	48	58	62	65	82	96	129	144	150	60
Allocations aux mères	10	10	9	9	10	10	11	12	12	14	15	19	20	21
Octrois à des institutions non-commerciales	34	35	36	37	40	41	41	50	71	106	136	153	175	203
Intérêt sur la dette sans actifs immobiliers	54	51	48	46	43	43	47	35	32	33	36	37	44	44
Autres	74	44	29	191	17	18	20	24	28	39	46	61	60	59

Source: *Government Transactions Related to the National Accounts, 1926-1951*, p. 17 et *National Accounts, Income and Expenditure, 1949-1952*, p. 45.

II — LES DÉPENSES ET LES SURPLUS BUDGÉTAIRES

Les dépenses du gouvernement fédéral ont subi la même montée vertigineuse que les revenus de 1939 à 1952, puisqu'elles décuplèrent. Toutefois, entre ces deux années, elles eurent un comportement bien différent. Elles augmentèrent d'abord très rapidement jusqu'en 1944, diminuèrent ensuite à un rythme accéléré jusqu'en 1948 pour remonter à une vive allure après 1950. Elles connurent donc des fluctuations beaucoup plus grandes que celles des revenus. Cette différence profonde de comportement devait produire des déficits considérables jusqu'en 1946 et des surplus également importants à partir de 1947.

Pour la première fois dans l'histoire de nos finances publiques, le mouvement des dépenses et celui des revenus était systématiquement dissocié et la règle de l'équilibre annuel du budget consciemment abandonnée. Le gouvernement fédéral tentait ainsi d'appliquer une nouvelle conception de la politique fiscale conçue en vue d'assurer une plus grande stabilité économique.

Au cours de la guerre, cette nouvelle tentative n'était pas encore apparente. On eut d'abord recours à l'expansion monétaire, mais à mesure que les pressions inflationnaires s'intensifiaient, les taxes furent augmentées. C'est ainsi que de 1940 à 1946, près de 60% des dépenses courantes furent financées par les revenus provenant de la taxation. Afin de diminuer la menace de l'inflation, le gouvernement fédéral combla le vide entre les dépenses et les revenus principalement par des emprunts auprès du public. Cette mesure n'était pas suffisante cependant à un moment où une proportion de plus en plus grande de notre capacité de production était consacrée à l'effort de guerre. Il fallut donc adopter un système de contrôles et de rationnement.

Après la guerre, cependant, l'abandon graduel de ce régime devint inévitable car les facteurs qui l'avaient rendu efficace n'existaient plus et différentes couches de la population s'y opposaient de plus en plus. Par contre, les immenses réserves liquides accumulées au cours de la guerre, le haut niveau des revenus courants, la forte demande de biens de production et de consommation et l'impossibilité d'accroître rapidement notre capacité de production intensifiaient grandement les risques d'inflation. Au moment où les gouvernements provinciaux et municipaux, les entreprises et les consommateurs dépensaient non seulement leurs revenus courants mais une grande partie de leurs réserves liquides, le gouvernement fédéral décidait de maintenir un niveau élevé de taxation et de réduire le plus possible ses dépenses. Cette politique produisit d'importants surplus budgétaires qui, sans avoir réussi à contrebalancer l'élan des dépenses du secteur privé et des autres gouvernements, contribuèrent tout au moins à atténuer les pressions inflationnaires et, en même temps, à diminuer la dette publique. De 1947 à 1949, $1,944 millions furent ainsi retirés de la circulation. On peut se demander ce qui serait arrivé si le gouvernement fédéral avait décidé d'imiter les autres administrations publiques et le secteur privé.

En 1949, la structure des prix était de nouveau stabilisée et le gouvernement fédéral était en mesure d'augmenter ses dépenses, de réduire les taxes et donc aussi le surplus budgétaire sans provoquer d'inflation. Le conflit coréen et le réarmement de l'Ouest commencèrent à un moment où presque toutes les ressources productives de notre pays étaient déjà employées à d'autres fins. Puisqu'il fallait accroître considérablement les dépenses d'armements, une nouvelle situation inflationnaire devait nécessairement résulter, surtout quand on considère les effets psychologiques que suscitait le danger d'un autre conflit mondial. Pour plusieurs raisons, il fut décidé de ne pas recourir à un système général de contrôles directs. Un système d'allocation des matériaux les plus nécessaires et les plus rares fut mis sur pied, des restrictions sur le crédit furent imposées et les taux d'intérêt augmentés, tandis que certaines mesures destinées à décourager les investissements privés non essentiels furent adoptées. Toutefois, l'ensemble de ce programme était loin d'être suffisant à enrayer les pressions inflationnaires et c'est encore à la politique fiscale qu'il revint d'accomplir la principale tâche en ce domaine.

Cette fois, il n'était pas possible d'obtenir des surplus budgétaires en réduisant les dépenses, comme on l'avait fait à partir de 1946, puisqu'il s'agissait précisément de les augmenter. Il devint donc nécessaire d'accroître les impôts dans une proportion plus grande que celle exigée par la hausse des dépenses afin de réaliser les surplus désirés.

Une somme de $1,854 millions fut retirée de la circulation de 1950 à 1952. Encore une fois, cette politique réussit après un certain temps à rétablir l'équilibre dans la structure des prix. Dans la deuxième partie de 1952, les pressions inflationnaires s'atténuèrent et de nouveau en 1953, il fut possible de réduire les impôts.

Non seulement le niveau des dépenses mais aussi leur composition ont varié au cours de cette période. Les dépenses en biens et services, y compris les frais de la guerre et du réarmement, constituaient près de 40% des dépenses totales du gouvernement fédéral en 1939, 84% en 1944, 31% en 1947 et 57% en 1952. Par contre, les paiements de transferts au secteur privé, comprenant principalement le service de la dette et le coût de la sécurité sociale, représentaient 34% des dépenses totales en 1939, 7% en 1944, 50% en 1949 et 32% en 1952. Seuls les paiements de transferts aux gouvernements provinciaux subissaient une hausse à peu près graduelle en passant de 70 millions en 1939 à 367 millions en 1952.

L'application d'une nouvelle conception de la politique fiscale a été signalée précédemment. Elle se distinguait de l'ancienne en s'attachant délibérément à influencer le secteur privé de l'économie en vue d'en favoriser le développement et la stabilité, en dissociant les dépenses des revenus courants et en recourant à plusieurs techniques nouvelles. Elle était en quelque sorte le résultat de l'évolution des conceptions sociales et des idées politiques. Elle découlait aussi des progrès réalisés par la méthode statistique qui conduisirent, en particulier, à l'établissement d'un système de comptabilité nationale au Canada et surtout par l'évolution de la pensée économique dominée à cette époque par ce qu'on a appelé la « révolution keynesienne ». Avec ces développements, la science économique débouchait vraiment sur la politique, comme c'était d'ailleurs son rôle, en mettant au service de celle-ci des instruments d'anlyse perfectionnés, des conclusions scientifiques mieux établies et des méthodes d'intervention plus variées et plus souples.

L'ensemble de la population canadienne n'était pas en mesure de constater les changements qui se produisaient dans l'orientation et le contenu de notre politique fiscale; encore moins pouvait-elle mesurer les effets de celle-ci sur son bien-être. La majorité des citoyens, ignorant les changements profonds survenus dans l'administration des finances publiques, continuèrent à apprécier le comportement des dépenses et des revenus de l'Etat à partir de l'ancienne conception de la politique fiscale. C'est pourquoi ils ne comprirent pas pourquoi le gouvernement fédéral ne réduisait pas les impôts dans la mesure où il diminuait les dépenses. En certains milieux, on tenta même d'ériger en scandales les surplus budgétaires de cette période. Et pourtant, sans de tels surplus, les pressions inflationnaires auraient pu s'exercer sans obstacle avec les conséquences néfastes qu'on peut facilement imaginer sur le bien-être de l'ensemble de la population.

2. Les provinces et les municipalités

Au moment que le gouvernement fédéral reprenait la position prédominante qu'il occupait immédiatement après la Confédération, afin de mener à bien l'effort de guerre, d'atténuer l'inflation, d'organiser le réarmement et d'établir un système de sécurité sociale, les gouvernements provinciaux et municipaux subissaient une éclipse à leur tour. Leur situation se trouvait à peu près la même que celle du gouvernement fédéral après la première guerre mondiale et pour des raisons analogues: cette période n'était pas favorable à de nouvelles initiatives de leur part; de plus, ils ne désiraient pas, après les difficultés de la crise, assumer de nouvelles responsabilités, mais plutôt rembourser leurs dettes; enfin les principales tâches qui s'imposaient à l'Etat étaient au-delà de leur capacité et même, en certains cas, au-delà de leurs pouvoirs constitutionnels.

Les revenus des gouvernements provinciaux et municipaux ont d'abord augmenté lentement à partir de 1939, puis plus rapidement après 1946 et ils avaient presque triplé en 1952. Cette hausse s'explique par le retour de la prospérité et surtout par l'inflation qui, en gonflant les prix et les revenus individuels, accrûrent le rendement des impôts, par la remise aux provinces de certaines sources de revenus utilisées par le gouvernement fédéral pendant la guerre et enfin par l'augmentation de certaines taxes comme celles sur la gazoline et sur les ventes au détail. L'importance relative des différentes sources de revenus s'était à peu près maintenue au cours de la période: en 1952, les taxes sur la consommation fournissaient environ 55% des revenus provinciaux et municipaux, les subventions fédérales près de 17%, les revenus d'investissements 14% et les impôts sur le revenu 9%. Les municipalités tiraient leurs revenus principalement de l'impôt foncier et les provinces, de la taxe sur la gazoline, des taxes de vente et du domaine public.

Au cours de la même période, les dépenses augmentèrent à peu près dans la même proportion que les revenus, sauf qu'elles diminuèrent de 1939 à 1943 pour s'accroître rapidement ensuite après 1946. Ce comportement s'explique facilement. Pendant le conflit mondial, les exigences de l'effort de guerre et la rareté des produits rendaient presque impossible la réalisation de grands travaux, tandis que les dépenses de secours diminuaient rapidement. Les provinces et les municipalités profitèrent de cette période de répit pour accumuler des surplus budgétaires et diminuer leurs dettes. Par contre, lorsque la guerre fut terminée et que les matériaux devinrent plus facilement disponibles, les dépenses s'élevèrent sans cesse.

Elles portèrent surtout sur la construction de routes, d'écoles et d'hôpitaux. C'est ainsi que les provinces prenaient de plus en plus à leur charge des responsabilités qui appartenaient auparavant aux administrations municipales et scolaires ou venaient en aide à celles-ci et à certaines institutions privées par des systèmes variés de subventions. Les dépenses en biens et services des provinces et des municipalités ont pris continuellement de l'importance au cours de cette période tandis que les paiements de transferts au secteur privé en perdaient graduellement. Ces deux catégories de dépenses constituaient respectivement 69% et 30% du budget total des dépenses en 1939 et 79% et 20% en 1952. De plus, il faut noter que si les paiements de transferts au secteur privé ont augmenté de 208 millions entre ces deux années, les seuls octrois aux institutions privées se sont accrus de 169 millions.

Deux observations importantes semblent se dégager de ce bref exposé. D'abord, les provinces et les municipalités ont continué à appliquer l'ancienne conception des finances publiques et n'ont pas participé à la politique de stabilisation du gouvernement fédéral. Surtout après la guerre, leurs dépenses sont demeurées étroitement liées aux revenus courants et elles ont suivi le mouvement ascendant des dépenses du secteur privé contribuant ainsi à accroître les pressions inflationnaires. Cette constatation n'est pas d'ailleurs un reproche, car même si les provinces l'avaient voulu, elles ne pouvaient pas adopter la nouvelle conception de la politique fiscale et organiser leurs budgets en fonction inverse du comportement du secteur privé. Leurs dépenses étaient de nature incompressible ou bien ne pouvaient plus être retardées. De plus, elle devaient autant que possible équilibrer leurs budgets car leur pouvoir d'emprunt était limité et elles n'avaient aucune autorité en matière monétaire. Il n'en reste pas moins cependant qu'étant donné leur situation, si on convient que seul l'Etat peut en définitive stabiliser l'économie, ce n'est pas à elles qu'on doit confier cette fonction. D'ailleurs, elles en ont convenu elles-mêmes en fait, car elles ne se sont pas préoccupées de ce problème et à chaque fois que la menace du chômage ou de l'inflation est apparue au cours de cette période, elles ont été unanimes à reconnaître qu'il s'agissait là d'une responsabilité du gouvernement fédéral.

En deuxième lieu, si les provinces ont accepté une plus grande part des responsabilités grandissantes des municipalités, elles n'ont pas pris elles-mêmes l'initiative de grandes innovations. Elles se sont limitées, dans l'ensemble, à leurs fonctions traditionnelles en faisant porter le principal de leur effort à améliorer le réseau routier de même que les conditions matérielles du système d'instruction et de santé. Par contre, elles ont semblé craindre d'assumer d'importantes responsabilités dans les nouveaux secteurs de la politique sociale ou ne pas s'y intéresser. Elles tardèrent à s'occuper du problème du logement et les mesures qu'elles prirent sans la collaboration du gouvernement fédéral furent loin d'être suffisantes à le résoudre. Sauf dans le cas de la Colombie-Britannique et de la Saskatchewan qui adoptèrent des plans limités d'assurance-santé, les provinces continuèrent à se confiner au domaine de l'assistance en venant en aide à certaines catégories d'indigents comme les mères nécessiteuses et, conjointement avec le gouvernement fédéral, les aveugles et les vieillards pauvres de 65 à 70 ans. Dans le domaine de la sécurité sociale proprement dite, elles laissèrent l'initiative au gouvernement fédéral, comme dans le cas des allocations familiales ou lui remirent leur part des responsabilités comme dans les cas de l'assurance-chômage et des pensions de vieillesse. Au cours de cette période, la population s'est rendu compte que si elle désirait des améliorations au système de sécurité sociale, elle ne devait pas attendre ces mesures des provinces et elle s'est tournée vers le gouvernement fédéral.

D. Les relations fédérales-provinciales

Au cours de cette période, toutes les provinces sauf une ont accepté le retour du gouvernement fédéral à sa position prédominante d'autrefois. Les unes le demandaient depuis longtemps, les autres le reconnurent avec un certain dépit comme un phénomène devenu inévitable à la suite de l'évolution économique et sociale récente. Toutefois certains milieux s'y opposèrent violemment. On prétendit même que le gouvernement fédéral outrepassait ses pouvoirs constitutionnels et violait les droits des provinces. Afin de voir si ces accusations étaient justifiées, il faut analyser les motifs dont s'est inspirée l'orientation nouvelle du fédéralisme canadien et les méthodes qui furent utilisées pour opérer le nouveau partage des responsabilités entre les différents gouvernements.

a. *Motifs de l'intervention grandissante du gouvernement fédéral*

Personne ne peut nier que le gouvernement canadien ait assumé un rôle beaucoup plus important au cours de cette période que celui qu'il avait exercé pendant l'époque précédente. La seule considération de la répartition des dépenses et des revenus entre les différents gouvernements le prouve avec évidence. En 1939, les dépenses du gouvernement fédéral constituaient 38% des dépenses de tous les gouvernements, tandis que celles des provinces et des municipalités atteignaient 62%. En 1952, ces proportions étaient complètement renversées puisqu'elles s'établissaient respectivement à 66.7% pour le gouvernement fédéral et à 33.3% pour les autres gouvernements. De plus, la part du revenu du gouvernement fédéral par rapport au revenu total s'élevait à 67%. Avant d'expliquer ce renversement, il est bon de remarquer que cette nouvelle répartition des charges financières n'était pas sans précédent dans l'histoire politique du Canada. En effet, en 1874, la part du gouvernement fédéral dans les dépenses publiques totales s'élevait à 64%; de plus, l'administration centrale finançait 57.7% des dépenses des provinces par les subventions statutaires qu'elle leur distribuait. Enfin, ses revenus constituaient 67% du revenu global de tous les gouvernements. [1]

Nous avons montré à la fin du chapitre précédent qu'il existait une analogie entre la situation politique du Canada vers 1860 et celle de 1939. Plusieurs raisons qui avaient motivé la Confédération et un gouvernement central fort en 1867 exigeaient en 1939 la revision du fédéralisme canadien et le retour du gouvernement fédéral à une position prédominante. On peut même ajouter que les mêmes facteurs,

---

[1] Voir: *Rapport de la Commission Royale des relations entre le Dominion et les provinces,* vol. 1, pp. 267 et 268, tableaux 105 et 106. Les pourcentages concernant 1939 et 1952 sont tirés des Comptes nationaux.

surtout l'évolution économique et sociale, qui avaient permis antérieurement l'émancipation des provinces, favorisaient maintenant l'accroissement des fonctions du gouvernement fédéral.

Parmi les forces qui ont marqué cette époque et qui ont contribué à accentuer le rôle du gouvernement fédéral, la plus décisive fut sans doute l'état presque permanent de conflit entre les nations qui a entraîné des dépenses considérables dans le domaine de la défense nationale. D'ailleurs, la nature de ces obligations a changé profondément: alors qu'auparavant elles étaient essentiellement passagères, elles sont devenues quasi-permanentes à la suite de l'état continu de tension internationale. En deuxième lieu, le conflit mondial et la crise de la structure économique de plusieurs pays ont produit un déséquilibre prolongé dans le domaine du commerce international contre lequel le Canada a dû se protéger. Troisièmement, malgré certains facteurs défavorables, l'unité canadienne s'est développée au cours de cette période et elle exigeait des institutions et des symboles nouveaux. Quatrièmement, la population, tout en gardant des sentiments autonomistes, s'est adressée de plus en plus aux autorités fédérales pour leur soumettre ses problèmes et leur demander une solution—cette tendance était surtout remarquable dans les démarches des groupements professionnels. D'ailleurs, au même moment, les provinces hésitaient à assumer de nouvelles responsabilités. Enfin l'évolution économique et sociale, qui avait d'abord exigé le transfert de certaines responsabilités privées aux municipalités, qui avait ensuite favorisé l'extension du rôle des provinces aux dépens de celui des adminsitrations locales, nécessitait maintenant une plus grande intervention du gouvernement fédéral. Sur le plan des facteurs réels, on doit noter la concentration croissante du pouvoir économique dans le secteur privé, les frais énormes qu'entraînait la construction d'une route transcontinentale pourtant nécessaire, le besoin de plus en plus grand d'une nouvelle canalisation du St-Laurent, la préparation d'une nouvelle révolution industrielle qui ne pouvait pas être laissée entièrement à l'entreprise privée à cause des propriétés particulières de l'énergie atomique, enfin et peut-être surtout la nécessité de protéger la population canadienne contre l'instabilité économique et l'insécurité sociale. Sur le plan de la pensée, l'évolution des techniques d'analyse, le renouveau des conceptions scientifiques et des idées philosophiques ont permis l'élaboration d'une politique économique et sociale mieux adaptée aux transformations de la réalité, mais qui dans son ensemble exigeait l'intervention accentuée du gouvernement fédéral.   En dernière analyse, ce sont l'état permanent de guerre, froide ou ouverte, et les répercussions de la deuxième révolution technologique qui ont amené le retour du gouvernement fédéral à une position dominante à l'intérieur de la fédération canadienne.   La révolution industrielle, en permettant à l'initiative privée de se charger du développement économique et en favorisant l'industrialisation rapide a engendré indirectement l'instabilité économique et l'insécurité sociale.   Seul l'Etat, en l'occurrence le gouvernement fédéral, pouvait entreprendre efficacement la lutte contre ces fléaux, en faisant de la stabilité et de la sécurité les premiers objectifs de sa politique.

Pendant que s'opéraient des changements importants dans les fonctions de l'Etat et dans leur répartition entre les différents gouvernements, les relations fiscales entre l'autorité centrale et les provinces subissaient également des transformations fondamentales.   On se souvient que toutes les provinces canadiennes avaient connu de graves difficultés financières pendant la crise, tandis que la plupart d'entre elles souffraient d'une incapacité partielle permanente.   Le mal provenait non pas d'un manque de sources de revenus, mais de l'insuffisance et de l'instabilité des revenus eux-mêmes.   Depuis les premières années de la Confédération jusqu'à la crise de 1929, il avait été chronique mais il était devenu aigu à partir de cette date.

Malgré l'insistance des provinces, le gouvernement fédéral avait toujours refusé, sauf en 1907, d'effectuer une revision générale des subsides statutaires qu'il avait accordés en 1867.   Quand le déséquilibre financier des provinces s'était manifesté avec trop d'acuité, l'autorité centrale avait consenti à faire une revision particulière dans le cas de certaines provinces plus frappées, et elle avait eu recours à des subventions conditionnelles le plus souvent temporaires ainsi qu'à des prêts. Aucune de ces tentatives de solution ne s'avérait suffisante à guérir le mal de façon permanente.   Elles étaient trop partielles, elles ne parvenaient pas à éviter l'inconvénient de la double taxation et de son inégalité d'une région à l'autre; enfin, elles ne tenaient pas compte du fait que l'incapacité financière des provinces provenait du caractère incompressible de leurs dépenses et de l'instabilité de leurs revenus et que cette incapacité tendait à s'accroître non seulement avec la population mais aussi avec le progrès social et économique de la nation.

En 1941, voyant qu'il devrait utiliser au maximum tous ses pouvoirs de taxation, — ce qui exigeait autant que possible des taux uniformes à travers le pays et aurait pour résultat de mettre les provinces dans l'impossibilité de relever le taux de leurs propres impôts, — le gouvernement fédéral demanda aux provinces de lui abandonner l'usage exclusif de certains champs de taxation en échange de subventions statutaires. Toutes les provinces ont participé aux ententes fiscales pendant la guerre; en 1947, l'Ontario et le Québec se sont abstenus mais en 1952, l'Ontario, à son tour, en venait à un accord.

Au cours de l'année fiscale 1952-1953, le gouvernement fédéral a ainsi distribué un montant de 311 millions aux provinces alors qu'il leur garantissait une somme minima de 231 millions. Sans apprécier pour le moment la signification et les conséquences de ces ententes, on doit reconnaître qu'elles signifiaient une hausse substantielle des subventions statutaires, selon une formule plus flexible et plus conforme aux besoins des provinces que celle des subsides traditionnels. En prévoyant un minimum et la revision progressive selon la population et le mouvement du revenu national, elles contribuaient à accroître et à stabiliser le revenu des provinces sans mettre en danger leur autonomie législative et administrative. De ce point de vue, elles étaient préférables aux octrois conditionnels dont l'importance relative diminua considérablement. Alors que ceux-ci constituaient près de 80% des subventions totales du gouvernement fédéral en 1938, ils n'en représentaient plus que 50% en 1951; cette proportion devait diminuer encore en 1952 avec la participation de l'Ontario aux ententes fiscales. Avec celles-ci, on retournait donc à la prédominance des subsides statutaires qui avait existé au Canada de 1867 à 1932. Par contre, elles impliquaient l'abandon par les provinces de certains pouvoirs de taxation qui leur étaient attribués par la Constitution.

Tels semblent bien être les facteurs qui ont amené le retour du gouvernement fédéral à la place prédominante qu'il occupait autrefois à l'intérieur de la fédération canadienne. Certains groupes n'admettaient pas la nouvelle orientation de notre fédéralisme parce qu'ils n'acceptaient pas le nouveau rôle de l'Etat et qu'en fait, ils étaient opposés soit à l'effort de guerre et au réarmement, soit à la politique de stabilisation économique, soit à la sécurité sociale, soit à l'aide financière aux provinces. Il y en eut d'autres pour affirmer que le gouvernement fédéral n'avait pas les pouvoirs constitutionnels nécessaires à l'exercice de ces fonctions et qu'en s'en chargeant il avait violé les droits provinciaux.

b. La constitution canadienne a-t-elle été violée ?

Ce n'est pas notre intention d'aborder l'aspect juridique de cette question. D'ailleurs, la seule façon de savoir s'il y avait vraiment de l'ingérence de la part de l'administration fédérale aurait été de porter des accusations précises devant les cours de justice. Or, au cours de cette période, où on a dit tant de fois que la Constitution avait été violée, la cause la plus importante à être portée devant les tribunaux — du point de vue constitutionnel—fut celle de la margarine. Puisqu'il n'y eut aucun cas de violation de la Constitution rapporté aux tribunaux et puisque, d'autre part, on ne peut supposer une conjuration de tous les gouvernements et même de l'ensemble de la population en vue de commettre ce viol, il faut bien conclure, jusqu'à preuve du contraire, qu'il n'y a pas eu d'ingérence fédérale et que les droits provinciaux ont été respectés.

D'ailleurs, à chaque fois que le gouvernement central a assumé une responsabilité exclusive dans un domaine où la juridiction était concurrente ou encore lorsqu'il s'est agi pour lui de partager une fonction qu'on pouvait considérer comme du domaine exclusif des provinces, il eut toujours au préalable le consentement des provinces. Lorsque le gouvernement fédéral a accepté une responsabilité exclusive dans le domaine de l'assurance-santé et des pensions aux vieillards, il y eut un amendement constitutionnel accepté à l'unanimité par les provinces. S'il jouit temporairement de l'usage exclusif de certains champs de taxation directe sur le territoire de toutes les provinces sauf le Québec, c'est parce que celles-ci ont librement consenti à signer des ententes à ce sujet. L'acceptation des provinces a été requise dans d'autres domaines également, y compris dans celui de l'aide fédérale aux universités alors qu'il s'agissait d'octrois « per capita ».

Quant au droit du gouvernement fédéral à la taxation directe, il ne peut être sérieusement mis en doute quand on se réfère au texte de la Constitution. De plus, si l'administration centrale a décidé à certains moments de ne pas recourir à l'un ou à l'autre des domaines de taxation, elle n'a jamais signé d'entente en vue de les abandonner temporairement ou définitivement. Mais alors, que faut-il penser de la théorie concernant la priorité du droit des provinces en matière de taxation directe ? Quand on se rendit compte que le taux très élevé des impôts directs fédéraux avait pour conséquence de réduire considérablement les champs où les provinces pouvaient exercer leur droit, on prétendit que cette situation ne pouvait pas correspondre aux intentions des Pères de la Confédération et que ceux-ci n'avaient pas pu vouloir restreindre ainsi les sources de revenus des provinces. On concluait ainsi que la priorité du droit provincial constituait la seule interprétation logique des intentions des Pères de la Confédération et de la Constitution. Toutefois, cette théorie ne semble pas justifiée par le texte constitutionnel et surtout, elle n'a pas de fondement historique. L'impasse présente ne se posait pas à l'époque de la Confédération: elle est résultée de l'émancipation graduelle des provinces et de la tension internationale. En 1867, on avait accordé la taxation directe aux provinces afin qu'elles puissent à leur tour donner l'impôt foncier aux gouvernements municipaux. Quant aux îprovinces, leurs revenus devaient provenir principalement du domaine public et des subventions fédérales. Il y avait d'autant moins de conflit de juridiction que les autres formes d'impôt direct n'existaient pas à l'époque.

En somme, si le gouvernement central a exercé de nouveau le rôle prédominant d'autrefois, c'est que ses fonctions traditionnelles, et en particulier celle de la défense nationale, ont pris de l'importance et qu'il a assumé de nouvelles responsabilités qui relevaient de sa propre juridiction ou qui lui furent librement et légitimement confiées par les provinces. Il faudra plus que des affirmations générales et gratuites pour prouver que la Constitution canadienne a été violée au cours des dernières années.

c. *Le nouveau fédéralisme et la province de Québec*

Au terme de cette période, on avait refait en quelque sorte la Confédération en suivant de près le modèle de 1867. On avait créé un gouvernement central fort en lui remettant la tâche de réaliser les nouveaux objectifs de la politique économique; de plus, les provinces, comme les colonies en 1867, avaient accepté de lui remettre certaines de leurs responsabilités et d'en partager d'autres avec lui. Elles lui avaient enfin remis certaines sources importantes de revenus pour recevoir des subventions statutaires en échange.

La nouvelle orientation de notre fédéralisme n'en continue pas moins à poser des problèmes. Malgré les multiples facteurs qui l'ont déterminée, on peut se demander si elle est vraiment justifiée. Quelles en sont les raisons profondes ? Existe-t-il une autre orientation possible ? Les méthodes auxquelles on a eu recours pour définir notre fédéralisme sont-elles les plus appropriées ?

D'autre part, il est impossible d'oublier qu'une province, celle de Québec, ne fait pas partie de la nouvelle fédération à toute fin pratique. Elle a consenti d'assez bon gré, il est vrai, à s'en remettre au gouvernement fédéral en ce qui concerne le contrôle de l'inflation et du chômage et à lui confier certaines de ses responsabilités importantes dans le domaine social. Par contre, sauf dans le domaine de la santé, elle s'est retirée à l'écart quand il s'est agi de partager des fonctions et des dépenses avec le gouvernement fédéral ou même d'échanger des informations. C'est ainsi que la province de Québec ne participe pas au programme d'éducation physique ni au plan de construction de logements, qu'elle a refusé l'aide fédérale aux universités et plusieurs octrois concernant l'agriculture et la forêt, qu'elle n'a pas accepté le projet d'une route transcontinentale, et qu'elle a rejeté les ententes fiscales.

La province de Québec doit-elle continuer à refuser ainsi de participer à la nouvelle confédération ? Quels sont les inconvénients et les avantages d'une telle attitude ? Existe-t-il d'autres solutions qui, dans l'ensemble, seraient plus désirables ? Telles sont, semble-t-il, les principales questions qui se posent présentement.

CHAPITRE VI

L'HISTOIRE DU FÉDÉRALISME CANADIEN: SYNTHÈSE ET ENSEIGNEMENTS

Au terme de cet exposé historique, il n'est pas inutile de présenter les grandes lignes de l'évolution économique, sociale et politique de notre pays depuis 1867 afin de dégager les principales tendances du fédéralisme canadien et les caractéristiques les plus importantes du milieu qui l'a conditionné. Nous verrons également que l'histoire de notre fédéralisme contient des leçons et des enseignements qu'il importe de retenir quand il s'agit de repenser notre structure politique.

A. SYNTHÈSE HISTORIQUE

a. *L'évolution des faits économiques et sociaux*

Il y a cent ans, le Canada était à l'apogée de l'époque mercantiliste. Son régime économique était basé avant tout sur le commerce, l'artisanat et la petite exploitation agricole. Depuis notre pays a connu deux grandes révolutions industrielles et il est peut-être présentement au seuil d'une troisième. La première était fondée sur le charbon, la vapeur et l'acier. Etant donné que ces ressources ne se trouvaient pas en abondance et bien localisées sur notre territoire, cette première révolution industrielle ne pouvait pas favoriser notre pays. Au contraire, elle devait exercer des conséquences défavorables contre lesquelles il lui fallait se protéger. C'est alors que la Confédération fut établie, que débuta le vaste programme d'investissements publics et que fut inaugurée la politique de protection douanière. Les influences défavorables de cette révolution industrielle ayant coïncidé avec une crise économique mondiale de longue durée, le développement industriel de notre pays fut très lent d'abord et ce n'est qu'à partir de 1896 qu'on put entrevoir l'établissement d'un certain équilibre basé sur l'exportation du blé et la production des industries manufacturières protégées par le système douanier.

La deuxième révolution industrielle qui débuta avec le présent siècle mais qui ne prit toute son ampleur qu'après 1920, était fondée principalement sur les pouvoirs d'eau, l'électricité, le bois et les nouveaux substituts de l'acier. Cette fois, la position du Canada était bien différente. Ce fut le début d'une période d'expansion extrêmement rapide qui devait être interrompue pendant la crise économique de 1930 mais qui reprenait à une allure accélérée avec le conflit mondial de 1939. Le développement économique ainsi fondé sur des facteurs naturels favorables n'avait plus besoin d'être stimulé par l'autorité gouvernementale avec des subventions, des investissements publics ou des droits douaniers élevés. L'initiative privée en avait pris la direction. L'agriculture, qui fournissait la très grande partie de notre production nationale encore au début du siècle, avait diminué sa contribution à 12% seulement en 1952. En somme, notre pays était devenu une des grandes puissances industrielles du monde, son standard de vie n'était dépassé que par celui des Etats-Unis et son avenir promettait une expansion encore plus grande.

Sur le plan social, cette transformation profonde de l'économie n'avait pas eu que des avantages. A l'époque de la Confédération, la vie sociale était fondée sur la famille et se réduisait à des relations entre unités familiales indépendantes et se suffisant à elles-mêmes dans une large mesure. Evidemment ce n'était pas l'âge d'or si souvent décrit par ceux qui se complaisent uniquement dans le passé. Toutefois, la famille subvenait à la plupart de ses besoins. La terre offrait toujours de l'emploi même si les revenus qu'on en retirait étaient rarement élevés. Chacun pouvait être propriétaire de sa maison, car le plus souvent, il la construisait lui-même et, sans le confort moderne, le coût en était peu élevé. On ne ressentait pas le besoin d'une longue instruction, on construisait et on entretenait ses propres routes. Les systèmes d'aqueduc et d'égout n'étaient pas connus. Les maladies se traitaient à la maison, le plus souvent sans l'intervention du médecin. Enfin, les familles nombreuses et les vieillards n'étaient pas des causes d'encombrement et de lourdes responsabilités financières. Il existait sans doute des misères que certaines familles ne pouvaient guérir, mais alors c'était à la charité privée qu'on avait recours et, en dernier ressort seulement, à l'assistance publique.

Certes on peut regretter que cette conception bucolique de la vie sociale ait été abandonnée et que la structure et l'organisation sociales

rudimentaires de cette époque soient disparues, mais ce n'est certainement pas en proposant d'y retourner que nous pourrons résoudre les
problèmes présents. En effet, l'industrialisation et les découvertes
scientifiques ont suscité un progrès social dont le résultat a été de relever les exigences minima de la vie matérielle. L'expansion industrielle a de plus amené la spécialisation des tâches, la concentration
du pouvoir économique, l'urbanisation, l'instabilité économique et
l'insécurité sociale. La famille a été vite dépassée par l'ampleur des
problèmes auxquels elle devait faire face. L'indépendance a cédé
le pas à la solidarité; on a assisté à un déplacement des responsabilités.
Des classes sociales se sont formées et ont pris conscience d'elles-mêmes.
Les groupements professionnels, sociaux et culturels se sont multipliés.
En somme, la vie sociale d'aujourd'hui est fort différente de celle de
nos ancêtres. Plutôt que de déplorer cette évolution, il vaut mieux
s'efforcer de résoudre les problèmes qu'elle pose.

b. *L'évolution de la pensée*

Pendant que les faits économiques et sociaux subissaient des transformations radicales, les individus s'étaient sentis de plus en plus dépassés par les problèmes du monde contemporain. Ils avaient été
ainsi entraînés graduellement à changer leur conception de la structure et de l'organisation de la vie en société. Ils s'étaient d'abord
groupés en associations de toutes sortes pour constater bientôt que ces
groupements, bien qu'importants, étaient incapables de régler tous leurs
problèmes. Ils en vinrent ainsi à découvrir que, dans certains domaines, seul l'Etat pouvait intervenir efficacement et ils lui demandèrent
d'assumer de nouvelles responsabilités.

Il faut bien dire que la population canadienne, dans son ensemble,
n'avait jamais adhéré aux systématisations doctrinales trop rigides.
Elle avait certes une préférence marquée pour l'entreprise privée et
la responsabilité individuelle, mais elle n'avait pas hésité à recourir
à l'Etat quand l'entreprise et la responsabilité publiques s'étaient avé-
rées nécessaires pour le bien général. C'est ainsi, par exemple, qu'au
moment où le libéralisme économique triomphait à travers le monde,
le peuple canadien demandait au gouvernement central de stimuler
et même d'entreprendre l'aménagement, le développement et le peuplement du pays. Quand l'initiative privée fut assez développée pour
assumer l'une ou l'autre de ces fonctions, l'Etat se retira de ces do-

maines, mais il revint bientôt pour tenter de corriger les déficiences du secteur privé. A vrai dire, le Canada ne vécut sous le régime du libéralisme économique que de 1920 à 1930. Il faut noter toutefois que si le rôle économique de l'Etat à l'heure présente n'est probablement pas plus important, de façon relative, que celui qu'il exerçait au lendemain de la Confédération, il a changé dans ses objectifs et ses modalités. Il consistait, au moment de la Confédération, à réaliser une politique de développement, il se ramène maintenant à appliquer une politique de stabilisation économique et de bien-être social.

C'est probablement sur le plan des conceptions sociales que l'évolution a été la plus marquée. En 1867, les principes philosophiques du libéralisme étaient généralement acceptés dans le domaine social. Les responsabilités dans ce secteur étaient strictement individuelles et familiales. On redoutait la formule de l'association surtout dans le domaine professionnel. L'Etat n'avait pas de place dans la structure sociale et quand il intervenait, c'était vraiment une exception qui venait confirmer la règle générale. Cette conception erronée qui mettait de côté le rôle de la justice distributive dont l'Etat est le sujet par excellence, fut abandonnée graduellement sous la pression des circonstances et peut-être aussi grâce à un renouveau dans le domaine de la pensée philosophique. La crise de 1930 mit fin à ce courant d'idées alors que l'ère de la sécurité sociale débutait pendant la dernière guerre. D'abord l'évolution avait été lente et graduelle. Certaines responsabilités individuelles et familiales avaient été confiées à l'Etat dans les cas de grande pauvreté. Ainsi avait débuté le régime d'assistance. Les municipalités s'étaient d'abord chargées de l'administrer, puis elles firent appel à l'aide des provinces et celles-ci durent enfin accepter le concours du gouvernement fédéral.

Notons enfin qu'à travers toutes ces évolutions, on peut retracer l'influence exercée par les sciences sociales qui, à peine à leur début au moment de la Confédération, avaient accompli des progrès moins spectaculaires sans doute que les sciences de la nature, mais peut-être aussi importants. La science économique, la sociologie, la psychologie, les disciplines ayant pour objet le service social et les relations du travail ont contribué à des degrés divers à changer les conceptions sociales, de même que le contenu et les modalités de la politique.

En somme, on peut conclure que si les faits économiques et sociaux s'étaient complètement transformés depuis la Confédération, le climat de la pensée et des attitudes n'était plus le même non plus. En d'autres termes, on avait réussi à trouver des solutions nouvelles à des problèmes nouveaux et à établir dans l'ensemble du pays un équilibre dynamique capable d'absorber les effets de l'évolution.

c. L'évolution du fédéralisme

Les Pères de la Confédération avaient conçu leur projet en vue de régler les problèmes bien précis auxquels ils avaient à faire face. Ils ont créé un gouvernement central fort et capable d'entreprendre les grandes tâches économiques qui s'imposaient à cette époque. Par contre, ils ont attribué aux provinces le domaine de la politique sociale ainsi que de l'aménagement local du territoire et ils croyaient que ces responsabilités déjà restreintes à l'époque diminueraient encore quand les administrations municipales seraient définitivement établies. C'est pourquoi ils ne leur accordèrent que des sources de revenus limitées en y ajoutant toutefois un système de subventions statutaires.

S'ils ont bien anticipé le rôle futur du gouvernement fédéral au moins pendant les cinquante premières années, ils se sont trompés sur celui des provinces. Celles-ci luttèrent avec succès pour conquérir leur autonomie. Surtout à partir de 1890, grâce à l'évolution sociale et économique ainsi qu'aux décisions du Conseil Privé, le champ de leurs responsabilités fut agrandi, ce qui les obligea à accroître leurs sources de revenus puisque le gouvernement fédéral refusait d'ajuster convenablement les subventions statutaires. C'est à partir de 1920 cependant qu'elles atteignirent une position prédominante dans la fédération canadienne. A cette époque, le gouvernement fédéral avait accompli les principales tâches qui lui avaient été confiées lors de la Confédération, tandis que les provinces devaient assumer des responsabilités de plus en plus lourdes dans le domaine de la voirie, de l'éducation et du bien-être. C'est d'ailleurs à cette époque qu'elles envahirent le champ des taxes de consommation. Cette décentralisation a eu des avantages en ce sens qu'elle a permis aux gouvernements les plus près du peuple d'assumer toutes les responsabilités qu'ils pouvaient efficacement exercer. Elle a eu également des inconvénients, car elle a obligé ces administrations à remplir des fonctions qui dépassaient leur capacité et elle les a écrasées sous le poids de charges financières trop lourdes. Pendant la prospérité qui a suivi la guerre de

1914 et surtout pendant la crise économique de 1930, on s'est rendu compte que les dépenses provinciales et municipales étaient incompressibles, mais que les revenus de la taxation étaient instables et inégalement répartis entre les provinces. L'expérience avait démontré, du moins selon l'opinion d'un grand nombre, que la décentralisation était excessive et qu'à cette limite elle n'était plus compatible avec le bien-être général.

De nouveau, l'attention se tourna vers le gouvernement fédéral. Celui-ci assuma d'abord la direction de l'effort de guerre en 1939 et du réarmement en 1950. De plus, on lui confia de nouvelles responsabilités dans le domaine de la stabilisation économique et de la sécurité sociale parce qu'il avait une grande possibilité d'emprunt, qu'il était la seule autorité en matière monétaire et le seul gouvernement capable d'effectuer une redistribution du revenu entre les différentes régions du pays. C'est pourquoi il proposa également d'augmenter et de stabiliser les revenus des provinces en élaborant un nouveau système de subventions statutaires. Le gouvernement central se retrouvait ainsi dans le rôle prédominant qu'il avait exercé au cours de la première période de la Confédération. Toutefois, les problèmes posés par le nouveau fédéralisme canadien étaient loin d'être tous réglés, d'autant plus qu'une province importante, celle de Québec, n'avait pas encore accepté l'orientation nouvelle.

B. Enseignements de l'histoire

Cette étude sur l'évolution du Canada depuis 1867 était destinée à fournir un arrière-plan historique à l'analyse des problèmes de l'heure. Elle avait pour but également de donner un cadre aux solutions qui peuvent être proposées. De ce point de vue surtout, elle ne sera certes pas inutile. En effet, on peut affirmer, sans accepter pour cela le déterminisme, que les remèdes qui ne respectent pas la continuité historique sont rarement applicables, sauf dans les périodes révolutionnaires. Il est aussi puéril d'ignorer le passé que de tenter d'y retourner. Cet exposé historique permettra, croyons-nous, d'éviter ce double écueil.

a. Nécessité du fédéralisme

Une des grandes leçons qui se dégage de cet exposé porte sur la nécessité du fédéralisme au Canada. Les provinces canadiennes sont plus que jamais peut-être interdépendantes et solidaires les unes des autres sur le plan économique et même social. Elles ont besoin d'être unies pour se défendre contre l'extérieur, pour prospérer ensemble et pour continuer à accroître le standard de vie de leur population. Par contre, même si l'unité nationale a fait beaucoup de progrès depuis la Confédération, le peuple canadien est toujours fortement opposé à l'union législative. On peut même affirmer que si l'unité nationale s'est développée, c'est précisément parce que l'ensemble de la population s'est affirmée contre la forme unitaire de gouvernement. D'une part, le problème des distances géographiques s'est atténué par l'amélioration du système des transports et des communications, mais, d'autre part, les particularismes régionaux se sont développés. Les Canadiens de langue française, fort heureusement pour eux et pour l'ensemble du Canada, ne sont pas les seuls à vouloir conserver leur autonomie culturelle. La population des provinces maritimes, pour ne citer qu'un cas, le désire probablement autant qu'eux. C'est donc dire que non seulement la décentralisation administrative mais aussi une certaine décentralisation législative est nécessaire au Canada. Ainsi, tout projet de réforme qui serait incompatible avec le fédéralisme serait à l'avance voué à l'échec.

b. La flexibilité du fédéralisme

On a souvent souligné la rigidité de la constitution canadienne et les difficultés d'y apporter des modifications. De ce point de vue également, une leçon se dégage de notre exposé historique. En effet, nous avons pu observer que la rigidité constitutionnelle du fédéralisme canadien s'est assouplie sous la pression de l'évolution économique et sociale. Les problèmes qu'elle a posés ont forcé en quelque sorte le cadre constitutionnel à s'ajuster. C'est ainsi qu'avec une constitution qui a subi très peu d'amendements importants depuis 1867, le Canada a d'abord vécu sous un gouvernement central très puissant, puis sous des administrations provinciales presque souveraines et jouissant de pouvoirs très étendus et, de nouveau, sous un gouvernement central exerçant un rôle prédominant. C'est donc dire qu'il n'a pas toujours été nécessaire de changer la constitution pour adapter le fédéralisme canadien aux problèmes d'une époque. Par contre, il ne faut pas trop s'étonner s'il oscille continuellement tantôt vers la centralisation tantôt

7

vers la décentralisation, car, comme toutes les autres institutions humaines, il est soumis à l'évolution qui souvent suit successivement des voies opposées. Ainsi, ceux qui proposent de changer la Constitution à chaque fois qu'un nouveau problème est soulevé, sous-estiment la flexibilité du fédéralisme canadien et créent souvent des difficultés inutiles.

On entend dire en certains milieux que la constitution du Canada est vieillie, qu'elle ne répond plus aux exigences des problèmes contemporains, qu'on devrait faire table rase en ce domaine et qu'on devrait établir un système de partage des responsabilités publiques entièrement nouveau, précis et définitif. Une telle proposition signifierait un changement brusque sans précédent dans l'histoire de notre évolution constitutionnelle depuis la Confédération. Elle aboutirait à un pur jeu de l'esprit sans aucune chance de réussite. Il est à noter que chaque tentative de revision fondamentale de notre constitution — et il y en eut quelques-unes — a abouti à un échec complet.

D'autre part, une telle proposition est utopique également en ce sens qu'elle cherche à établir un système définitif de répartition des pouvoirs. Elle ignore que le fédéralisme est continuellement à refaire à mesure que les fonctions de l'Etat changent et que ses responsabilités augmentent. En effet, chaque fois que de tels changements se produisent, un nouveau problème de répartition des fonctions entre les différents gouvernements se pose. Le fédéralisme ne connaît donc pas de règlement définitif. Enfin, en réclamant un système précis de répartition, cette proposition suppose qu'il est possible de diviser les fonctions de l'Etat en secteurs séparés à l'intérieur desquels chaque gouvernement serait indépendant. Malheureusement, la vie des hommes en société constitue un tout bien intégré; dans l'abstrait, on peut en distinguer différents secteurs et les considérer séparément, mais la réalité ne souffre une pareille dissection que pour fins d'analyse, à cause des limitations de l'intelligence humaine. En fait, la compartimentation des problèmes humains, qu'ils soient économiques, sociaux ou politiques, est impossible dans la plupart des cas. D'ailleurs, les solutions qu'ils exigent dépassent souvent les frontières qu'on avait d'abord établies. Il serait facile de fournir une multitude d'exemples qui confirmeraient ces constatations. Nous n'en citerons qu'un parmi les plus simples. Au moment de la Confédération, on établit une distinction qui semblait assez claire entre la taxation directe et la taxation indirecte.

Aujourd'hui, on se rend compte que cette répartition n'était simple qu'en apparence; les provinces qui ne devaient utiliser que la taxation directe ont eu recours à toutes les formes de taxation, sauf les droits de douane et d'accise, de sorte que, d'une distinction qu'on croyait précise, a jailli la confusion la plus complète. Donc, en tentant d'effectuer la répartition des responsabilités entre les différents gouvernements, il ne faut pas la faire tellement précise qu'elle ignore la complexité des problèmes humains et les exigences parfois variées de leurs solutions. Le fédéralisme ne saurait être renfermé dans des formules statiques et définitives qui pour autant manquent de réalisme. En tentant de le faire, on aboutit à une rigidité de la structure politique incompatible avec l'évolution économique et sociale.

c. La nécessité du fonctionnalisme

Le fédéralisme résulte presque toujours d'un mariage de raison. L'intégration politique qu'il signifie n'est jamais recherchée pour elle-même, mais en vue d'objectifs supérieurs impossibles à atteindre sans elle. Elle exige donc une certaine unification qui permette en même temps de conserver le plus de diversité possible. C'est pourquoi le fédéralisme est tiraillé sans cesse par des forces centrifuges, représentées par les facteurs de diversité, et par des forces centripètes, symbolisées par les facteurs d'unité. Pour que la structure fédérale se maintienne, il est essentiel que ce jeu de forces aboutisse à un certain équilibre. Il y a en effet un grave danger pour le fédéralisme lorsque la centralisation ou la décentralisation devient une fin et qu'elle est recherchée pour elle-même. Ainsi, l'autonomie provinciale qui s'affirme comme une valeur absolue dans tous les domaines, quels que soient les problèmes à résoudre, aboutit nécessairement à la négation même du fédéralisme.

La structure fédérale nécessite une forte dose de rationalité, de froide objectivité et un sens développé de conciliation de la part des dirigeants des différents gouvernements. Elle exige que la centralisation et la décentralisation soient considérées non pas comme des *principes* absolus mais comme des *moyens* en vue du bien commun de la population. Ainsi envisagées, elles n'ont de valeur qu'en autant qu'elles peuvent servir à résoudre efficacement les problèmes qui relèvent de l'autorité publique. On entend dire souvent que la décentralisation est bonne en elle-même parce qu'elle confie l'autorité à ceux qui sont le plus près du peuple. C'est sans doute son principal avantage et peut-être aussi, à un autre point de vue, un de ses inconvénients. Mais cette décentralisation est-elle encore désirable si elle aboutit à confier à l'autorité locale des problèmes impérieux, comme celui du chômage, qu'elle ne peut régler mais que, par contre, seul l'Etat peut résoudre ?

Il semble bien qu'en administration publique, et surtout à l'intérieur d'une fédération, il n'existe pas de *principes* absolus mais uniquement des *méthodes* différentes qui doivent être utilisées ou écartées selon leurs caractéristiques et les exigences des fonctions à exercer. En d'autres termes, le fédéralisme doit être *fonctionnel*. Cette nécessité n'est certes pas incompatible avec une préférence marquée pour la décentralisation, mais elle nous rappelle que, dans notre souci de conserver le plus de diversité possible, il ne faut pas négliger les éléments d'unité. En définitive, la grande loi du fédéralisme peut se résumer par une formule utilisée de plus en plus: *autant de décentralisation que possible, mais autant de centralisation que nécessaire.*

d. *L'esprit de la Confédération*

Enfin, notre exposé historique éclaire un autre point qui mérite d'être signalé. On entend souvent parler de la nécessité de retourner à l'esprit de la Confédération. Si on signifie par là qu'il est désirable de revenir aux intentions des Pères de la Confédération ou à la situation qu'ils ont établie en 1867, ce vœu pourrait alors signifier tout autre chose que ce que désirent ceux qui le formulent. Par contre, si on se réfère à des états de faits bien particuliers, alors il faudrait préciser, car, de ce point de vue, la Confédération a eu successivement plusieurs « esprits ». Comme nous l'avons plusieurs fois constaté, le gouvernement fédéral et les provinces ont joué tour à tour un rôle prédominant. D'ailleurs, ces oscillations continuelles demeureront sans doute un trait important du fédéralisme canadien.

DEUXIÈME PARTIE

LE NOUVEAU FÉDÉRALISME CANADIEN: PROBLÈMES ET SOLUTIONS

INTRODUCTION

Cette deuxième partie aborde les mêmes sujets que la première, mais sous un angle bien différent. Elle porte sur les problèmes économiques, sociaux et politiques du Canada. Toutefois, elle ne les considère plus dans leurs cadres historiques afin d'étudier leur évolution et les solutions qu'ils ont reçues à chaque époque au sein du fédéralisme canadien. Elle les envisage dans leur contexte contemporain afin de voir comment et pourquoi ils se posent, comment l'Etat devrait contribuer à leur solution et de quelle façon devraient être réparties les responsabilités et les sources de revenus entre les gouvernements afin que l'autorité publique puisse servir efficacement le bien général.

Ainsi seront analysés les problèmes que suscitent le développement industriel et la stabilité économique, en particulier le chômage structurel, cyclique et saisonnier, ainsi que les difficultés que soulèvent la rémunération des facteurs de production et l'insécurité sociale. Il faudra ensuite voir jusqu'à quel point l'Etat devrait intervenir en vue de résoudre ces problèmes et comment les différents secteurs de la politique générale pourraient être mis à contribution. Enfin, les modes de partage des responsabilités et des pouvoirs entre les gouvernements seront étudiés dans la perspective d'un régime fédératif.

L'étude de certaines questions économiques et sociales, comme celle de l'instabilité cyclique, peut sembler assez éloignée du problème des relations fédérales-provinciales. Il faut bien reconnaître cependant que tout système de répartition des fonctions et des pouvoirs entre les gouvernements qui ne tiendrait pas compte de la nature des problèmes à résoudre et des exigences de la politique qu'ils requièrent, serait extrêmement artificiel et instable. Ou bien il serait bientôt abandonné à cause de la pression des forces économiques et sociales, ou bien il engendrerait les plus graves désordres, si on décidait de l'appliquer en dépit de ces forces. On a souvent répété et avec raison que, dans la hiérarchie des valeurs, la prospérité commune, fin de l'activité et de la politique économiques, constitue le dernier des éléments du bien commun; elle n'en est pas moins la condition presque indispensable de l'existence de tous les autres. En effet, la prospérité matérielle est nécessaire à l'épanouissement de toutes les formes de la vie sociale et même au maintien des structures politiques. La partie analytique et théorique de cette étude joue donc un rôle essentiel en ce sens qu'elle explique et justifie dans une large mesure les considérations plus concrètes et plus pratiques qui suivront.

CHAPITRE VII

LE DÉVELOPPEMENT ET LA STABILITÉ ÉCONOMIQUE

A l'intérieur d'une économie d'échange, le bien général exige un volume stable et élevé d'emploi et de revenu ainsi qu'une juste distribution du revenu national entre les différentes classes sociales. Le maintien de la paix mondiale mis à part, cette exigence soulève le problème central qu'ont à résoudre les sociétés politiques modernes. La stagnation économique, l'inflation excessive et le chômage généralisé sont des fléaux qu'il faut absolument éviter. Par contre, si nous réussissons à les prévenir, plusieurs problèmes connexes disparaîtront du même coup tandis que d'autres, comme l'insécurité sociale, pourront être réglés beaucoup plus facilement.

Il s'agit donc avant tout d'assurer un développement économique continu et équilibré, ou encore, selon l'expression du professeur Perroux, de réaliser une « croissance harmonisée ». Pour y parvenir, il faut maintenir un rythme adéquat de développement industriel à long terme et un degré satisfaisant de stabilité économique à court terme. Ces deux exigences diffèrent à la fois quant à leur nature et quant aux problèmes qu'elles posent. C'est pourquoi nous les analyserons séparément.

A. LE PROBLÈME DU DÉVELOPPEMENT INDUSTRIEL ET LE CHÔMAGE STRUCTUREL

Et d'abord, comment peut-on définir et mesurer le progrès économique ? On dit qu'un pays se développe lorsqu'il ajoute à la masse de capital qu'il possède déjà, lorsqu'il augmente sa capacité de production. Le développement industriel signifie l'accroissement des biens de production, qui se composent des usines, de l'outillage et, en général, de tout ce qui sert à produire d'autres biens. Or, l'acquisition de nouveaux biens de production exige une dépense qu'on appelle, en langage économique, un investissement. Toutefois, l'achat d'une action d'une société commerciale sur le marché de la bourse ne constitue pas nécessairement une dépense d'investissement parce qu'elle peut signifier tout simplement le changement de propriété d'un capital déjà existant. Dans ce contexte, les investissements bruts correspondent à la valeur des achats de biens de production nouveaux. Il faut noter, cependant, qu'une certaine part de ces achats est destinée à remplacer les biens qui deviennent hors d'usage et n'engendrent pas d'expansion. Elle représente plutôt la dépréciation de la masse de capital existant. Seuls les investissements nets, c'est-à-dire les achats de biens de production nouveaux qui s'ajoutent aux anciens contribuent au progrès économique. Ainsi, un pays connaîtra une période de croissance, de stagnation ou de décadence économique selon que les investissements nets seront positifs, nuls ou négatifs.

Mais alors, quels sont les facteurs qui, sur une longue période, déterminent le rythme du développement industriel et le mouvement des investissements nets ? On pourrait en énumérer toute une multitude : la religion, le climat culturel et politique, le niveau des connaissances techniques et scientifiques, la nature de la technologie et des ressources, les mouvements de population, la masse de biens de production existante et la réserve de capitaux disponibles. Tous ces facteurs, et d'autres encore, jouent à des degrés divers d'un pays à l'autre. Il s'agit pour nous de savoir quels sont ceux qui, au Canada, exerceront une influence prédominante dans l'avenir, étant donné le climat religieux, politique et culturel de notre pays.

Si on considère ce problème dans son ensemble et surtout à la lumière de l'expérience passée, il faut reconnaître que, pour le Canada comme pour la plupart des pays occidentaux, ce seront l'état de la technologie, la nature et la richesse des ressources naturelles et peut-être, à un moindre degré, les mouvements de population et la situation internationale qui détermineront dans une large mesure la direction et le rythme de notre évolution économique à long terme.

Comme nous l'avons démontré précédemment, alors que la première révolution technologique avait grandement favorisé l'Europe de l'Ouest, la deuxième, qui débuta vraiment vers 1920 et qui reposait sur le pétrole, les pouvoirs d'eau, l'électricité et les substituts de l'acier tels le cuivre, l'aluminium et le zinc, eut les répercussions contraires.

Cette fois, les ressources naturelles de notre frontière économique du Nord correspondaient exactement aux nouvelles exigences technologiques. Elles constituaient un puissant attrait pour le capital privé, étant donné les perspectives de profit qu'offrait leur exploitation. Pour la première fois dans notre pays depuis le début de l'ère industrielle, l'initiative privée était en mesure d'assumer le rôle dynamique et déterminant dans le domaine du développement économique. Ainsi, au moment où, en Europe, apparaissaient les premiers signes de la stagnation économique et d'une politique d'inspiration socialiste, au Canada, le progrès industriel se poursuivait à un rythme accéléré et l'Etat adoptait une attitude de laissez-faire dans ce domaine.

Ces tendances passées devraient continuer à l'avenir tant que les présents facteurs technologiques prédomineront. On reconnaît maintenant que les ressources de notre frontière du Nord sont abondantes et variées. Elles provoqueront sans doute, au cours des prochaines décades, un taux d'investissement encore plus élevé que celui de l'après-guerre car leur exploitation sera stimulée par l'épuisement graduel de certaines richesses naturelles aux Etats-Unis.

Toutefois, la répétition des révolutions industrielles est le résultat inévitable du progrès scientifique. De tels changements fondamentaux dans la technologie se produisent lorsqu'une nouvelle source importante d'énergie est découverte. Or, on peut déjà observer les premiers signes de la prochaine révolution technologique qui reposera vraisemblablement sur l'énergie atomique. Quelles seront ses répercussions ? Elle rendra sans doute l'énergie plus omniprésente qu'elle ne l'a été jusqu'ici parce qu'elle deviendra facilement transportable. De ce point de vue, donc, les différentes régions du monde seront à peu près également favorisées. Toutefois, les pays possédant des ressources naturelles abondantes et variées auront encore un avantage marqué. De plus, les effets les plus probables de la prochaine révolution industrielle consisteront surtout à créer de nouvelles sources d'investissements plutôt qu'à ralentir le développement industriel qui repose sur la technologie présente. Les révolutions industrielles développent de nouvelles techniques et font apparaître de nouveaux produits souvent sans faire disparaître les anciens. Il ressort donc de ces observations sommaires que la prochaine révolution technologique contribuera à accroître et non à diminuer les possibilités d'investissements au Canada.

Etant donné cette perspective et l'anticipation de profits élevés qu'elle justifie, il est normal de supposer que l'initiative privée continuera, au cours des prochaines décades, à jouer le rôle dynamique dans le domaine du développement industriel au Canada et qu'elle pourra assurer un taux à long terme de progrès économique satisfaisant.

Cette prévision ne signifie pas que notre vie économique ne posera pas de problèmes. Il faudra s'assurer que les ressources naturelles seront exploitées rationnellement et à l'avantage de la population canadienne. Cette exigence se situe surtout sur le plan politique et nous y reviendrons plus loin. De plus, le chômage structurel, qui n'affecte à la fois que certaines industries et qui est attribuable au vieillissement industriel ainsi qu'au changement de la structure économique, constituera une plus grande menace à mesure que nos industries deviendront démodées et que les transformations de la technologie s'effectueront plus rapidement. Ce type de chômage ne saurait atteindre au Canada les proportions qu'il a connues dans certains pays européens, mais il peut toucher profondément des industries particulières et des régions où celles-ci sont fortement localisées. Les houillères de la Nouvelle-Ecosse et la stagnation économique des provinces de l'Atlantique, par exemple, soulèvent des problèmes de cette nature. L'industrie des produits textiles représente sans doute une autre illustration du même genre. Cette industrie est loin de ses matières premières, elle possède un marché relativement limité, et son outillage n'a pas été suffisamment modernisé. Elle souffre de la concurrence de produits similaires provenant de l'étranger mais peut-être surtout de l'envahissement du marché par des produits synthétiques qui sont plus durables et dont les prix sont souvent moins élevés que ceux qu'elle doit exiger. La province de Québec sera sûrement la plus touchée par cette régression à long terme de l'industrie des produits textiles. Il ne faudrait pas que cette crise de structure ait les mêmes effets sur la population que la disparition des chantiers maritimes au milieu du siècle dernier. Pour le moment, on a laissé la complète responsabilité de ce problème au gouvernement fédéral et on s'en remet exclusivement aux droits douaniers pour le régler. Cette attitude est superficielle et manque de réalisme. Il faudra bientôt faire un effort plus sérieux pour trouver une véritable solution à cette crise de structure.

On doit reconnaître cependant que, dans une économie en plein développement comme celle du Canada, le chômage technologique tend, en général, à être résorbé par les nouvelles industries que suscite l'expansion économique. En dépit des rajustements structurels qui devront sans doute être effectués sur le plan régional et industriel, ce n'est donc pas dans ce domaine que se poseront les problèmes économiques les plus aigus.

B. L'INSTABILITÉ ÉCONOMIQUE ET LE CHÔMAGE CYCLIQUE

Le taux moyen du développement industriel, mesuré sur une période de plusieurs décades, peut paraître suffisamment élevé tout en étant très irrégulier d'une année à l'autre ou surtout d'une décade à l'autre. En fait, on a pu observer que, dans les pays industrialisés par l'initiative privée, l'activité économique nationale passait successivement par des phases de prospérité souvent caractérisées par l'inflation et par des phases de dépression au cours desquelles une forte proportion des ressources productives demeuraient inutilisées. La réalité des fluctuations ou des cycles économiques n'est plus à démontrer. On sait même maintenant que, lorsque le secteur privé de l'économie est laissé à lui-même, ces phénomènes se reproduisent avec une assez grande régularité. Et pourtant, on sent bien qu'ils ne sont pas inévitables et qu'ils seront de moins en moins tolérés dans un monde qui recherche surtout la stabilité et la sécurité. Il est donc devenu urgent de leur trouver un remède. Mais auparavant, il faut en faire le diagnostic et découvrir la source d'où ils émanent.

Il ne s'agit évidemment pas de reprendre systématiquement l'explication des cycles économiques, ce qui déborderait les cadres de cet exposé. D'ailleurs, les fluctuations cycliques constituent l'un des problèmes les plus difficiles qui se posent à la théorie économique et dont celle-ci ne parviendra peut-être jamais à rendre compte parfaitement. Nous tenterons uniquement d'en indiquer la source et de résumer très brièvement l'explication généralement acceptée aujourd'hui par les économistes, sans faire appel aux complications théoriques que devrait contenir un exposé systématique.

a. *Relations entre le revenu national, la dépense nationale et ses composantes*

En somme, notre objectif consiste à expliquer les fluctuations de courte période du revenu national et du volume global d'emploi. Il ne s'agit pas là, cependant, d'un double problème, car, comme on peut l'observer, il y a une relation directe et positive très étroite entre le niveau du revenu national réel et celui du volume d'emploi, du moins sur une courte période, alors que les données de la structure économique, telles que la technique et les ressources, peuvent être supposées constantes. C'est donc dire que si on parvient à expliquer les fluctuations du revenu national, on rend compte dans une très large mesure du même coup du comportement du volume global d'emploi.

Mais d'abord, il faut préciser la signification des concepts de revenu national et de dépense nationale. Brièvement, on peut dire qu'ils sont destinés à mesurer la valeur courante des biens et des services produits ou consommés au cours d'une année dans l'ensemble du pays. Leur contenu, tel que défini dans le système de comptabilité nationale du Canada, est indiqué dans le tableau 15. Comme on peut le constater, la production nationale brute s'obtient d'abord en additionnant les revenus des différents facteurs de production, c'est-à-dire les salaires, les profits, les intérêts et les rentes, ce qui donne le revenu national net d'après le coût des facteurs de production, puis en ajoutant certaines autres dépenses qui entrent dans le prix du marché, comme la dépréciation et les taxes indirectes. La dépense nationale est constituée de toutes les ventes finales, c'est-à-dire celles qui sont faites à ceux qui consomment ou utilisent les produits, — l'acquisition de biens en vue d'une revente n'est pas incluse — en tenant compte, toutefois, des changements d'inventaires. Elle est composée des dépenses des consommateurs, de l'Etat, des entreprises et des étrangers. Puisqu'il s'agit en définitive de mesurer la production canadienne, les importations sont déduites de ce total [1].

Nous pouvons maintenant aborder l'explication des fluctuations du revenu national en analysant la relation qui existe entre celui-ci d'une part et la dépense nationale ainsi que ses composantes d'autre part. En général, et sur une courte période tout au moins, la production dépend de la consommation prise dans son sens large. De même on peut dire que le revenu est fonction de la dépense. En effet, dans notre système économique, les biens ne sont produits que pour

---

[1] Pour de plus amples détails sur notre système de comptabilité nationale, consulter: *Comptes nationaux: revenu et dépense, 1926-1950*, Ottawa, 1952.

TABLEAU 15: Production et dépense nationale brute par catégorie de revenus et de dépenses, au Canada, en 1951

MILLIONS DE DOLLARS

PRODUCTION NATIONALE	
1. Gages, salaires et autres revenus du travail	9,676
2. Soldes et allocations militaires	201
3. Revenu d'investissement	3,642
Revenu net des entreprises non-incorporées	
4. Entreprises agricoles	2,106
5. Autres	1,503
6. Revenu national net au coût des facteurs	17,128
7. Taxes indirectes moins les subsides	2,468
8. Dépréciation et autres coûts de production	1,889
9. Erreur résiduelle d'estimation	− 35
10. Production nationale brute aux prix du marché	21,450

DÉPENSE NATIONALE	
1. Dépenses personnelles en biens de consommation et services	13,297
2. Dépenses de l'État en biens et services	3,212
Investissement domestique brut	
3. Construction résidentielle nouvelle	781
4. Construction non-résidentielle nouvelle	1,260
5. Machinerie et outillage nouveaux	1,769
6. Changements dans les inventaires	1,620
7. Exportations de biens et de services	5,089
8. Déduire: Importations de biens et de services	− 5,613
9. Erreur résiduelle d'estimation	35
10. Dépense nationale brute aux prix du marché	21,450

Source: *National Accounts, Income and Expenditure, 1949-1952*, p. 16, tableaux 1 et 2.

être vendus avec profit. Lorsque la vente devient impossible, la production perd sa raison d'être et s'arrête. C'est pourquoi on peut affirmer que la production nationale, de même que le revenu national et le volume d'emploi qu'elle engendre, dépend, sur une certaine période, de la demande qui en est faite. Ainsi, la demande effective, celle qui s'exprime sur le marché en termes monétaires, joue un rôle dynamique en déterminant le niveau et les fluctuations de l'activité économique de la nation. On pourrait être tenté, à la suite de certains économistes classiques, de renverser la proposition déjà énoncée et de dire que peut-être ce n'est pas le revenu qui est fonction de la dépense mais bien celle-ci qui dépend du revenu. On pourrait même prétendre que ces deux propositions sont réversibles, puisque les citoyens acquièrent leurs revenus respectifs en subvenant à leurs besoins réciproques et que le revenu d'un individu provient des dépenses des autres. Nous verrons toutefois que les deux propositions ne sont réversibles que dans le cas où il n'y a pas d'épargne et que seules les dépenses de consommation dépendent en partie du revenu. Notre proposition initiale, qui sera précisée plus loin, peut donc s'énoncer ainsi: le niveau et les fluctuations du revenu national et de l'emploi sont déterminés par le volume et les variations de la dépense nationale.

Cependant cette affirmation n'est pas très révélatrice. En effet, nous avons déjà signalé que le revenu national et la dépense nationale sont toujours identiques puisqu'ils envisagent la même chose sous des aspects différents. De plus, la dépense nationale est une quantité globale et il est impossible de dire quoi que ce soit de significatif sur son comportement général, parce qu'elle manque d'homogénéité. En effet, elle couvre toute une multitude d'activités et elle est guidée par une grande variété de motifs souvent étrangers les uns aux autres. La décision d'une entreprise de renouveler son outillage est bien différente de celle que prend un gouvernement en construisant une route ou un consommateur en achetant plus de nourriture. Ainsi, notre proposition initiale n'était pas vide de sens, puisqu'elle nous indique dans quelle voie engager notre analyse, mais elle est bien incomplète en elle-même, car le courant des dépenses se compose d'éléments si divers qu'il faut le décomposer pour savoir comment il se détermine.

L'étude de la comptabilité nationale révèle que notre économie se compose de quatre secteurs assez homogènes, à savoir, les ménages, l'Etat, les entreprises et l'étranger, et que le revenu national résulte des dépenses de chacun de ces groupes. On obtient ainsi l'équation suivante :

$$Y = C + G + I \mid (E + M)$$

où Y représente le revenu national, C, les dépenses de consommation, G, les dépenses gouvernementales, I, les investissements, c'est-à-dire, les dépenses portant sur de nouvelles constructions, sur un nouvel outillage ou sur les inventaires, E, les dépenses d'exportation et M, les dépenses d'importation. Cette équation nous dit que les fluctuations du revenu national résultent des variations de l'une ou l'autre de ces dépenses ou de leur influence conjointe.

Dès le début de notre analyse, deux secteurs, celui de l'État et de l'étranger ainsi que leurs dépenses, peuvent être éliminés parce qu'il est évident qu'ils ne sont pas à l'origine des fluctuations du revenu national. Il est impossible que le comportement de l'État soit la cause des fluctuations cycliques, des phases alternantes de prospérité et de dépression qu'on a pu constater d'abord il y a plus d'un siècle et qui se sont reproduites depuis avec une assez grande régularité, surtout quand on considère qu'il s'agit là de phénomènes économiques. Au cours de cette époque, la plupart des gouvernements ont accepté les principes du libéralisme économique. Leur rôle était beaucoup trop restreint pour exercer une pareille influence sur l'économie; leur comportement suivait le plus possible celui du secteur privé et leur intervention n'a pas pu faire naître les crises. D'ailleurs, il est impossible de déceler dans l'administration de l'État un mécanisme capable d'engendrer un processus cyclique continu, ce qui ne veut pas dire évidemment que la politique de l'État n'a jamais influencé le secteur privé vers la hausse ou la baisse. De plus, on a pu observer que les pays où l'État se chargeait lui-même de la production et du développement économique pouvaient sans doute subir des disettes ou des erreurs de planification, mais n'étaient pas soumis à des cycles de prospérité et de dépression. L'élimination de l'État, à ce stade, est d'ailleurs désirable en ce sens qu'elle permet d'observer de façon plus précise le fonctionnement du secteur privé de l'économie et de définir plus clairement, à un stage ultérieur, comment l'autorité publique peut intervenir pour atténuer l'instabilité économique.

De même, le secteur des transactions internationales peut être négligé lorsqu'il s'agit de trouver les causes initiales et générales des fluc-

8

tuations cycliques. En effet, les importations du Canada, par exemple, dépendent de la demande domestique de biens de consommation et de production. Par contre, les exportations canadiennes dépendent de l'état de cette même demande dans les pays où elles s'écoulent normalement. Dans le cas particulier d'une nation comme la nôtre qui a un intérêt vital dans le commerce international, les variations des exportations peuvent influencer profondément le comportement du revenu national, mais alors celles-ci ne sont que des causes immédiates; plus spécifiquement, elles ne sont qu'un indice révélant l'existence dans les pays importateurs d'un déséquilibre économique soit structurel soit cyclique, dont une théorie générale doit précisément rendre compte en définitive.

Notre définition initiale du revenu national se trouve ainsi ramenée à la forme simplifiée:

$$Y = C + I,$$

et les sources de fluctuations aux dépenses privées de consommation et d'investissement. C'est donc sur ces deux secteurs qu'il faut concentrer l'analyse.

b. *Le comportement des dépenses de consommation*

Les enquêtes scientifiques et l'observation élémentaire démontrent que les dépenses de consommation des individus et des ménages varient avec leur revenu. Ainsi, on peut observer dans une société quelconque, à un moment donné, que les riches dépensent plus que les pauvres pour la raison bien évidente que leur revenu est plus élevé. De même on peut constater que si le revenu d'un individu ou d'une famille varie au cours de son existence, sa consommation s'en ressent immédiatement ou après un certain temps. Enfin, les mêmes observations s'appliquent à l'ensemble des consommateurs d'un pays. On peut donc conclure qu'en général les dépenses de consommation varient avec les fluctuations du revenu et dans le même sens.

Toutefois, la relation entre les dépenses de consommation et le revenu n'est pas aussi simple qu'elle paraît à première vue. En retournant à l'observation courante, on peut constater que certains besoins humains sont à peu près incompressibles. L'homme a besoin d'une quantité minimum de nourriture, il doit se vêtir et s'abriter même si son revenu est insuffisant pour défrayer les dépenses minima nécessaires à l'entretien de la vie. On peut donc au moins concevoir des situations où la consommation dépassera le niveau du revenu. Par contre, les besoins humains ont souvent une limite maximum, au moins sur une courte période. Le niveau de vie a un aspect subjectif et statique qu'il ne faut pas ignorer. La façon de l'envisager change souvent avec les individus et les peuples mais peut demeurer la même pendant assez longtemps chez les mêmes gens et les mêmes nations. En d'autres termes, chaque individu, selon ses croyances, sa culture, son tempérament, son occupation, ses appétits et ses ambitions, a sa propre conception d'un standard de vie normal. Il fera des efforts pour le maintenir et, si son revenu est insuffisant à le lui procurer, il s'endettera ou aura recours à d'autres moyens afin de le conserver. Si son revenu dépasse ce qu'exige ce standard de vie normal, sa conception de celui-ci pourra changer avec le temps mais pas nécessairement; il pourra diminuer son travail, comme la chose se produit assez fréquemment chez les peuples « arriérés » ou encore consacrer le surplus de son revenu à d'autres utilisations, soit à payer d'anciennes dettes, soit à se prémunir contre certains risques, soit tout simplement à accumuler des réserves pour l'avenir.

L'expérience des Américains en Afrique du Nord au cours de la dernière guerre a révélé de façon un peu dramatique l'existence d'une conception assez rigide du standard de vie normal. Après avoir constaté que le revenu des travailleurs dans ces pays était extrêmement bas, ils ont décidé de le relever subitement et de façon considérable. Constatant de leur côté qu'ils pouvaient dorénavant se procurer leur niveau de vie habituel avec moins d'heures de travail, les ouvriers diminuèrent d'autant leur effort à la grande surprise des Américains. On peut noter en passant que les peuples « primitifs » sont pauvres parce qu'ils ignorent le devoir de prévoyance, et qu'ils ne peuvent pas s'industrialiser à même leurs propres capitaux parce qu'ils ne connaissent pas la source indispensable des investissements qu'est l'épargne. En d'autres termes, ils sont pauvres parce qu'ils consomment tous leurs revenus; mais par contre, ils ne connaissent pas l'instabilité économique, comme nous l'avons démontré précédemment.

Le même concept d'un niveau de vie normal existe aussi chez les peuples « évolués », mais il n'a pas les mêmes conséquences. En effet, le temps consacré au travail ne diminue pas nécessairement lorsque le revenu dépasse les exigences de ce standard, mais alors c'est le devoir de prévoyance qui s'impose, ce qui fait que l'épargne apparaît. Nous verrons plus loin que ce réservoir d'investissements qu'est l'épargne permet l'industrialisation et le progrès économique, mais qu'il est en même temps une des sources de l'instabilité du système.

C'est précisément sur l'existence de cette attitude des individus et de l'ensemble de la société à l'égard du niveau de vie normal que repose une notion très importante en théorie économique: la propension à consommer. Ce concept se définit par le rapport qui existe entre les dépenses de consommation d'un individu, d'un groupe ou de la collectivité et le revenu correspondant. Il mesure la part du revenu qui est consacrée à la consommation. Cette propension est dite globale lorsqu'elle est mesurée à partir du niveau absolu du revenu et de la consommation, et marginale si elle est calculée à partir de leur variation respective au cours d'une certaine période. Nous avons déjà dit que les dépenses de consommation dépendaient du revenu. Nous savons maintenant que leur niveau absolu et leurs variations sont également influencés par un deuxième facteur, la propension à consommer soit globale, soit marginale.

Les illustrations suivantes tirées des comptes nationaux du Canada donnent une idée assez juste de ces concepts même si la comptabilité nationale, qui est établie sur une base annuelle, n'est pas très appropriée pour représenter un phénomène d'aussi courte durée que l'utilisation du revenu mensuel ou hebdomadaire. En 1951, les dépenses privées de consommation s'élevaient à 13,297 millions de dollars et le revenu national net à 17,128 millions. Le rapport entre cette consommation et ce revenu correspond à la propension globale à consommer et équivaut à 0.77 ce qui signifie qu'en 1951, pour chaque dollar de revenu, le peuple canadien consacrait 77 cents à des dépenses de consommation. La propension marginale à consommer mesure le rapport non pas entre les niveaux absolus de la consommation et du revenu mais entre leurs variations d'une période à l'autre. Puisqu'en 1950, les dépenses de consommation et le revenu national s'établissaient respectivement à 12,029 millions et à 14,550 millions, la propension marginale à consommer peut être obtenue approximativement à l'aide de l'équation suivante:

$$\frac{13{,}297 - 12{,}029}{17{,}128 - 14{,}550} = \frac{1{,}268}{2{,}578} = 0.49$$

On peut donc dire qu'en 1951, au Canada, la propension marginale à consommer s'est élevée à 0.49, ou encore que, pour chaque dollar de revenu additionnel reçu au cours de cette année, le peuple canadien a consacré 49 cents à accroître ses dépenses de consommation. Certaines caractéristiques de cette propension méritent d'être signalées. Elle repose, avons-nous dit, sur les habitudes de consommation, qui, à leur tour, dépendent de tout un ensemble de données morales, sociales et économiques. C'est pourquoi, le riche n'aura pas la même propension à consommer que le pauvre; il en est de même de l'avare et du prodigue, de l'homme marié et du célibataire. Malgré la multitude des variations individuelles possibles, certains traits dominants se dégagent de la réalité. Ainsi, en général, les individus, les groupes et les peuples pauvres consomment une plus grande part de leur revenu que ceux qui sont riches. C'est précisément cette caractéristique qui permet de stimuler les dépenses de consommation dans un pays en effectuant une redistribution du revenu national des riches aux pauvres au moyen de la taxation progressive et des mesures de sécurité sociale. Par contre, les mêmes individus, les mêmes groupes et les mêmes nations consomment une plus grande part de leur revenu à mesure que celui-ci baisse et une plus faible portion à mesure qu'il s'élève. En somme, la propension à consommer est un rapport qui exprime la relation entre les dépenses de consommation et le revenu ou entre leurs variations respectives. Malgré la diversité des éléments qui l'influencent, elle varie dans le temps et d'une classe économique à l'autre avec le revenu mais en sens contraire. Elle est plus stable que le revenu, à cause de la conception plutôt statique que les individus se font de leur niveau de vie. Enfin, elle varie normalement entre zéro et l'unité.

Ainsi, nous avons découvert que le comportement des dépenses de consommation était déterminé par deux facteurs, à savoir, le revenu et la propension à consommer. En général, elles suivent les variations du revenu, s'élevant et diminuant avec lui. Par contre, à cause de l'influence de la propension à consommer, elles varient moins rapidement que le revenu, soit dans le sens de la hausse, soit dans celui de la baisse. Le comportement des dépenses de consommation ne saurait donc être à l'origine des fluctuations du revenu national. Au contraire, la théorie de la consommation montre que les variations de cette catégorie de dépenses sont en grande partie déterminées par celles du revenu et qu'au surplus elles sont de moins grande amplitude.

Cette conclusion, facilement vérifiable, est à l'opposé des théories qui expliquent les crises économiques par l'insuffisance du pouvoir d'achat des consommateurs. Par contre, elle nous permet d'affirmer que ce n'est pas du côté des dépenses de consommation qu'il faut chercher un remède aux fluctuations cycliques. De ce point de vue, il ne faudrait pas exagérer les effets de stabilisation qu'exerce notre système de sécurité sociale. Celui-ci peut certes contribuer à établir un « plancher » à la misère; mais si, d'une part, il impose une limite à la baisse, il accroît, d'autre part, les possibilités de hausse, augmentant ainsi en période de prospérité les pressions inflationnaires. Il peut ainsi relever le niveau général du revenu national sans amoindrir l'amplitude de ses fluctuations.

Si le comportement de la consommation n'est pas à l'origine des mouvements de hausse et de baisse du revenu national, il n'en contribue pas moins cependant à y mettre fin. En effet, puisque la propension à consommer ne varie pas dans le même sens que le revenu, si nous supposons qu'à un moment donné celui-ci baisse, alors la propension à consommer augmente, de sorte que les dépenses de consommation diminuent moins vite que le revenu et qu'elles se rapprochent de plus en plus de son niveau. Ainsi, la diminution du revenu s'effectue plus difficilement jusqu'au point où elle devient quasi impossible, car le revenu national ne peut pas se maintenir au-dessous du niveau de la consommation. Par contre, lorsque le revenu augmente, la propension à consommer de l'ensemble de la nation diminue, de sorte que la différence entre les dépenses de consommation et le volume du revenu s'accroît sans cesse. Pour que le revenu puisse continuer à s'élever, il faut que cette différence grandissante soit comblée par un montant de plus en plus considérable d'investissements. Comme les occasions d'investir avec profit ne sont pas illimitées, il arrivera nécessairement un moment où le volume d'investissements sera insuffisant à combler le vide et alors le revenu national cessera de s'accroître. Ainsi, sans expliquer les fluctuations du revenu national et du volume global d'emploi, les dépenses de consommation contribuent à leur imposer des limites.

c. *Théorie de l'épargne*

Nous avons déjà vu que lorsque le revenu augmente, la différence entre celui-ci et les dépenses de consommation s'accroît. Cette différence correspond à l'épargne de sorte que celle-ci peut être définie comme étant la part du revenu qui n'est pas consommée. Ainsi, la théorie de l'épargne n'est que la contrepartie de la théorie de la consommation. On peut dès lors affirmer que le volume d'épargne dépend, lui aussi, de deux facteurs, à savoir: le revenu et la propension à épargner.

Il est normal que les individus et les collectivités humaines épargnent davantage lorsque le revenu augmente. En effet, si le revenu dépasse les exigences d'un niveau de vie considéré comme satisfaisant, les obligations passées et les besoins futurs entrent en ligne de compte et influencent le comportement humain en ce qui regarde l'utilisation du revenu. On épargnera pour payer des dettes, pour se prémunir contre les risques de la vie quotidienne, tels que la maladie, la mort, le vol ou l'incendie, pour assurer l'avenir de la famille, pour se créer une réserve en vue de la vieillesse, pour financer une dépense future ou simplement par avarice. Si d'une part les besoins futurs sont généralement moins intenses que les besoins présents, par contre, à mesure que le revenu augmente, non seulement les anciens motifs d'épargne s'intensifient, mais de nouvelles raisons d'épargner viennent s'ajouter. Ainsi, le père de famille qui voit son revenu augmenter ne pensera pas uniquement à s'assurer davantage contre les risques les plus graves, mais il songera sans doute à épargner des sommes additionnelles pour s'acheter une maison ou pour compléter l'ameublement de son logis, ou pour donner une meilleure éducation à ses enfants et, en général, pour améliorer son sort futur ainsi que celui des siens.

Ces considérations nous mènent à la conclusion que l'intensité du désir d'épargner s'accroît avec le revenu, contrairement à la propension à consommer qui, elle, diminue. Ainsi, normalement la propension à épargner sera plus élevée chez les riches que chez les pauvres. De plus, si le revenu d'un même individu, d'un même groupe ou de la collectivité s'accroît, au cours d'une certaine période, la propension marginale à épargner tend également à s'élever.

Le volume global d'épargne varie donc avec le revenu et dans le même sens, tout comme les dépenses de consommation; toutefois, puisque la propension à épargner fluctue dans le même sens que le revenu, la répercussion des variations de celui-ci sur le volume d'épargne s'en trouvera amplifiée, alors qu'elle était atténuée lorsqu'il s'agissait des dépenses de consommation. C'est donc dire que le volume global d'épargne variera plus rapidement que le revenu et que, par conséquent, il sera plus instable que celui-ci.

Pour les fins de l'analyse subséquente, cette synthèse de la théorie de l'épargne globale est suffisante. Il est bon de noter toutefois que son comportement d'ensemble est une résultante de mouvements spécifiques différents. Toujours en restant dans les limites du secteur privé de l'économie, on peut dire que l'épargne globale se décompose en deux grands courants: l'épargne des consommateurs et celle des entreprises. Même si l'un et l'autre dépendent en général des deux facteurs indiqués précédemment, c'est-à-dire du niveau de revenu et de la propension marginale à épargner, il faut reconnaître qu'ils s'inspirent souvent de motifs différents. L'épargne des entreprises se subdivise, à son tour, en deux catégories: les profits accumulés et les réserves pour fin de dépréciation, d'amortissement et de protection contre certains risques.

Il ne suffit pas d'expliquer le fait de l'épargne; il faut également en comprendre les répercussions sur le système économique. Nous avons déjà montré que dans notre système simplifié, le revenu national correspond aux dépenses de consommation et d'investissements. Nous laisserons celles-ci de côté temporairement afin de mieux mettre en lumière les effets naturels de l'épargne. Il serait relativement facile de démontrer que si le revenu national était entièrement consommé, il n'y aurait pas de fluctuations économiques telles que nous les connaissons. L'économie serait alors constituée par un circuit fermé où il existerait un flot monétaire circulaire allant des unités de production — les entreprises — aux unités de consommation — les ménages — et retournant ensuite à son point de départ pour recommencer le même processus. Les entreprises, en produisant, donneraient une rémunération aux facteurs de production pour leurs services et ceux-ci, en tant que consommateurs, retourneraient leurs revenus aux entreprises en échange contre les produits. Une telle économie pourrait sans doute connaître des déséquilibres temporaires attribuables à une mauvaise orientation de la production mais elle serait sûrement exempte des crises périodiques de chômage et d'inflation. Dans cette société, il n'y aurait pas non plus de progrès, puisqu'il n'y aurait ni épargne, ni investissement net, ni accroissement de l'outillage national.

Le fait de l'épargne signifie, cependant, que ce courant circulaire ne correspond pas à la réalité. Au contraire, normalement, le revenu

reçu des entreprises par les facteurs de production ne retourne pas entièrement à celles-ci sous forme de dépenses de consommation. De
plus, les entreprises gardent une partie de la valeur des dépenses de
consommation, c'est-à-dire de leurs revenus sous forme de réserves et
de surplus accumulés. Il y a donc dans le courant circulaire du
« coulage », une fuite qui correspond bien au phénomène de l'épargne,
qui consiste, selon l'expression courante, à « mettre de l'argent de
côté », ou encore, à retirer, momentanément du moins, une certaine
quantité d'argent du circuit économique. Disons en passant que c'est
précisément ce phénomène que la théorie du crédit social a souligné
dans une de ses formulations les plus acceptables du théorème A + B.
En le faisant, elle a tout simplement redécouvert le phénomène de l'é-
pargne, peut-être sans s'en rendre compte et certainement sans porter
attention au mécanisme de compensation que constituent les dépenses
d'investissements, comme nous le verrons plus loin. C'est sans doute
pourquoi elle aboutit à l'existence d'un déséquilibre économique permanent dans le sens de la baisse et caractérisé par une insuffisance de
pouvoir d'achat qu'elle propose de combler par des injections monétaires continues.

Mais alors, quelles vont être les conséquences de cette fuite causée
par l'épargne et qui fait que les entreprises n'ont pas pu écouler toute
leur production et que le revenu qu'elles ont reçu sous forme de dépenses de consommation est moins élevé que celui qu'elles avaient
distribué en payant les services des facteurs de production ? La seule
façon stable pour les producteurs de s'adapter aux conditions nouvelles est de diminuer leur production et donc aussi le revenu des facteurs de production, c'est-à-dire des consommateurs. Etant donné le
système de relations que nous avons déjà constaté, la baisse du revenu
entraîne une hausse de la propension marginale à consommer et une
diminution de la propension marginale à épargner. Ainsi le volume
d'épargne subira une baisse plus importante que celle du revenu, tandis
que celle des dépenses de consommation sera moindre. Dans ce dernier cas, toutefois, il s'agira d'une nouvelle réduction, la première ayant
été causée par l'apparition de l'épargne. Cette nouvelle chute né-
cessitera un deuxième rajustement de la part des producteurs, donc
une nouvelle réduction de la production et du revenu, ce qui signifiera
un recommencement du processus que nous venons de décrire.

Ainsi, l'apparition de l'épargne, en l'absence d'investissements, avait produit dans le système économique un déséquilibre qui, à son tour, a déclenché un mécanisme d'ajustement afin de retrouver la voie de l'équilibre et de la stabilité qu'il cherche naturellement. Quand l'action du mécanisme s'arrêtera-t-elle ? Lorsque le revenu équivaudra de nouveau à la consommation, c'est-à-dire, quand la fuite de l'épargne sera disparue. Comment agit-il et quel est son effet permanent ? Il opère par des rajustements successifs du revenu dans le sens de la baisse ce qui entraîne des réactions de la consommation et de l'épargne dans la même direction. Enfin, au terme de son action, il a éliminé la cause du déséquilibre, c'est-à-dire l'épargne, mais le système, s'il se trouve de nouveau en équilibre, n'est pas retourné à sa position initiale: il s'est stabilisé, mais à un niveau de revenu, de production et de consommation inférieur à l'ancien. En d'autres termes, le courant circulaire uniforme est rétabli mais il n'est pas aussi considérable qu'il ne l'était avant l'apparition de l'épargne. Si l'on suppose qu'au moment où est apparue l'épargne, le courant circulaire de revenu correspondait au plein emploi, celui qui subsiste après la disparition de l'épargne s'accompagne de chômage et laisse certaines ressources productives inutilisées.

Ainsi, lorsque l'épargne fait son apparition et qu'elle n'est pas compensée par des dépenses d'investissements, elle engendre un déséquilibre dans le système économique et celui-ci réagit immédiatement. Un processus intense d'ajustement est déclenché qui, en produisant des diminutions successives de revenu, rend les individus et les collectivités de moins en moins capables d'épargner. Au terme de la réaction, le système aura retrouvé sa position d'équilibre caractérisée par l'absence d'épargne, mais le revenu et la consommation auront diminué d'un montant égal au volume initial d'épargne, comme il serait facile de le démontrer. C'est ainsi que se pose le paradoxe de l'épargne. Si la population tente d'épargner et qu'il n'y a pas de courant d'investissements pour compenser, elle se place dans une situation où elle sera de moins en moins capable d'épargner, car sa décision entraînera une diminution de son revenu.

Puisque l'épargne, prise isolément, amène la baisse du revenu courant, elle est donc, en elle-même, déflationnaire et elle contribue à ralentir l'activité économique. L'explication économique de cette caractéristique de l'épargne est relativement facile à donner. Comme dit Keynes, d'une façon imagée, l'acte d'épargne consiste à ne pas dîner aujourd'hui, sans se proposer de reprendre ce repas demain ou un autre jour. Ainsi l'acte d'épargne c'est la substitution d'une consommation future, indéterminée dans le temps, à une consommation présente. Il implique donc une diminution des dépenses courantes de consommation et aussi, tôt ou tard, selon que les producteurs s'adaptent rapidement ou non, de la production courante. Par contre, parce qu'il ne signifie pas une consommation future à un moment déterminé et connu, il ne contribue pas non plus à stimuler les dépenses d'investissement, comme nous le constaterons plus tard.

Du fait que l'épargne, sur une courte période, est déflationnaire et qu'elle ralenti l'activité économique, faut-il conclure qu'elle est condamnable ? Pas du tout. D'abord, sur le plan individuel, l'épargne est une nécessité imposée par le devoir de prévoyance. De plus, sur le plan collectif et sur une longue période, elle est essentielle au développement et au progrès économiques. Enfin, sur le même plan, mais sur une courte période, la propriété déflationnaire de l'épargne est très salutaire, lorsqu'il existe des pressions inflationnaires. Ce n'est que sur le plan collectif, sur une courte période et alors que les occasions d'investir manquent que l'épargne peut exercer une influence défavorable, car alors la spirale déflationnaire devient une menace. Même alors, cependant, il existe des moyens, principalement sur le plan politique, capables de compenser l'effet nocif de l'épargne. En effet, comme on peut le constater dans ce domaine comme dans tous les autres, la vie économique n'est pas soumise à un déterminisme aveugle. Elle est sous l'empire de la volonté de l'homme qui peut l'orienter vers son propre bien-être, à condition qu'il découvre et comprenne les processus qu'elle engendre et qu'il veuille prendre les moyens pour paralyser ceux qui sont défavorables. On ne saurait ignorer les « mécanismes » économiques, mais on peut les déjouer s'ils sont indésirables et s'en servir s'ils sont favorables.

Au terme de ce bref exposé sur le comportement et les effets de l'épargne, il faut reconnaître que celle-ci peut devenir une source de déséquilibre économique mais qu'elle est incapable à elle seule de rendre compte des phases alternantes de prospérité et de dépression et d'expliquer les fluctuations du revenu national et du volume global d'emploi. Puisqu'elle ne peut influencer le revenu national que dans le sens de la baisse et que, d'autre part, l'existence de périodes de prospérité et même d'inflation est indéniable, il faut bien qu'il y ait un autre facteur dont l'action consiste à stimuler le revenu. Dans notre contexte limité, cette force positive est représentée par le courant des investissements privés.

d. La stabilité du revenu national et les investissements

Nous avons vu qu'en l'absence d'investissements, l'apparition de l'épargne entraînait la chute du revenu national et que celle-ci correspondait au volume initial d'épargne. A l'inverse, supposons que certaines dépenses d'investissement, telles que définies précédemment et financées par le crédit bancaire, sont effectuées dans une économie au moment où il n'y a pas d'épargne et où le revenu courant est entièrement consommé. Dans une telle conjoncture, les entreprises distribuent aux facteurs de production une quantité d'argent plus grande que celle qu'elles ont reçue des consommateurs, de sorte que le revenu national augmente inévitablement.

Du point de vue de leur action sur le revenu et le volume d'emploi, les investissements et l'épargne doivent être conçus comme deux forces qui tendent à se compenser, l'une entraînant une injection dans le système, l'autre y créant une fuite. C'est précisément de la relation qui existe entre ces deux facteurs dont dépendent en définitive le déséquilibre ou la stabilité, de même que le niveau du revenu national et du volume d'emploi dans le secteur privé de l'économie. Si, à un moment donné, l'épargne équivaut exactement aux dépenses d'investissement, alors le revenu national est équilibré et stable; celui-ci, toutefois, ne correspond pas nécessairement au niveau du plein emploi. Par contre, si le volume d'épargne est inférieur au courant d'investissement, le revenu national augmente. Enfin, celui-ci diminue si les investissements ne suffisent pas à compenser l'épargne. Telles sont les conditions d'équilibre et de variation du système économique ramenées à leur plus simple expression.

Ainsi, le problème de la stabilité économique ne se poserait pas si les courants d'investissement et d'épargne étaient interdépendants et s'ils correspondaient toujours au niveau requis par le plein emploi des ressources. Or, il n'y a aucun mécanisme à l'intérieur du secteur privé chargé de remplir ces deux conditions. Il n'y a rien qui garantit que les injections vont correspondre aux fuites; mais, même si, par hasard, cette condition se trouve remplie, la stabilité peut se réaliser à un niveau de sous-emploi. Le mal provient en grande partie du fait que les décisions d'épargner et d'investir sont souvent prises par des individus différents qui n'ont aucun contact entre eux et que le volume d'épargne ne dépend pas des mêmes facteurs que le courant d'investissement. Pour justifier cette affirmation, il reste maintenant à indiquer les forces qui déterminent celui-ci, puisque le comportement de l'épargne a déjà été décrit.

Nous avons déjà analysé les éléments qui influencent le mouvement des investissements sur une longue période et montré pourquoi ceux-ci se maintiendront généralement à un niveau élevé au Canada au cours des prochaines décades. Cette perspective ne signifie pas, cependant, que ce niveau sera toujours régulier et que les investissements seront élevés l'année prochaine ou dans deux ans. En d'autres termes, il faut reconnaître que les facteurs qui déterminent les investissements privés sur une longue période ne sont pas nécessairement les mêmes que ceux qui les influencent sur une courte période. Ce sont précisément ces derniers qui nous intéressent présentement puisqu'il s'agit d'expliquer les fluctuations de courte durée du revenu national.

Dans le secteur privé de l'économie, la décision d'investir relève non pas d'une autorité centrale mais de la multitude des entreprises. Mais alors, comment en arrivent-elles à décider d'agrandir une usine ou d'en construire une nouvelle, d'augmenter l'outillage ou de le renouveler ? Il faut bien reconnaître, au point de départ, que la raison d'être des investissements privés, c'est le profit. Il est évident, en effet, qu'aucune entreprise ne peut se décider à investir si elle croit subir des pertes en le faisant.

Par ailleurs, un investissement, c'est une dépense immédiate effectuée en vue d'un revenu futur, dont le montant ne sera connu avec certitude que lorsque les biens de production deviendront hors d'usage. Au moment où se décide l'investissement, il peut être relativement facile de calculer la dépense qu'il exige, mais il est beaucoup plus difficile d'estimer le revenu qui sera gagné sur une période de cinq ans, dix ans ou davantage, selon la durée des biens de production. Ainsi, la décision d'investir comporte nécessairement un acte de prévision. Elle dépend non pas du niveau réel de profits que rapportera l'investissement, mais de la perspective de profits. C'est en cela d'ailleurs que, dans le domaine économique, le futur influence le présent. En définitive, la décision d'investir dépend des facteurs qui déterminent le niveau réel des profits, et qui font l'objet même de la prévision, du climat psychologique optimiste ou pessimiste, qui inspire la prévision, et aussi de la plus ou moins grande confiance accordée à la prévision. Disons enfin que le montant réel des profits correspond à la différence entre le revenu provenant de l'utilisation des biens de production et la dépense qu'exige leur acquisition. Celle-ci comprend le coût ou le prix d'achat des biens de production, lequel correspond à la mise de capital, et l'intérêt ou la rémunération de ce capital. D'autre part, le revenu est constitué par la somme des profits bruts annuels réalisés au cours de la période d'utilisation des biens de production moins les taxes.

A la suite de plusieurs auteurs contemporains, le professeur Jean Marchal a bien décrit les circonstances qui conditionnent la décision d'investir et qui en font un acte intuitif sinon impulsif. Cette description est si exacte que nous nous croyons justifiés de la citer malgré sa longueur.

« Ce qu'ils (les entrepreneurs) prendront en considération, en longue période, pour procéder à l'investissement ou au désinvestissement de leurs capitaux, ce n'est pas le gain qu'ils pourraient réaliser présentement, en créant un outillage nouveau ou en donnant à un outillage existant une destination différente, mais bien le gain qu'ils estiment, à tort ou à raison, pouvoir obtenir ,lorsque les outillages en question seront en état de fonctionner.

Lorsqu'on se rallie à cette manière de voir, une question nouvelle et délicate se pose: celle de savoir comment procéderont les entrepreneurs pour établir cette prévision des prix et des coûts qui apparaît ainsi fondamentale pour leur décision ?

On peut admettre qu'au point de départ les entrepreneurs prendront appui sur les constatations que leur livre la réalité. Mais ces constatations seront enregistrées dynamiquement, c'est-à-dire dans leur mouvement, et non statiquement dans le niveau atteint. Il importe certes à l'entrepreneur de savoir que le prix de vente des produits qu'il fabrique ou celui des matières premières dont il a besoin est à 80 ou à 100. Mais il est encore plus important pour lui de déterminer si le niveau actuellement atteint, mettons 100, l'a été au moyen d'une hausse, en venant de 80 ou au moyen d'une baisse, en venant de 120.

Il convient ensuite d'interpréter le mouvement. Supposons qu'une hausse de prix ait été enregistrée.   Quatre hypothèses peuvent être faites en ce qui concerne l'avenir :

1. L'entrepreneur peut estimer que la hausse est seulement temporaire et que l'on reviendra rapidement au niveau primitif.

2. Il peut penser que la hausse est arrivée à son terme et que le palier atteint sera durable.

3. Il peut admettre que le mouvement ascendant se poursuivra pendant un certain temps suivant le même rythme.

4. Enfin, il peut aller jusqu'à croire que le mouvement enregistré n'est qu'un début et que, non seulement la hausse succédera à la hausse, mais que celle-ci ira s'accentuant [1].

Pour choisir entre ces hypothèses, les entrepreneurs doivent se livrer à une analyse causale.   Il est bien évident, en effet, que si la hausse est due à un mouvement de prospérité cyclique, sa poursuite n'est pas liée aux mêmes conditions que si elle est la conséquence d'un déficit budgétaire, accompagné d'une émission de monnaie ou d'un relèvement des salaires édicté par le gouvernement.   Dans le premier cas, une pure analyse économique s'impose, alors que dans le second la recherche se complique de considérations politiques.

Individuellement, les producteurs sont assez mal armés pour procéder à cette analyse.   Sans doute, ils peuvent s'appuyer sur les chiffres publiés régulièrement par les offices nationaux de statistique. Sans doute, encore, ils disposent de certains renseignements particuliers, tels que le gonflement ou l'amenuisement des stocks dans leurs usines, l'accélération ou le ralentissement des commandes. Mais le plus souvent, ces renseignements sont insuffisants pour permettre une analyse correcte.   De surcroît, il faut tenir compte de décisions gouvernementales qui relèvent d'un libre arbitre imprévisible.   Enfin, il faut bien avouer que la culture économique des entrepreneurs est souvent déficiente.   Comme l'a très bien noté François Perroux, il s'agit de « macro-décisions » qui ne peuvent être correctement prévues à l'échelle individuelle.   « A parler franc », écrit Keynes dans la théorie générale, on « doit avouer que, pour estimer dix ans, ou même cinq ans à l'avance le rendement d'un chemin de fer, d'une mine de cuivre, d'une fabrique de textile, d'une

---

[1] Toutes ces hypothèses se retrouvent dans le concept d'élasticité de prévision de J. R. Hicks.

marque pharmaceutique, d'un transatlantique ou d'un immeuble à
Londres, les données dont on dispose se réduisent à bien peu de
choses, presque à rien. »

Aussi croyons-nous que la plupart du temps les entrepreneurs
subissent l'influence du milieu dans lequel ils évoluent. Ils sont
impressionnés par les conversations qu'ils ont avec d'autres hommes
d'affaires, ou avec des banquiers, par la lecture des journaux cor-
poratifs qui prêchent l'optimisme ou engendrent le désespoir, par les
quotidiens et revues d'information générale qu'ils reçoivent, par les
appréciations du parti politique auquel ils appartiennent ou dont ils
dépendent intellectuellement, par la simple lecture des cours de
bourse. Tout cela crée un climat collectif qui n'est ni toujours
bien informé, ni toujours objectif, mais auquel un individu se sous-
trait difficilement. A certains moments, par suite, on verra les
producteurs s'affoler et redouter une hausse inflationniste des salaires et des prix, tandis qu'à d'autres ils considéreront les événements avec beaucoup plus de philosophie.

Les éléments irrationnels, l'influence du milieu, dont nous avons
constaté l'existence au moment de la formation du prix momentané,
mais qui, jusqu'à présent, paraissaient exclus du mécanisme du prix
stable, se trouvent ainsi réintroduits. Ce sont eux qui déterminent,
dans une large part, l'interprétation des mouvements de hausse ou
de baisse des prix passés et présents et, par suite, le niveau prévu
pour les prix futurs. Ce sont eux, dès lors, qui commandent, pour
une part non négligeable, les décisions présentes des entrepreneurs,
embauchant ou licenciant du personnel, forçant ou ralentissant la
production, accroissant ou réduisant leur outillage. Ce sont eux
finalement qui expliquent dans une large mesure le niveau des
prix qui s'établiront dans l'avenir.

Ainsi se manifestent les limites de ce que nous avons appelé
« l'homme de Descartes ». Ce type d'homme, sans doute, entend
en toute cireconstance agir rationnellement. Masi, pour ce faire,
il faut disposer de données suffisantes.

« Or les entrepreneurs, surtout lorsqu'ils demeurent isolés, ne possèdent pas ces données. Certes, ils ont l'ambition de prendre des
décisions valables seulement pour leurs entreprises. Mais pour prendre correctement ces décisions, il leur faudrait analyser la situation
générale de l'économie et prévoir les actes des dirigeants de l'Etat.

Ils ne peuvent évidemment y parvenir. Faute de pouvoir agir rationnellement et parce que la réalité impose cependant l'action, ils se laissent conduire par des éléments plus ou moins irrationnels. Là où l'homme de Descartes cesse, l'homme de Pavlov nécessairement reparaît » [1].

Puisque la décision d'investir dépend de plusieurs facteurs souvent impondérables et même d'éléments nettement irrationnels et qu'elle relève d'une multitude d'individus indépendants les uns des autres, il n'est pas étonnant que les dépenses d'investissements privés soient irrégulières. D'ailleurs, il est important de noter que leur instabilité se manifeste sous forme de cycles de hausses et de baisses successives. Elles montent rapidement au moment de l'acquisition ou du remplacement des biens de production étant donné le coût généralement élevé de ceux-ci, mais elles retombent ensuite et ne seront normalement répétées que lorsque les biens durables qui en font l'objet seront devenus hors d'usage. De l'avis de la majorité des économistes, cette instabilité cyclique des dépenses d'investissement constitue la grande faiblesse du système d'entreprise privée. Il est même étonnant que le processus d'investissement ne soit pas plus instable et plus erratique qu'il ne l'est en réalité quand on considère sa nature, ses origines et la multitude des décisions dont il dépend. L'explication réside sans doute dans l'influence régulatrice exercée par les facteurs « réels ». En effet, il y a des limites maxima et minima que le mouvement des investissement autonomes peut difficilement dépasser. On ne saurait ajouter indéfiniment à la masse de capital dans un secteur particulier de l'industrie, et donc aussi dans toute l'économie, sans en affecter le rendement au point où celui-ci devient très réduit et même négatif. D'autre part, cette masse de capital ne saurait non plus diminuer constamment sans que le rendement des biens de production augmente; il arrive donc un moment où le remplacement de ceux qui deviennent hors d'usage est avantageux sinon nécessaire.

Nous en avons suffisamment dit au sujet du volume global d'investissements privés pour pouvoir affirmer qu'il détermine en définitive le niveau du revenu national et qu'il est à l'origine de ses fluctuations. Alors que le revenu national exige, pour être en équilibre stable,

---

[1] Jean Marchal, « Essai de révision de la théorie des prix à la lumière des progrès de la psychologie moderne », *Revue Economique,* 1949, p. 143 et suivantes.

9

l'égalité entre les épargnes et les investissements, il n'existe aucune relation directe entre ces deux courants. En effet, il n'y a aucun mécanisme qui se charge d'établir l'égalité entre le désir d'épargner et la demande pour les biens de production. C'est bien ce que nous rappelle Joan Robinson dans son livre intitulé: *Introduction à la Théorie de l'Emploi*:

« . . .la demande pour les biens de capital vient, non pas de l'épargne, mais des entreprises qui les utilisent pour la production, et aucun entrepreneur n'a tendance à acheter des biens de capital s'il ne prévoit un profit. Le seul fait que des individus désirent épargner une partie de leur revenu pour accroître leurs biens privés ne pousse en rien les entrepreneurs à attendre un profit plus grand du capital. Le profit que l'on peut attendre des biens de capital dépend de la demande en biens de consommation qu'ils produisent. Ainsi, si des individus décident d'épargner, c'est-à-dire de ne pas dépenser pour la consommation immédiate, ils réduisent plutôt qu'ils n'augmentent les raisons qu'ont les entrepreneurs d'acheter de nouveaux biens de capital et la décision d'épargner réduit la demande en biens de consommation sans augmenter la demande en biens de capital » [1].

Ainsi, l'inégalité entre l'épargne et les investissements entraîne nécessairement une variation du revenu national et produit, selon le cas, soit un mouvement inflationnaire soit une tendance déflationnaire. Dans une économie de plein emploi, le chômage et l'inutilisation des ressources apparaîtront lorsque le volume d'épargne dépassera celui des investissements, tandis que l'inflation et le gonflement exagéré de la structure des prix résulteront si les investissements sont supérieurs au montant que la collectivité désire épargner. Dans ce dernier cas, la demande globale est plus grande que la capacité de production et, les quantités produites ne pouvant plus augmenter, ce sont les prix qui s'élèvent.

e. *Description sommaire du cycle économique*

Une description détaillée du phénomène cyclique et de l'action de la multitude de facteurs qui interviennent alors serait très complexe

---

[1] Joan Robinson, *Introduction à la théorie de l'emploi,* Presses Universitaires de France, p. 15.

et allongerait indûment cet exposé. Il faudrait alors montrer le rôle de la monnaie, du crédit, de l'intérêt, des éléments psychologiques à l'origine des anticipations des consommateurs et des producteurs, des mécanismes du multiplicateur et de l'accélération; il faudrait identifier les déséquilibres particuliers, tant sur les plans industriel et régional qu'entre les coûts et les prix, montrer les comportements spécifiques du mouvement des capitaux fixes, du capital d'opération et du capital liquide, expliquer comment l'intervention de certains facteurs stratégiques produit une réaction en chaîne ou en forme de spirale. Une telle description ferait sans doute apparaître toute la complexité des cycles économiques et inviterait à la réflexion certains réformateurs à idées simples mais elle dépasserait nos objectifs. Nous nous bornerons à une analyse rapide et simplifiée en partant de la fin d'une dépression.

A ce moment, les dépenses de consommation se rapprochent du niveau du revenu national et le volume d'épargne est très bas de sorte qu'il peut être plus que compensé par un courant d'investissements relativement faible, ce qui est la condition indispensable d'une reprise ainsi que d'un mouvement de hausse du revenu et de l'emploi. Par contre, les inventaires involontaires accumulés antérieurement ont été écoulés et le mouvement de désinvestissement a ramené le capital fixe à un niveau correspondant à la demande. Les biens de production encore utilisés deviennent graduellement hors d'usage et doivent être remplacés; c'est alors que les investissements réapparaissent et qu'ils sont favorisés par des prix et des taux d'intérêt peu élevés. A ce stade, ils ont des effets secondaires très grands sur le revenu et la consommation parce que la propension à consommer est élevée. Etant donné que ces effets sont beaucoup plus que proportionnels, un courant relativement faible d'investissements peut suffire à amorcer une reprise. Avec celle-ci, l'optimisme renaît chez les entrepreneurs qui possèdent en réserve des projets d'investissement suscités par l'évolution de la technologie, la découverte de nouvelles ressources ou simplement par l'accroissement de la population. Anticipant la prospérité et voulant en profiter, ils décident que l'exécution de ces plans est devenue désirable d'autant plus que la structure des prix est encore favorable. Ainsi le volume d'investissements augmente, entraînant à sa suite le revenu et la consommation. C'est la prospérité et l'optimisme. La demande globale s'accroît et les prix s'élèvent ce qui améliore les

perspectives de profit. Graduellement, la capacité de production devient insuffisante, le mécanisme de l'accélération entre en jeu provoquant une poussée d'investissements induits. Il peut alors arriver que
le mouvement de hausse dépasse le stage du plein emploi et se transforme en spirale inflationnaire. Toutefois, le « boom » engendre des
forces qui l'amènent à sa propre fin.

Pendant la période de hausse, l'incitation à investir est toujours plus
forte que le désir d'épargner. Par contre, à mesure que le revenu
national s'élève, la différence entre celui-ci et les dépenses de consommation s'accroît sans cesse. Le volume d'épargne augmente encore
plus rapidement que celui du revenu. Pour que la hausse continue,
il faut que le rythme des investissements soit plus accéléré que celui
des épargnes et que le montant des investissements s'élève sans cesse.
Or, à mesure que la prospérité s'intensifie, les raisons d'investir diminuent. D'abord, il en coûte de plus en plus d'investir: les prix des
biens de production se gonflent démesurément, le crédit bancaire devient moins accessible et les taux d'intérêt s'élèvent. De plus, à mesure que la quantité de biens de production en usage augmente, le
rendement qu'on peut anticiper en ajoutant à cette masse et en continuant à investir diminue. Ce phénomène est une manifestation de
la loi des rendements décroissants. Sur une courte période, on ne
peut ajouter indéfiniment à la masse de capital utilisée dans l'un ou
l'autre secteur de l'économie et s'attendre que les revenus provenant
des investissements nouveaux ne diminuent pas. Donc, au moment
où, pour soutenir la prospérité, il faudrait des dépenses d'investissement de plus en plus grandes, l'acquisition de nouveaux biens de production coûte de plus en plus cher et leur rentabilité diminue. La
diminution du taux d'investissement est donc inévitable et dès que les
dépenses en biens de production deviennent inférieures aux épargnes,
la chute du revenu national suit nécessairement. Un excès d'optimisme peut temporairement voiler l'état réel de la conjoncture, mais
tôt ou tard les entrepreneurs devront bien reconnaître la réalité, et
le pessimisme qui s'emparera d'eux alors sera d'autant plus profond
que leur optimisme aura été démesuré. C'est ainsi que s'expliquent
les paniques qui accompagnent souvent le passage de la prospérité
à la dépression. Le mouvement de baisse apparaît d'abord dans le
secteur des investissements et se transmet rapidement à celui de la
consommation. Les mécanismes du multiplicateur et de l'accéléra-

tion agissent cette fois dans le sens de la baisse et engendrent un enchaînement de réactions qui a pour effet d'accentuer et d'accélérer la chute.

TABLEAU 16: Indices de la production nationale, du revenu national net, des dépenses de consommation et d'investissements au Canada, de 1926 à 1939.
1926 = 100.0

ANNÉE	Production nationale	Revenu national net	Dépenses de consommation	Dépenses d'investisse-ments
1926.........	100.0	100.0	100.0	100.0
1927.........	105.5	106.6	106.2	130.1
1928.........	115.2	115.3	113.7	144.1
1929.........	114.4	116.4	119.1	155.0
1930.........	102.3	104.7	114.0	100.3
1931.........	79.6	86.1	98.8	44.9
1932.........	62.8	71.1	84.2	16.2
1933.........	58.5	67.0	78.3	17.5
1934.........	69.2	76.1	83.4	41.9
1935.........	76.1	82.0	87.9	47.3
1936.........	83.3	88.7	93.7	46.7
1937.........	97.0	101.1	102.4	82.6
1938.........	96.0	98.8	103.4	66.3
1939.........	104.4	107.8	105.8	104.3

Source: *National Accounts, Income and Expenditure, 1926-1950*, Ottawa, 1952, p. 26, tableaux 1 et 2.

La description et l'explication des cycles économiques que nous avons tenté de résumer semblent bien correspondre à ce qui se passe vraiment dans la réalité. Le tableau 16 qui contient les indices du revenu national, des dépenses de consommation et du volume d'investissements au Canada de 1926 à 1939 en est une confirmation. Ainsi, sommes-nous justifiés de poser certaines conclusions dont l'importance n'est pas à démontrer.

1. Le secteur privé de l'économie, lorsqu'il est laissé à lui-même engendre inévitablement l'instabilité économique caractérisée par des phases alternantes d'inflation et de chômage. Cette instabilité ne résulte pas d'une conspiration de banquiers ou d'industriels, comme on

l'entend dire parfois; elle provient principalement du fait de l'épargne, de l'irrégularité des investissements privés et du manque de concordance entre ces deux phénomènes.

2. L'instabilité économique, telle que nous l'avons connue dans le passé, engendre de grandes misères sur lesquelles il est inutile d'insister. Elle est devenue, avec la tension internationale, le grand problème qui se pose à notre époque. Elle constitue un cauchemar qu'il faut dissiper si nous ne voulons pas être victimes des pires catastrophes. Elle nous expose à la menace communiste et elle met en danger l'initiative privée.

3. On ne peut espérer que le secteur privé de l'économie qui engendre l'instabilité économique puisse aussi parvenir à l'éliminer. Pour y arriver, il faut trouver un organisme qui ne se comporte pas comme l'entreprise privée, dont l'action ne soit pas motivée par le profit et dont la puissance soit assez grande pour annuler les tendances indésirables qui proviennent du comportement du secteur privé. Il faut être assez réaliste pour reconnaître que seul l'Etat peut assumer cette responsabilité. Ainsi l'instabilité économique devient un problème politique de sorte que l'un des principaux rôles de l'Etat consistera dorénavant à lutter contre le chômage généralisé et l'inflation excessive. Il ne s'agit évidemment pas d'une tâche facile, mais ce n'est pas une raison pour la refuser.

C. LE CHÔMAGE SAISONNIER

En plus du chômage structurel et cyclique, il y a aussi le chômage saisonnier qu'on ne peut certes pas négliger dans un pays comme le Canada. En effet, les pertes et les misères qu'engendrent les variations saisonnières de l'emploi sont énormes. Par contre, ce type particulier de chômage ne pose pas de problème théorique puisqu'il s'explique facilement. Il est attribuable au climat et aux coutumes. L'un ou l'autre de ces facteurs donne un caractère saisonnier à l'activité de la plupart de nos industries. D'ailleurs leur influence peut se manifester directement dans certains secteurs et se communiquer ensuite à d'autres. C'est ainsi que le commerce au détail subit, à cause de la mode et des coutumes, de fortes variations saisonnières qui se transmettent à l'industrie manufacturière.

Ces mouvements saisonniers possèdent des caractéristiques qui doivent être notées. D'abord, ils n'affectent pas toutes les industries au même degré. De plus, ils ne se produisent pas toujours au même moment d'une industrie à l'autre. Il y a donc une certaine compensation qui s'effectue puisque des secteurs industriels subissent leur baisse saisonnière au moment où d'autres traversent leur période d'activité la plus intense. Cette compensation est loin d'être suffisante cependant, à cause de l'influence très défavorable de l'hiver sur plusieurs industries importantes. Enfin, le climat et les coutumes exercent leurs effets à peu près toujours à la même époque et de la même façon d'une année à l'autre, de sorte que les mouvements qu'ils causent sont les plus réguliers de tous les phénomènes économiques et que le chômage saisonnier peut être prévu avec une assez grande précision.

Par ailleurs, il est presque impossible d'entreprendre la lutte directe contre les causes du chômage saisonnier. On n'est pas encore parvenu à empêcher le climat de produire ses effets naturels et il serait difficile sinon indésirable de détruire certaines coutumes. C'est plutôt en ayant recours à des stratagèmes qu'on pourra déjouer l'action normale de ces forces et réduire les variations saisonnières de l'activité économique. Par exemple, dans le domaine du commerce, il est sûrement possible de stabiliser davantage les ventes au détail en hâtant l'arrivée du Père Noël et en diminuant les prix au cours des mois de janvier et de février. Il existe toute une multitude de méthodes déjà utilisées ou qu'on pourrait appliquer à cette fin. Cependant, la contribution de l'initiative privée à la solution du problème posé par les variations saisonnières, si importante qu'elle soit, sera toujours limitée par les exigences de l'efficacité et la nécessité de maintenir le coût de la production aussi bas que possible.

Il faut bien reconnaître, en définitive, que l'élimination complète du chômage saisonnier est impossible, surtout dans un pays comme le nôtre. Par contre, entre le volume de chômage inévitable et celui que peut éliminer l'initiative privée, il existe une zone sans doute importante où le coût du chômage pour l'ensemble de la société est supérieur à la dépense qu'exigerait son élimination. Il suffit de songer aux prestations et aux autres secours distribués aux chômeurs pour s'en persuader. Ainsi, dans le domaine du chômage saisonnier également, l'Etat a des responsabilités qu'il a trop négligées dans le passé, mais qu'il sera de plus en plus forcé d'assumer à l'avenir si notre société veut vraiment éliminer les formes les plus aiguës de la misère.

CONCLUSION GÉNÉRALE

On entend souvent dire qu'à notre époque les problèmes soulevés par la production ont été réglés et que seuls les problèmes de distribution de la richesse demeurent à résoudre. Cette affirmation n'est fondée que si elle se réfère à l'aspect technique de la production; de ce point de vue, notre capacité de production est sûrement très grande et devrait nous mettre à l'abri de la famine. Par contre, les problèmes économiques que pose la production sont loin d'avoir été résolus. Présentement, il y a des régions du monde, et même du Canada, qui traversent une crise de structure caractérisée par la stagnation de la production. Le cauchemar des dépressions économiques, au cours desquelles la production baisse énormément, n'est sûrement pas encore disparu. Enfin nous n'avons presque rien fait pour enrayer les diminutions saisonnières de la production. Bien loin d'avoir été surmontées, ces difficultés continuent à poser les plus graves problèmes économiques que nous ayions à envisager.

De plus, si les problèmes de la distribution étaient résolus, ceux de la production n'en seraient pas réglés du même coup. Même si l'égalité parfaite des revenus était réalisée, le phénomène de l'épargne et l'irrégularité des investissements n'en subsisteraient pas moins de sorte que l'instabilité de la production ne serait pas éliminée. On peut même dire que les problèmes suscités par la production ont une priorité sur les difficultés que soulève la distribution, car le meilleur régime de distribution imaginable peut être complètement paralysé par l'inutilisation des ressources et le chômage généralisé. C'est pourquoi la politique de l'Etat doit viser d'abord à assurer une croissance harmonisée ou, plus précisément, un revenu national et un volume d'emploi stables et élevés.

CHAPITRE VIII

LA DISTRIBUTION DU REVENU NATIONAL ET LE BIEN-ÊTRE SOCIAL

En affirmant que les difficultés soulevées par la production et l'emploi doivent avoir la priorité dans l'ordre de nos préoccupations, il ne faut pas sous-entendre que les autres problèmes économiques et sociaux peuvent être négligés impunément. C'est pourquoi il est nécessaire d'analyser les principaux aspects de la distribution et du bien-être social.

Lorsqu'il s'agit d'étudier la répartition du revenu national entre les individus et les classes de la société, deux problèmes se posent. D'abord, est-ce que le processus qui détermine la part de chaque groupe de la population active donne des résultats satisfaisants ? Ensuite, jusqu'à quel point et comment la population inactive, c'est-à-dire, les chômeurs, les vieillards, les enfants, les malades et les infirmes, devrait-elle participer au partage du revenu national ? Analysons-les successivement.

A. LA DISTRIBUTION DU REVENU NATIONAL ET LA POPULATION ACTIVE

La distribution du revenu entre les groupes de la population active peut créer des difficultés sur un triple plan selon qu'elle aboutit à un déséquilibre, soit entre employeurs et employés, soit entre consommateurs et producteurs, soit entre différentes catégories de producteurs, principalement entre les agriculteurs et les autres groupes industriels. Comme on peut le constater, cet aspect de la distribution soulève des problèmes importants: celui des relations patronales-ouvrières, celui du monopole et celui de la disparité des prix agricoles. En fait, on peut dire que ces difficultés doivent leur origine en grande partie à l'existence des monopoles et aux réactions qu'ils suscitent.

a. Les relations patronales-ouvrières

Ce n'est pas notre intention d'analyser ici ce problème dans toutes ses incidences mais plutôt d'étudier de façon générale le processus de détermination des salaires et des conditions de travail, tel qu'il se présente dans le secteur privé de l'économie, afin de pouvoir constater ses résultats.

Le développement de la vie économique et l'évolution de son organisation ont grandement contribué à compliquer le processus qui détermine la distribution des richesses entre les différentes classes de la société. Pour comprendre les difficultés que soulève ce problème présentement et pour découvrir les solutions qui s'imposent, il est utile, sinon nécessaire, de retracer l'évolution de ce processus au cours des différentes étapes qu'il a parcourues.

Au premier stage, marqué par l'économie domestique, le ménage constitue en même temps l'unité de production et l'unité de consommation. Dans ce contexte, la consommation est en relation directe avec la production. La distribution s'identifie en quelque sorte avec la production et le seul problème économique qui se pose alors consiste à se demander comment produire davantage de façon à accroître la consommation et le bien-être de la famille. De cette période, il faut donc retenir que le niveau de vie des individus et la rémunération des agents productifs dépend en premier lieu de la production.

Au second stage, celui de l'économie artisanale, le processus se complique par l'apparition de deux nouvelles données: la division du travail et le mécanisme de l'échange. L'artisan se spécialise dans une production particulière qu'il échange ensuite contre d'autres produits dont il a besoin. Ainsi, le niveau de consommation ou le volume du revenu de l'artisan ne dépend pas uniquement de la quantité de marchandises qu'il produit, mais également du taux d'échange ou du prix qu'il peut obtenir sur le marché. Avec l'apparition de l'échange et du marché des produits, la distribution des richesses entre les différentes classes de la société devient non seulement une question de production, mais aussi un problème de valeur ou de prix. Déjà, des conflits peuvent se soulever au sujet de la distribution des richesses, mais alors, la lutte se fait entre industries ou entre entreprises d'une même industrie et elle porte sur la détermination du prix des produits. Ainsi, au cours de cette deuxième étape, deux facteurs déterminent la distribution des richesses: les quantités produites et le prix qui, par définition, constituent ce que l'on appelle la valeur de la production.

Au cours du troisième stage, caractérisé par le système capitaliste, la division des tâches est appliquée jusqu'à l'intérieur d'une même entreprise, les différents services productifs étant fournis par différents individus. Avec l'apparition des facteurs de production, — l'entrepreneur, le travailleur, le capitaliste et le propriétaire foncier — une complication nouvelle s'ajoute au processus qui détermine la distribution des richesses. Dorénavant, le revenu des individus ne dépend plus uniquement de la valeur de la production, c'est-à-dire, des quantités produites et du prix de vente, mais aussi du système de répartition qui détermine la part de la valeur de la production attribuable à chaque facteur.

Au cours de cette troisième étape, pour déterminer la part attribuable à chacun, on applique la même technique qui sert à fixer le prix des produits: on a recours au mécanisme de l'échange sur un marché régi par la loi de l'offre et de la demande. De même qu'on a eu jusque là le marché des produits, ainsi apparaissent les marchés des facteurs de production, tels que le marché du capital et le marché du travail.

Dans ce nouveau contexte, la fonction des différents agents de production se précise. Ainsi, l'entrepreneur, qui n'est plus nécessairement propriétaire des capitaux de l'entreprise, n'en devient pas moins le centre et le pivot. Ses fonctions exigent d'abord qu'il se rende sur le marché des facteurs de production où, en tant qu'employeur, il représente la demande. Puis, revenant à l'usine avec les agents de production qu'il s'est procurés, il s'efforce de les mettre en œuvre et de les combiner de façon à en obtenir le meilleur rendement possible. Enfin, la production étant terminée, l'entrepreneur se rend sur le marché des produits où, en tant que vendeur, il représente l'offre.

A l'exception de l'entrepreneur, tous les facteurs de production reçoivent des revenus contractuels, c'est-à-dire invariables au cours d'une certaine période, et qui s'appellent, selon le cas, salaires, intérêts ou rentes. Ces revenus contractuels se déterminent sur le marché des facteurs de production et fixent, à leur tour, dans une très large mesure, le niveau du coût de production. Quant à l'entrepreneur, ou, selon le cas, à l'actionnaire, il perçoit un profit, c'est-à-dire un revenu résiduel formé par la différence entre le coût de production et le prix de vente du produit. C'est donc dire que le profit n'est déterminé que lorsque les transactions sont effectuées à la fois sur le marché des facteurs de production et sur le marché du produit.

Ces deux catégories de marchés étant organisées sur une base permanente, il reste maintenant à se demander comment on a procédé pour déterminer la part de la valeur de la production attribuable à chaque facteur et en particulier au travail. Pour répondre à cette question de façon adéquate, il faut distinguer deux périodes au cours de ce troisième stage caractérisé par le capitalisme: celle qui a précédé l'avènement des unions ouvrières et celle qui a suivi l'organisation du mouvement ouvrier.

Etant donné la nature des fonctions et surtout du revenu de l'entrepreneur, il est facile de comprendre que son intérêt consiste à payer les autres facteurs de production le moins cher possible, à en obtenir un rendement maximum et enfin à vendre le produit au prix le plus élevé possible. Seul un tel comportement est compatible avec le mobile du profit. Non seulement ce comportement est normal, étant donné la structure du système, mais les circonstances qui caractérisent la période qui a précédé l'avènement des unions ouvrières le rendent possible.

En effet, l'entrepreneur est alors le centre de toute la vie économique. Précisément à cause de son importance, il est souvent en mesure de faire prévaloir ses intérêts sur les deux marchés où il transige. Sur le marché du travail, il rencontre une multitude d'ouvriers qui ont besoin de travailler et qui se font concurrence entre eux en vue d'obtenir un emploi. De plus, les travailleurs ne connaissent pas souvent, même approximativement, la valeur des services qu'ils veulent offrir. Enfin, l'offre de travail est presque toujours abondante relativement à la demande — sauf au cours des périodes de plein emploi — et elle n'a pas tendance à baisser avec la diminution des salaires, étant donné la constance des besoins fondamentaux à satisfaire et l'immobilité à la fois technologique et géographique de la main-d'œuvre. Sur le marché du travail, les entrepreneurs sont donc en mesure d'imposer le plus souvent leurs propres conditions, d'autant plus que la concurrence qui peut exister entre eux sur ce terrain, est assez faible. Cette constatation représente bien la vérité et elle est reconnue par la plupart des économistes depuis Adam Smith. En l'absence des unions ouvrières, le marché du travail est donc soumis à de fortes tendances « monopsonistes ».

Sur le marché des produits, l'entrepreneur, qui devient alors vendeur, possède également un contrôle plus ou moins parfait, car cette fois, c'est la demande qui se trouve dans la position la plus faible. En effet, les consommateurs sont souvent incapables d'apprécier les qualités des produits ni d'en estimer la véritable valeur. Ainsi, soit à cause des influences subies par le consommateur, soit à cause des différentes pratiques monopolistiques auxquelles le vendeur peut avoir recours, l'entrepreneur peut, à l'intérieur de certaines limites, fixer lui-même le prix de son produit, sauf dans certains secteurs industriels où la concurrence est particulièrement forte.

Il ne fait aucun doute que les entrepreneurs cherchent normalement à abaisser leur coût de production et à élever leur prix de vente, en vue d'augmenter leurs profits. En cela, ils ne font que s'adapter à un système qui les éliminera s'ils n'appliquent pas les règles du jeu. La position dominante des entrepreneurs tant sur le marché des facteurs de production que sur le marché des produits, en leur permettant d'atteindre plus facilement leur objectif, a amené une transformation profonde du processus qui détermine la distribution des richesses entre les classes de la société.

A l'intérieur de l'économie artisanale, le revenu des individus est déterminé par la valeur de leur production. Avec l'économie capitaliste, et en l'absence des unions ouvrières, la position dominante et le comportement des entrepreneurs ont eu pour effet d'atténuer sinon de faire disparaître complètement la relation directe qui existait jusque là entre la rémunération des individus et la valeur de leurs services. Dorénavant, la part attribuée aux agents productifs ne dépend plus tellement de la valeur de la production, mais bien plutôt de l'état respectif des forces en présence sur le marché des facteurs de production. Les salaires, en particulier, se fixent sur le marché de la main-d'œuvre, où domine l'entrepreneur, dont l'intérêt consiste généralement à les maintenir à un bas niveau, même si la valeur de la production augmente. Le divorce ainsi opéré entre la rémunération des travailleurs et la valeur de leurs services a eu des répercussions profondes, dont deux surtout méritent d'être signalées.

D'abord, il a produit une structure de salaires absolument déséquilibrée, à l'intérieur de laquelle, pour des services semblables, la rémunération des travailleurs varie d'une industrie à l'autre, d'un endroit à l'autre et souvent même d'une entreprise à l'autre, sans que ces différences soient toujours justifiables. Déjà Adam Smith pouvait observer ces anomalies: « On doit noter, écrit-il, que le prix du travail ne

peut pas être précisé très exactement nulle part, car des prix différents
sont souvent payés dans la même localité et pour la même catégorie de
travail, non pas tellement à cause des capacités différentes des travailleurs, mais selon la bonté ou la dureté des employeurs » [1]. Plus
récemment [2], en 1937, soixante gérants d'importantes compagnies aux
Etats-Unis déclaraient, au cours d'un congrès, que certaines différences
dans les taux de salaires ne pouvaient s'expliquer que par la décision
d'un employeur de payer plus que les autres pour des services comparables et par le refus de certains employeurs de payer plus que ce qui
est absolument nécessaire pour permettre aux ouvriers de subsister.

La deuxième conséquence plus importante encore que la première
a été le divorce créé entre les travailleurs et l'entreprise. L'ouvrier est avant tout intéressé à voir son salaire augmenter graduellement comme l'entrepreneur cherche continuellement à accroître ses
profits. Seulement, le premier n'est pas du tout assuré que s'il intensifie ses efforts, il sera récompensé de façon correspondante, tandis
que le deuxième en est certain, ce qui constitue une différence profonde. L'absence d'une relation étroite et directe entre le salaire de
l'ouvrier, la valeur de ses services et la valeur de la production a amené
le travailleur à se désintéresser de son travail et de ses résultats, lesquels, de toute façon, ne changent rien à sa condition. Le divorce
est donc complet. De même que les salaires ne s'élèvent pas nécessairement à la suite d'une hausse de la valeur de production, ainsi
l'effort de l'ouvrier et donc la production n'augmentent pas nécessairement à la suite de l'accroissement des salaires.

Dans ce contexte, l'augmentation des revenus des différents facteurs
de production, au lieu d'être le résultat d'un effort conjoint en vue
d'accroître la valeur de la production, devient l'objet d'un conflit
entre les agents productifs eux-mêmes. Au début, la lutte est inégale
mais l'ouvrier s'aperçoit graduellement qu'il n'est pas en mesure de
vaincre s'il demeure seul contre le patron. Il apprend peu à peu que
dans un régime où la force prime, c'est l'union qui fait la force. C'est
ainsi qu'apparaissent les unions ouvrières et que le processus qui détermine la distribution des richesses subit une nouvelle évolution.
Nous parvenons donc au deuxième stage de la période capitaliste.

---

[1] Adam Smith, *The Wealth of Nations* (Everyman's Edition), 1931, p. 69.
[2] Richard E. Lester, *Economics of Labor*, New-York, 1942, p. 190.

Dans ce nouveau contexte, on applique exactement le même mécanisme qu'auparavant pour déterminer les revenus des différents facteurs de production. On a toujours recours au processus de l'échange conçu dans les cadres de l'offre et de la demande. En particulier, le divorce entre les salaires et la valeur de la production est maintenu et les répercussions de cet état de choses continuent à se manifester. Toutefois, la structure du marché du travail change profondément. Sur ce marché, au cours de la période antérieure, la demande, représentée par l'employeur, montrait de fortes tendances monopolistiques, tandis que l'offre, représentée par les travailleurs, était régie par les lois de la concurrence. Maintenant, grâce à l'avènement des unions ouvrières, l'offre, à son tour, s'érige de plus en plus en monopole. Le marché du travail en arrive donc à correspondre à ce qu'on appelle, en théorie économique, le monopole bilatéral.

Puisqu'au cours de cette évolution, les parties en présence conservent leur même mentalité et leurs mêmes intérêts, la lutte s'engage avec plus d'acharnement et, cette fois, entre des forces mieux équilibrées. Le marché du travail devient un champ de bataille où les ouvriers s'efforcent d'obtenir du patron les conditions de travail et de salaire les plus avantageuses possibles et où l'employeur tâche de faire le minimum de concessions. Au cours de ce conflit, les augmentations de salaires sont interprétées comme des victoires sur le patron et la baisse ou le maintien des salaires, comme la défaite des ouvriers. Et pourtant, si, au même moment, les deux parties en présence se reportaient sur le marché des produits où se fixe la valeur de la production, au lieu de se battre sur le marché du travail, elles trouveraient la solution à l'essence même du problème qui les sépare. Au cours de la lutte, et surtout lorsqu'il se sent serré de près, l'employeur tente bien d'élever la voix pour dire aux ouvriers que c'est la production avant tout qui importe, car il s'est souvent rendu compte que son revenu à lui en dépend. Mais les ouvriers ne peuvent pas entendre ce cri d'alarme, car ils ne voient pas de relation directe et immédiate entre leurs salaires et la production, précisément parce qu'une telle relation n'existe pas dans les faits qu'ils peuvent constater.

Dans ces conditions, en l'absence de l'intervention de l'Etat, l'issue du conflit et la fixation du salaire dépendent de la volonté et de la capacité de résistance des parties, ainsi que de certains facteurs extra-économiques, par exemple, l'opinion publique. Ainsi, le divorce

entre l'entreprise et les travailleurs s'accentue, les préjugés se multiplient de part et d'autre, et sont souvent identifiés à des principes de
droit, la victoire de l'un est plus que jamais interprétée comme la
défaite de l'autre.

Les unions ouvrières ont sûrement réussi à accroître le revenu des
travailleurs, ce qui constituait leur premier objectif, mais elles n'ont
pas autant contribué à améliorer le processus qui détermine la distribution des richesses.   D'ailleurs, elles ne le pouvaient pas, étant donné les cadres à l'intérieur desquels elles devaient agir.   Avec leur
apparition, la guerre froide est devenue le trait caractéristique des
relations entre employeurs et employés, quand elle n'aboutit pas tout
simplement à la guerre ouverte.   Le mécanisme utilisé ne peut vraiment pas donner d'autres résultats, car, dans ces conditions, l'échange
implique la lutte.

Telles sont les origines et la nature du problème de distribution que
pose le marché du travail.   On ne peut certes pas prétendre qu'il est
résolu.   D'ailleurs, on ne saurait soutenir sérieusement que le secteur
privé laissé à lui-même peut lui apporter une solution complète.   Mais
alors jusqu'à quel point et comment l'Etat devrait-il intervenir ?   Quels
devraient être les objectifs et les méthodes de la politique dans ce domaine ?   C'est ce que nous nous demanderons au cours d'un prochain
chapitre.

b. Les relations entre consommateurs et producteurs

Le revenu « réel » des consommateurs tel qu'exprimé par leur standard de vie dépend de leur revenu « monétaire » mais aussi du niveau
général et de la structure des prix.   Ainsi lorsque le prix d'un produit
est trop élevé, soit à cause de l'inefficacité ou des profits exagérés des
producteurs, la part réelle du revenu national attribuée aux consommateurs du produit s'en trouve indûment diminuée.

Dans le secteur privé de l'économie, c'est la concurrence qui est
chargée d'éviter ce déséquilibre.   Ce régime, qui exige un grand nombre d'acheteurs et de vendeurs de sorte qu'aucun d'entre eux n'exerce
une influence déterminante sur le marché, constitue vraiment un système de contrôle social.   Il encourage l'efficacité économique et élimine les profits exagérés.   L'action de la concurrence a déjà été décrite dans les termes suivants :

« Elle (la concurrence) repose sur la liberté de choix du consommateur et sur le stimulant que représente le motif du profit. Chaque individu choisit les biens et les services qu'il veut consommer. Ces désirs sont exprimés sur un marché à d'autres individus qui consentiront à les satisfaire moyennant un profit qu'ils utiliseront à leur tour pour satisfaire leurs propres besoins. Dans un système d'entreprise libre, c'est le choix du consommateur qui gouverne la production, la distribution et l'échange. Si les consommateurs désirent une plus grande quantité d'un produit, ils sont prêts à payer davantage pour l'obtenir. Cette demande accrue fait monter le prix du produit et il y a alors un profit spécial à faire en le produisant. Les hommes d'affaires, voyant ce profit éventuel, commenceront à accroître la production de cette marchandise. A mesure que la production augmente, le prix va tendre à diminuer jusqu'au point où l'offre devient juste suffisante à satisfaire la demande des consommateurs telle qu'exprimée par les prix qu'ils consentent à payer. Les producteurs qui peuvent couvrir leurs dépenses à ce niveau de prix maintiendront leur production, tandis que les autres devront laisser l'industrie. A ce moment, il peut se faire que de nouveaux producteurs, voyant qu'ils peuvent faire un profit à ce prix, entrent dans l'industrie et se mettent à produire. Ce mécanisme des prix, opérant sur un marché libre, établit une relation entre les changements dans la demande des consommateurs ou dans les déboursés nécessités par la production des différents biens et le comportement de la consommation et de la production » [1].

Cette concurrence si nécessaire joue toujours du côté des consommateurs mais elle est souvent absente du côté des producteurs, ce qui procure à ceux-ci un avantage marqué dans la détermination des prix, de la qualité et de la quantité de la production offerte sur le marché. En somme, la grande faiblesse du système de contrôle que constitue la concurrence réside dans le fait que son application est souvent laissée à la discrétion de ceux qui sont censés être régis par lui et qui naturellement cherchent à l'éviter.

Il existe une grande variété de moyens qui permettent à une entreprise de contrôler une industrie à elle seule ou qui la rendent capable

---

[1] *Rapport du Comité d'étude de la Législation sur les Ententes*, *Ottawa* 1952, pp. 25 et 26.

d'exercer une influence prédominante qu'elle ne devrait pas avoir : le contrôle sur un facteur rare, — tel les matières premières, l'énergie électrique, les sources de capitaux, les procédés technologiques, — l'expansion normale grâce à l'efficacité et l'investissement direct, l'intégration horizontale et verticale, de même que l'ensemble des pratiques déloyales représentent autant de méthodes différentes qui permettent à une entreprise d'acquérir une influence prédominante, sinon exclusive, sur le marché.   Par ailleurs, plusieurs entreprises peuvent décider de constituer un monopole en formant une coalition et en s'entendant pour suivre une politique commune sur le marché.   Elles peuvent parvenir à cette fin en recourant à un système de « parallélisme conscient » ou de « direction de prix », en formant une association professionnelle ou par voie d'entente directe soit écrite soit verbale [1].

Il faut donc reconnaître que si le secteur privé est laissé à lui-même, il n'aboutit pas naturellement au marché de concurrence mais à des situation monopolistiques qui conduisent à une économie privée dirigée mais orientée souvent contre les intérêts des consommateurs. La liberté d'entreprise elle-même peut souffrir d'un tel régime, comme l'affirmait, dans un mémoire présenté au gouvernement fédéral en 1950, l'Association des manufacturiers canadiens :

« Le chef d'une entreprise individuelle peut se faire enlever sa liberté de choisir les produits qu'il fabrique, les techniques de production qu'il utilise, les prix qu'il exige et les marchés où il vend, tout aussi efficacement par une coalition industrielle ou un monopole que par une ordonnance gouvernementale.   Il faut donc reconnaître qu'une législation contre les coalitions et les trusts est nécessaire [2]. »

La répartition du revenu national « réel » entre les consommateurs et les producteurs pose donc un problème que le secteur privé de l'économie n'est pas capable de résoudre adéquatement.   Alors que les difficultés que suscitent les relations entre patrons et ouvriers résultent en partie du fait que les deux parties en présence se trouvent dans une situation quasi-monopolistique, le problème que soulèvent les relations entre consommateurs et producteurs provient surtout du fait que les premiers ne peuvent pas éliminer la concurrence tandis que les seconds

---

[1] *Rapport du Comité d'étude de la Législation sur les Ententes,* Ottawa 1952, page 26 et suivantes.
[2] *Ibid.,* page 26.

le peuvent facilement. Dans les deux cas, l'intervention de l'Etat semble inévitable.

c. Les relations entre producteurs

Les producteurs ne sont pas tous également favorisés dans le partage du revenu national. Cette inégalité constitue un autre aspect important du problème de la distribution. Elle provient de ce que les tendances monopolistiques qui existent à l'intérieur du secteur privé de l'économie, ne se manifestent pas avec la même intensité d'une industrie à l'autre. En d'autres termes, il existe des industries où la technique, la nature du produit et la facilité d'accès rendent difficile l'élimination de la concurrence; il y en a d'autres, cependant, où ces facteurs jouent dans le sens contraire et où le monopole est presque normal. L'agriculture et les pêcheries sont du premier groupe tandis que la plupart des secteurs de l'industrie minière et manufacturière appartiennent au deuxième. Il n'est d'ailleurs pas nécessaire, pour qu'un déséquilibre apparaisse, que le monopole et le degré de contrôle soient parfaits, ce qui, du reste, est impossible.

L'inégalité économique entre les producteurs dont il s'agit provient du comportement différent du marché de concurrence et du marché de monopole. En général, les producteurs, quelles que soient la nature de leur industrie et la position qu'ils occupent sur le marché, s'efforcent d'accroître leur gain et d'obtenir le revenu le plus élevé possible. Toutefois, ils peuvent atteindre cet objectif en suivant deux voies différentes: ils peuvent ou bien produire beaucoup à un taux de profit relativement bas, ou bien produire moins, mais à un prix et à un taux de profit plus élevés. Ces deux méthodes ne sont pas au choix des producteurs; l'une ou l'autre leur est imposée en quelque sorte par leur objectif et le type de marché sur lequel ils transigent.

Il serait relativement facile de démontrer, en rappelant certaines notions élémentaires de théorie économique, que le producteur soumis à la concurrence pure ne peut avoir une politique de prix, que celui-ci est déterminé sur le marché général et que l'entreprise doit s'y adapter. La seule façon de maximiser le gain est de pousser la production jusqu'au point où le coût équivaut au prix du marché. A l'opposé, le producteur jouissant d'un pouvoir monopolistique peut fixer le prix de son produit et, s'il veut retirer le revenu le plus élevé possible, il devra maintenir ce prix à un niveau assez haut tout en restreignant sa production.

Il résulte de tout ceci que, lorsque l'équilibre est établi, les conditions de la demande étant les mêmes, l'industrie régie par la concurrence produira davantage mais à un prix et à un profit moindres que celle jouissant d'un monopole. Par ailleurs, si une baisse de la demande survient, le niveau de production ne sera pas tellement affecté, mais le prix s'ajustera à la baisse, s'il s'agit d'un marché de concurrence, tandis que le prix demeurera relativement stable et la production sera diminuée lorsque le marché est monopolistique. Plusieurs exemples tirés de la réalité quotidienne pourraient servir à confirmer ces propositions qui expliquent très sommairement pourquoi les prix des produits agricoles sont plus instables que ceux des produits industriels et qui définissent, au moins dans les grandes lignes, le problème de la disparité des prix. En somme, ce déséquilibre apparaît surtout lorsqu'il se produit une baisse générale et parce que les industries concurrentielles et monopolistiques ne s'adaptent pas de la même façon à ces mouvements généraux. Alors que ceux-ci provoquent non pas tant le chômage — le travail peut même augmenter en agriculture — qu'une baisse de prix lorsque règne la concurrence, ils engendrent surtout l'inutilisation des ressources productives sans grandement affecter les prix lorsque les tendances monopolistiques prévalent. C'est alors que le déséquilibre ou la disparité des prix apparaît.

Ainsi se trouve posé le problème de distribution qui existe entre les producteurs et qui doit être attribué à la structure différente des marchés de nos diverses industries. Jusqu'à quel point le secteur privé peut-il contribuer à sa solution ? Il semble bien qu'il est plus facile d'atténuer la concurrence que d'éliminer le monopole, de sorte que c'est dans cette direction que l'initiative privée cherche tout naturellement un remède. Les coopératives d'achat et de vente, de même que les conventions collectives qui se généralisent de plus en plus dans le domaine agricole, agissent en ce sens puisqu'elles ont pour but de faire sortir les agriculteurs de leur isolement et de les amener à présenter un front commun sur le marché. Les cultivateurs suivent donc l'exemple des ouvriers et se convainquent graduellement que c'est en érigeant à leur tour un marché monopolistique qu'ils réussiront le mieux à se défendre contre les autres monopoles.

Il est indéniable que les coopératives de producteurs et les conventions collectives peuvent devenir pour les agriculteurs de précieux instruments de défense et contribuer à améliorer leur sort. Elles peuvent sans doute relever la structure des prix agricoles, mais il est difficilement concevable qu'elles puissent les stabiliser, car il faudrait alors non seulement une politique de prix commune mais aussi le contrôle de l'offre et même de la production afin de les restreindre au besoin. L'expérience démontre jusqu'à quel point les programmes de restriction sont difficiles à réaliser dans l'industrie, où le nombre de producteurs est relativement bas; à plus forte raison seraient-ils illusoires en agriculture, étant donné la multitude des fermes. D'ailleurs, même si cette solution de l'instabilité des prix agricoles était possible, elle ne serait sûrement pas désirable: la création de raretés artificielles n'est pas recommandable surtout à une période où une multitude de gens souffrent de la faim.

En dernière analyse, il semble bien que l'instabilité des prix dont souffrent les agriculteurs, principalement au cours des mouvements de baisse, ne puisse recevoir de solution adéquate sur le plan privé. Même l'action des spéculateurs, qui parfois peut être stabilisante, ne saurait suffire. C'est pourquoi, sans doute, la classe agricole a réclamé l'aide de l'autorité publique. Nous verrons plus loin comment celle-ci peut intervenir.

B. La population inactive et le bien-être social

Si l'on admet que la vie économique se ramène à deux types d'activité, à savoir la production et la consommation, alors la population dite inactive ne l'est que partiellement en ce sens que, si elle ne produit pas, elle consomme des biens et des services tout comme la population active. En effet, l'enfant, le vieillard, le malade, l'infirme et le chômeur ont des besoins qu'ils doivent satisfaire. Les soins qu'ils requièrent sont même souvent plus grands que ceux des adultes normaux qui appartiennent à la population active. Or, dans une économie d'échange, le droit à la consommation est normalement acquis par la participation à la production. Pour devenir consommateur, il faut d'abord avoir été un facteur de production et avoir fait partie de la population active. De plus, la participation à la consommation n'est pas déterminée par les besoins individuels, mais par la valeur de l'effort de production. En général, plus les services qu'un individu rend à la production sont utiles, plus il peut consommer. Si l'on reconnaît que dans la vie économique la consommation est la fin et la production le moyen, il faut admettre également que, dans ce cas, c'est la fin qui est proportionnée au moyen.

Telle est la racine du problème que pose l'insécurité dans une économie d'échange. Cette instabilité se caractérise par l'existence d'une population inactive composée d'individus qui souvent ont plus de besoins que les autres mais qui n'ont pas la possibilité de les satisfaire par eux-mêmes, puisqu'ils ne peuvent pas participer à la production. Parmi ces besoins, il y a lieu de mentionner les exigences générales de la vie, telles que la nourriture et le vêtement, mais aussi certains besoins spécifiques: l'instruction, le logement et les soins médicaux.

Une méthode très efficace de réduire les dimensions du problème de l'insécurité consiste à diminuer la population inactive en éliminant le chômage, en prévenant la maladie, en prolongeant la période de vie active et en réadaptant les handicapés. Toutefois, il faut admettre qu'en plusieurs cas, cette méthode ne peut être utilisée par les individus concernés eux-mêmes. Les crises économiques généralisées sont précisément des périodes au cours desquelles les chômeurs ne peuvent pas trouver à s'employer. Le chômage technologique nécessite souvent un déplacement géographique et l'initiation à un nouveau métier dont le chômeur lui-même ne peut défrayer les dépenses. L'infirme et le sous-doué exigent une réadaptation souvent coûteuse avant de pouvoir se rendre sur le marché du travail. L'intervention de l'Etat est donc nécessaire soit pour stimuler les initiatives privées dans ce domaine, soit pour créer certains services publics indispensables. Enfin, cette méthode, dans bien des cas, ne peut pas être utilisée. Par exemple, dans un régime humanitaire, les enfants et les vieillards ne devraient pas être admis parmi la population active avant ou après un certain âge.

Ainsi, les efforts tentés en vue de diminuer la population inactive ne pourront jamais régler tout le problème. Quoique l'on fasse, il y aura toujours des vieillards, des enfants, des malades, des chômeurs et des infirmes qui ne pourront pas trouver d'emploi. En d'autres termes, il y aura toujours une population inactive menacée d'insécurité. Puisque celle-ci doit vivre et satisfaire au moins certains de ses besoins, il faut bien que la population active lui vienne en aide en lui cédant une part des revenus qu'elle a gagnés en participant à la production. Plusieurs méthodes peuvent être utilisées en vue d'opérer ces transferts de revenus: la redistribution du revenu familial, l'établissement de caisses ou de fonds privés de retraite, la charité privée et enfin l'action de l'autorité publique.

Les membres de la population inactive font normalement partie d'une famille et le chef de famille est censé les faire vivre, comme l'on dit couramment. Cette méthode est sans contredit la plus normale et la plus désirable. Mais elle a de graves limitations. Tout irait bien si, les revenus étant égaux, les besoins l'étaient aussi d'une famille à l'autre. Or, l'observation la plus élémentaire démontre que les besoins familiaux sont infiniment variables. Tout dépend du nombre et de l'âge des enfants, des conditions de vie des grands-parents, de la fréquence des maladies, du lieu de résidence et du niveau social. Cette inégalité des besoins ne soulèverait pas de grandes difficultés si les revenus du chef de famille y étaient proportionnés. Mais dans une économie d'échange, il n'y a pas de relation directe entre les besoins et les revenus de la famille. Si le chef de famille est ouvrier, son revenu est déterminé sur le marché du travail et, s'il est fixé de façon juste — il ne l'est pas toujours — il correspond à la valeur des services qu'il rend à l'entreprise. En justice, puisque c'est la justice commutative qui régit les échanges et donc le marché du travail, l'employeur n'a pas à donner plus qu'il n'a reçu de l'ouvrier et le rendement de celui-ci ne dépend pas du nombre de ses enfants, de l'état de santé de sa famille ou de son besoin de logement. On ne peut donc pas exiger que le patron en tienne compte, comme l'affirme le R. P. Tonneau:

« Cette manière de balance entre le donné et le reçu, c'est-à-dire entre le travail et le salaire, par laquelle on inclut dans le donné (travail) tout ce que l'ouvrier « apporte au travail », en y comprenant les forces usées au labeur, les risques courus dans le travail, le risque même de ne plus trouver de travail et l'éventualité de la vieillesse, que le travail cependant ne rend pas plus imminente, en y comprenant enfin les charges familiales, cette manière de balance est rigoureusement inintelligible et inefficace. L'ouvrier ne donne pas cela; il n'en a pas le droit. Et qu'en ferait le patron ? Et si, par impossible, l'ouvrier pouvait donner ces valeurs, le compte en serait inconnaissable, le critère inconsistant, la mesure élastique et incertaine » [1].

---

[1] R. P. Tonneau, o.p., *Dictionnaire de Théologie Catholique*, Paris, p. 1008.

Par contre, si le chef de famille est son propre employeur, s'il est avocat, par exemple, son revenu dépendra dans une large mesure du nombre et de l'importance de ses clients; toutefois, ceux-ci n'iront pas le consulter parce qu'il a beaucoup d'enfants ou qu'il a de la difficulté à subvenir aux besoins de sa famille. Bien souvent ce sera tout le contraire.

Ainsi, le problème de l'insécurité de la population inactive ne saurait être adéquatement réglé sur le plan familial, même si les parents ont un sens développé de leurs responsabilités, parce que souvent, à ce niveau, les besoins sont en proportion inverse des revenus. Le secteur privé collectif, soit au niveau de l'entreprise, soit à celui de la profession, peut certes fournir des éléments de solution. C'est ainsi qu'on a vu, au cours des dernières années, se multiplier les plans d'assurance-santé et de retraite, de même que les coopératives de crédit et d'habitation. Ces initiatives ne peuvent, à elles seules, combattre efficacement l'insécurité. Leur grande limitation réside dans le fait que, tout en opérant une certaine redistribution dans le temps des revenus d'un même groupe, elles affectent très peu la distribution des revenus entre les différentes classes de la société, alors que l'insécurité provient surtout de ce que, pour un même groupe, les revenus ne sont pas proportionnels aux besoins. De plus, elles ne sont pas adaptées à toutes les formes d'insécurité, — les charges familiales, les infirmités, l'instruction et le chômage le démontrent — et elles reposent sur la stabilité de l'emploi puisqu'elles sont à base contributoire. Les plans privés de sécurité ne peuvent couvrir tout le monde, ne sont pas adaptables à des secteurs entiers de l'économie et souvent ne peuvent protéger les gens qui en ont le plus besoin. Enfin, ils contribuent à diminuer la mobilité géographique et occupationnelle ainsi que les possibilités d'emploi de ceux qui dépassent l'âge minimum prévu par les règlements des fonds de pension. Quand on tient compte de tous ces inconvénients, il semble bien que le secteur privé collectif, tant sur le plan de l'entreprise que sur celui de la profession ou de la simple association, soit en mesure de fournir sa contribution la plus utile et la plus efficace à la solution du problème de l'insécurité, lorsqu'un minimum stable de sécurité et de bien-être est déjà assuré par une autre source. L'initiative des groupements privés vient alors ajouter à ce minimum en tenant compte des besoins et des revenus de leurs membres.

La charité privée, elle, a pour effet de redistribuer le revenu entre les différentes classes de la société. Au cours des dernières années, elle s'est accrue et s'est organisée selon des formules plus efficaces. On a découvert que, même dans ce domaine, il existait des techniques capables d'accroître les résultats du dévouement. C'est ainsi qu'on a réussi à augmenter, à régulariser et à systématiser la contribution provenant de la charité privée. Toutefois, ce n'est pas minimiser celle-ci que d'affirmer qu'elle sera toujours insuffisante à résoudre l'ensemble du problème et qu'elle devra se limiter à secourir la misère la plus aiguë qui n'hésite plus à s'affirmer au grand jour et à accepter l'aumône.

On arrive ainsi à la conclusion que l'Etat doit encore intervenir en ce domaine afin d'alléger les charges familiales, d'assurer un niveau d'instruction suffisant et la saine utilisation de certains loisirs, de secourir les chômeurs, les vieillards et les infirmes, de veiller à ce que les malades puissent recevoir les soins médicaux requis, de contribuer à la lutte collective contre toutes les autres formes d'insécurité et d'encourager l'épanouissement de la culture. En somme, le bien commun exige au moins un minimum de bien-être et lorsque le secteur privé devient incapable de l'assurer, il appartient à l'Etat de le réaliser.

Cette conclusion n'est pas acceptée par tout le monde. Il y a encore des gens qui affirment que la sécurité et le bien-être doivent être assurés par les individus eux-mêmes avec leurs propres revenus, comme si les problèmes qui se posent sur ce plan ne provenaient pas précisément de l'insuffisance des revenus individuels qui subsiste même si le système privé de répartition est juste. L'initiative individuelle, tout en ayant une grande valeur humaine, n'est qu'un moyen en vue du bien-être général, et pourtant il se trouve des gens qui affirment que le moyen doit être préféré à la fin et que la sécurité sociale est suffisamment garantie par la liberté individuelle. Il y a des catholiques qui, tout en prétendant se faire les porte-parole de l'Eglise, sont tellement individualistes et favorables à l'initiative privée dans tous les domaines qu'ils donnent l'impression que le libéralisme et la haine de l'Etat sont d'inspiration catholique. On les a vus, par exemple, s'opposer avec acharnement aux allocations familiales et considérer comme inique l'intervention de l'Etat en ce domaine. Et pourtant, déjà au Moyen-âge, Saint Thomas d'Aquin, commentant Aristote, écrivait:

« ... il arrive qu'un père de famille a plusieurs enfants tandis que l'autre n'en a pas. Il est donc impossible que ces deux individus possèdent une même quantité de biens, car, alors, une famille manquerait de nourriture et l'autre en aurait en surabondance; ceci est contre l'ordre naturel, car la famille qui a plus d'enfants contribue davantage au progrès de la cité que celle qui n'en a pas; et, en vertu d'un certain droit naturel, elle mérite davantage de recevoir l'assistance de la république ou de la cité » [1].

Plus récemment, Pie XI rappelait les devoirs de l'autorité publique en ces termes:

« Ceux qui ont charge de l'Etat et du bien commun ne peuvent pas négliger ces besoins matériels des époux et des familles sans être responsables d'un grave détriment. Il faut donc que, dans les lois qu'ils édictent et dans le budget qu'ils établissent, ils aient un grand souci de venir en aide à cette misère des familles d'humble condition, et qu'ils fassent de cela un des premiers objets de leur administration » [2].

Il est inutile de multiplier les citations pour montrer que l'Eglise, tout en ayant une préférence pour la responsabilité individuelle et l'initiative privée dans le domaine du bien-être social, ne manque pas de réalisme au point de considérer l'intervention de l'Etat comme injustifiée ou inutile. D'ailleurs, les gens qui s'opposent aux secours de l'autorité publique ne sont pas ordinairement ceux qui en ont le plus besoin. Enfin, ils ne se rendent pas compte que, pour garder toute sa valeur au principe de la responsabilité individuelle et pour lui permettre de demeurer la règle générale, il faut combler ses lacunes et prévenir ses limitations.

CONCLUSION GÉNÉRALE

En somme, au cours de ce chapitre et du précédent, nous avons examiné les principaux problèmes que pose la prospérité générale tant du point de vue de la production des richesses que de celui de leur distribution entre les différentes classes de la société. Nous

[1] Saint Thomas d'Aquin, *De regimine principum*, L.IV, c.9.
[2] Pie XI, *Casti Connubii*, 1937.

avons d'abord considéré le développement industriel, la stabilité économique et le mouvement saisonnier; puis, nous avons montré comment s'effectuait la distribution du revenu national parmi la population active entre employeurs et employés, entre producteurs et consommateurs et entre les principaux groupes de producteurs; enfin, nous avons indiqué comment la population inactive, qui, laissée à elle-même, est menacée d'insécurité, pouvait indirectement participer à la distribution des richesses sans avoir, au préalable, contribué à leur production.

On découvre, à l'analyse, que plusieurs graves problèmes se posent sur ces différents plans et que l'initiative privée, tout en apportant une contribution importante à leur solution, n'en est pas moins incapable de les régler selon les exigences du bien commun. D'autre part, il ne faudrait pas être utopiste au point de penser qu'il existe un régime idéal capable de surmonter ces nombreuses difficultés à la satisfaction de tous et d'éliminer la misère sous toutes ses formes et définitivement. Même s'il faut se rappeler « qu'il y aura toujours des pauvres parmi nous », il ne faut pas oublier par contre que la société a le devoir de les secourir et autant que possible d'en réduire le nombre. Les citoyens ont droit à un minimum de bien-être et lorsqu'ils sont incapables de se l'assurer, l'Etat doit leur venir en aide et, au besoin, suppléer l'initiative privée. Il faut maintenant se demander comment celui-ci doit orienter sa politique économique et sociale, étant donné la nature de ses responsabilités et des problèmes à résoudre.

CHAPITRE IX

L'ÉTAT, LA SÉCURITÉ COLLECTIVE ET LE DÉVELOPPEMENT INDUSTRIEL

Les deux chapitres précédents ont porté sur la nature des principaux problèmes économiques et sociaux qui se posent à notre époque et sur les limitations de la contribution que l'initiative privée, soit individuelle ou collective, peut apporter à leur solution. On peut en dégager la conclusion que l'intervention de l'Etat est nécessaire non seulement pour mieux résoudre les problèmes eux-mêmes mais aussi pour sauvegarder le plus possible l'initiative privée. En effet, le plus sûr moyen de garantir celle-ci n'est pas de lui laisser toutes les responsabilités, comme le réclame le libéralisme, car elle est incapable de les exercer toutes convenablement, mais plutôt d'en combler les insuffisances en faisant appel à l'Etat afin que la population ne soit pas tentée de recourir à une solution extrémiste et de demander à l'autorité publique de se charger de tout. Dans ce domaine comme dans bien d'autres, la seule attitude acceptable est celle qui se situe entre le libéralisme et le communisme et qui se ramène à la formule du *fonctionalisme*: autant d'initiative privée que possible mais autant d'initiative publique que nécessaire.

Mais alors, étant donné la nature des problèmes à résoudre, quels doivent être les objectifs immédiats de l'autorité publique ? En quoi doit consister le rôle de l'Etat ? Quelles sont les méthodes d'intervention dont il dispose ? En d'autres termes, comment doit être conçue la politique économique et sociale et quelles sont ses exigences ? Les trois prochains chapitres tenteront de répondre à ces questions et contribueront ainsi à mieux mettre en lumière le problème de répartition des responsabilités et des revenus qui se pose présentement au niveau gouvernemental à l'intérieur du fédéralisme canadien.

Dans la présente conjoncture internationale, il est impossible d'ignorer les responsabilités de l'Etat dans le domaine de la sécurité collective car ces obligations ont des répercussions profondes sur la politique économique et sociale à l'intérieur de chaque pays. Il n'est donc pas inutile de rappeler très brièvement comment se pose le problème de la sécurité collective et pourquoi les dépenses d'armements sont devenues inévitables. Nous verrons ensuite comment l'Etat peut contribuer à favoriser le développement industriel et quels sont les moyens dont il dispose pour atténuer le chômage structurel et saisonnier. La politique de stabilité économique et l'intervention de l'autorité publique dans le domaine de la distribution du revenu national et du bien-être social seront analysées dans les chapitres suivants.

A. LA SÉCURITÉ COLLECTIVE ET LES DÉPENSES D'ARMEMENTS

Il n'est pas nécessaire de démontrer que l'autorité publique doit protéger les citoyens contre les dangers provenant de l'extérieur par un système de défense adéquat. La neutralité et le refus de réarmer ne sont pas possibles dans un pays comme le nôtre. A l'heure présente, même si le Canada désirait rester neutre et tentait de s'opposer au réarmement, il ne le pourrait pas, à cause de sa position géographique et stratégique. D'autres pays, se sentant menacés par cette neutralité, se chargeraient directement ou indirectement d'y mettre fin et la souveraineté du Canada n'en serait que diminuée. Par ailleurs, l'expérience passée, la nature des armements et les exigences des guerres modernes montrent avec évidence qu'un Etat ne peut se défendre seul. L'isolationisme est devenu une dangereuse utopie. Ce n'est qu'en participant à un système collectif de défense qu'un pays peut assurer sa propre sécurité. Enfin, la participation d'un pays à la vie internationale ne doit pas être inspirée uniquement par ses intérêts particuliers. Le nationalisme égocentriste est une erreur aussi condamnable que l'individualisme. Le bien commun international, qui rejoint celui de l'espèce humaine tout entière, crée aux Etats nationaux des obligations aussi graves que celles qu'impose le bien commun national aux individus.

A cette époque de tension mondiale, notre pays a donc des responsabilités internationales qu'il ne peut ignorer. La population canadienne, en général, reconnaît le danger de la menace communiste et l'obligation qu'a notre pays de s'y opposer. Il existe toutefois des divergences d'opinion sur le degré et les méthodes de notre participation à la sécurité collective. Il y a des gens qui voudraient jeter les communistes en prison; ils devraient pourtant voir les dangers et les limitations de cette méthode et se rappeler que les catacombes n'ont fait que fortifier le catholicisme. D'autres désirent engager une lutte concertée contre la misère dans le monde puisque celle-ci favorise la dissémination de l'idéologie communiste. Cette méthode est sûrement indispensable, car, en plus de sa valeur humaine intrinsèque, elle peut sans doute contribuer à circonscrire le problème. Il ne faudrait pas croire, cependant, qu'elle est suffisante car l'avènement de la dictature du prolétariat a des origines beaucoup plus complexes que cette attitude ne le présuppose. Il faut noter, de plus, qu'une idéologie peut survivre à ses causses, surtout si elle a pu se cristaliser et se consolider dans un système politique. Alors, elle peut même devenir plus dogmatique et plus agressive. C'est sans doute ce qui se produit dans certains pays où domine le communisme.

Il est d'ailleurs difficile de nier que cette idéologie tende à s'imposer, au besoin, par la force. Elle n'est pas la seule à avoir manifesté cette tendance, mais c'est surtout pour cette raison qu'elle menace présentement la paix mondiale et que le réarmement des nations démocratiques est apparu comme une nécessité. En effet, on peut parfois empêcher une idéologie de se propager en éliminant ses causes, mais il est sûrement impossible de l'arrêter par ce moyen lorsqu'elle veut s'imposer par les armes.

Les puissances communistes veulent-elles la guerre ? Sans la vouloir directement sont-elles prêtes à la risquer indirectement en continuant leur politique d'expansion ? Celle-ci est-elle nettement agressive ou simplement défensive ? Même si les pays communistes ne désirent pas la guerre, n'y seront-ils pas poussés soit par des facteurs internes, soit par de mauvais calculs de leur part, soit par des erreurs des puissances occidentales ? Qui pourrait répondre à ces questions avec certitude ? Les pays démocratiques se sont posé les mêmes questions au moment de l'apogée du nazisme et ils ont répondu par la négative. Et pourtant s'ils s'étaient préparés à un conflit, ils l'auraient peut-être évité ou tout au moins abrégé. Cette fois, notre pays, comme plusieurs autres, a réagi dans l'autre sens; il a décidé de se réarmer et de se tenir prêt tant que le danger immédiat de conflit ne sera pas écarté. Qui pourrait sérieusement l'en blâmer, même si son effort de réarmement s'avérait inutile ? D'ailleurs même dans ce cas, celui-ci n'aura pas été sans utilité si on considère certains de ses effets économiques et les découvertes scientifiques qu'il aura rendues possibles et qui pourront servir à des œuvres pacifiques.

Cette décision des puissances occidentales de se tenir prêtes à la guerre tant que durera la tension internationale n'en a pas moins des conséquences immédiates importantes. D'abord, la guerre froide peut continuer encore assez longtemps. De plus, le coût des armes modernes est très élevé. Enfin, les découvertes scientifiques et l'évolution technologique se font à un tel rythme que plusieurs variétés d'armes deviennent démodées et doivent être remplacées avant même d'avoir été utilisées. Le réarmement est toujours à recommencer en partie du moins. Il n'est donc pas étonnant qu'il exige des sommes d'argent considérables.

La part du Canada au système de sécurité collective est-elle trop faible ou exagérée ? L'opinion publique ne semble pas le penser car aucun groupe important ne proteste ni dans un sens ni dans l'autre. D'ailleurs, malgré le programme de réarmement, le niveau de vie des Canadiens est toujours le plus élevé au monde après celui des Américains; récemment il a même augmenté plus rapidement que ce dernier. Ce critère, sans être parfait, n'en est pas moins révélateur.

Tout n'est pas, cependant, d'accepter la participation canadienne au réarmement des puissances occidentales, il faut également, en saine logique, en accepter les conséquences immédiates. Une économie, qu'elle soit de type capitaliste ou socialiste, ne peut pas satisfaire à la fois tous les besoins et toutes les exigences surtout lorsqu'elle se rapproche ou dépasse même les limites du plein emploi. Alors que notre pays jouit encore d'une situation qui se rapproche du plein emploi et que les pressions inflationnaires ne sont pas définitivement écartées, le gouvernement fédéral ne peut pas consacrer environ 50 pour cent de son budget, c'est-à-dire à peu près 2 milliards de dollars, aux dépenses d'armements, augmenter ses dépenses dans le domaine du bien-être social, diminuer ses impôts et abandonner certains de ses pouvoirs de taxation aux gouvernements provinciaux. Toutes ces mesures ne sont pas possibles en même temps, car les ressources productives n'existent qu'en quantités limitées.

Le niveau et la permanence des dépenses d'armements affectent considérablement les relations fédérales-provinciales dans notre pays. Sans le programme de défense, le rapport entre les dépenses du gouvernement fédéral et celles des autres gouvernements serait l'un des plus bas depuis la Confédération. Par contre, la chute de l'activité économique et des revenus des autres gouvernements deviendrait inévitable si ces dépenses de réarmement étaient subitement interrompues. Les autorités provinciales auraient sans doute alors accès à des sources de revenus additionnelles mais elles constateraient vite que leur rendement s'en trouverait considérablement réduit et que les dépenses nécessitées par la diminution de l'activité économique augmenteraient; ainsi leur situation financière serait moins bonne qu'elle ne l'est présentement. En effet, les dépenses d'armement — d'autres types de dépenses pourraient sans doute avoir le même effet — contribuent indirectement à accroître les revenus des gouvernements provinciaux et à réduire certains de leurs déboursés.

En repensant le fédéralisme canadien, il ne faut pas se placer dans un contexte idéal caractérisé par la permanence de la paix et de la prospérité. Un tel manque de réalisme ne pourrait qu'entraîner d'amères désillusions. Les dépenses d'armements diminueront sans doute — il faut au moins l'espérer — mais elles continueront à occuper une place importante dans les budgets des Etats occidentaux tant que durera la tension internationale. Et comment peut-on entrevoir la fin de celle-ci à l'heure actuelle, alors que la guerre froide semble tellement dépendre du caprice des hommes ? L'aspect le plus tragique de la menace communiste, c'est qu'elle nous oblige non seulement à travailler à l'amélioration des niveaux de vie dans le monde — ce qui en soi est infiniment désirable — mais aussi et en même temps à nous armer afin d'éviter que l'idéologie qu'elle représente s'impose à nous par la force.

L'examen critique de la politique économique et sociale ne doit jamais ignorer les responsabilités de l'Etat envers ses citoyens et le reste du monde dans le domaine international. Cette faute de vision serait particulièrement grave à l'heure présente.

B. Le développement industriel et le chômage structurel

Nous avons déjà vu que les perspectives de développement industriel à long terme sont excellentes au Canada parce que nos ressources naturelles sont bien adaptées à la technologie courante et à son évolution probable. Le progrès industriel de notre pays sera surtout marqué par l'utilisation intensifiée de ses immenses ressources et par le développement des industries secondaires que celle-ci entraîne, mais il reposera aussi sur un marché domestique grandissant. Dans ces conditions, on peut présumer que l'initiative privée se chargera du développement à long terme et qu'elle assurera un rythme satisfaisant de progrès industriel.

Cette éventualité ne signifie pas évidemment que l'État n'aura aucun rôle à jouer dans ce domaine et qu'il pourra se contenter de « laisser faire ». Même dans des conditions favorables, l'initiative privée a besoin du secours de l'État et elle lui crée des responsabilités par son action même.

Le développement industriel, même lorsqu'il repose sur l'initiative privée, requiert des ressources naturelles exploitables et accessibles. D'où l'utilité des relevés géologiques, géographiques et forestiers qui, d'ailleurs, permettent à l'État d'estimer la valeur des richesses qu'il détient. L'aide de l'autorité publique à la colonisation et au drainage du sol contribue aussi à accroître la quantité de ressources naturelles disponibles. Par ailleurs, pour que les ressources soient accessibles, il faut que le régime de concession des richesses faisant partie du domaine public soit simple, rationnel et établi sur un plan d'ensemble. Un réseau de transports peu coûteux est également nécessaire, ce qui implique souvent la construction et l'entretien par l'État de routes, de lignes de chemin de fer, de ports et d'aérodromes.

Le progrès économique réclame aussi du capital et donc, en certains cas, des conditions faciles de crédit. Le secteur privé ne peut pas toujours s'adapter aux besoins de chaque catégorie d'emprunteurs. C'est précisément cette lacune que tentent de combler le crédit agricole et la Banque d'expansion industrielle dont les services se limitent aux petites entreprises qui pourraient difficilement se financer autrement. Un autre service auxiliaire important vise à faciliter l'accès à la source d'énergie par excellence de la technologie moderne, à savoir l'électricité. Le harnachement des rivières, la construction de centrales électriques et l'électrification rurale peuvent ainsi encourager l'industrialisation et les progrès de l'agriculture. Enfin les industries exigent des débouchés pour leurs produits et une population optimum fournissant la main-d'œuvre. La réglementation des exportations et des importations, l'encouragement à améliorer les techniques de vente et la politique d'immigration sont destinés à faciliter la solution de ces problèmes.

11

Non seulement le développement industriel doit être encouragé, mais il doit être aussi orienté en certaines occasions afin que l'utilisation des ressources naturelles soit rationnelle et profite d'abord à l'ensemble de notre population. L'expérience révèle que l'initiative privée n'utilise pas toujours les richesses naturelles avec un maximum d'efficacité et à un rythme convenable. Une politique sage de conservation des ressources est, même chez-nous, plus nécessaire que certains ne le pensent. Par ailleurs, la seule exploitation des ressources naturelles d'une région ou d'un pays qui ne s'accompagne pas de leur transformation en produits finis ne saurait être très désirable. Et pourtant, les industries de transformation ne viennent pas toujours s'établir dans les pays qui fournissent les matières premières, même lorsqu'une telle localisation serait avantageuse. L'importance des investissements dans les usines déjà existantes, la routine et même l'attachement sentimental à une région particulière empêchent souvent le déplacement industriel de s'effectuer selon un processus naturel. Une politique rationnelle d'exploitation et de transformation des ressources peut donc avoir une influence marquée sur le développement industriel et sur le bien-être général de la population.

En discutant ce problème, on pense infailliblement depuis quelques années aux gisements de fer du Nouveau-Québec. A ce propos, tout le monde semble s'accorder à reconnaître que la somme initiale d'investissements nécessaire à l'exploitation de ces ressources est énorme. Il ne faudrait pas croire cependant que l'entreprise gigantesque qui finance le projet a comme seul objectif d'ouvrir une nouvelle région à la civilisation. Elle espère fermement faire des profits un jour et c'est normal. Pour y arriver, il lui faudra extraire chaque année plusieurs millions de tonnes de fer. On ne peut songer présentement à transformer tout ce minerai dans la province de Québec et à trouver des marchés suffisants pour absorber l'acier. Toutefois, parce qu'il est impossible de transformer toute cette production de fer dans le Québec, ce n'est pas une raison pour qu'une certaine quantité n'y soit pas traitée. Personne n'a encore pu démontrer qu'une usine sidérurgique de grandeur optimum n'y serait pas rentable. Ou bien elle ne le serait pas et alors qu'on le démontre, ou bien elle le serait et alors l'Etat pourrait en provoquer l'établissement, en contribuant à atténuer les risques que comporte une telle entreprise.

Le déséquilibre du développement industriel d'un pays peut également provenir de certaines pratiques monopolistiques. Certaines grandes entreprises acquièrent le contrôle sur des ressources naturelles afin de rendre la concurrence impossible et de se créer des réserves pour un avenir lointain. D'autres adoptent des politiques de prix, — comme celle qui consiste à absorber le coût du transport et à le répartir également entre les clients — qui aboutissent non seulement à la concentration économique mais aussi à la centralisation géographique et qui empêchent artificiellement certaines régions de se développer. Ces pratiques sont très répandues au Canada et l'Etat se doit de les surveiller de près.

Le chômage technologique et structurel, qui apparaît lorsqu'une industrie ou une région est condamnée à la stagnation ou à une contraction séculaire, pose des problèmes spécifiques. Il s'agit là d'un type de chômage qui ne se généralise pas mais qui peut affecter profondément certaines régions et certaines industries; on dit alors qu'il y a des « poches » de chômage. Au Canada, la région économique de l'Atlantique et l'industrie des produits textiles constituent très probablement des manifestations de ce phénomène. Il se caractérise par le fait qu'il sévit dans certains secteurs, même si le volume national d'emploi est très élevé. Lorsqu'il se produit, ce n'est pas en ignorant le changement structurel dont il est l'effet que l'on peut résoudre véritablement le problème. Un programme spécial de subsides, la hausse des droits douaniers, les travaux publics et les prestations de chômage peuvent contribuer à l'atténuer temporairement mais ils ne peuvent pas lui apporter une véritable solution. Seuls le déplacement géographique de la population, la réadaptation occupationnelle des travailleurs ou l'établissement de nouvelles industries peuvent éliminer le chômage structurel de façon permanente. L'Etat, même en se limitant à des méthodes indirectes d'intervention, peut jouer un rôle de premier plan dans ce domaine. Encore faut-il qu'il sache quand et comment intervenir. Mais il s'agit là d'une toute autre question à laquelle seuls les chercheurs et les experts peuvent répondre.

Même si l'industrialisation s'accomplissait sans déséquilibre et à un rythme satisfaisant sous l'égide de l'initiative privée, elle n'en créerait pas moins des obligations à l'Etat puisqu'elle exige un certain aménagement du territoire. En effet, au Canada, on peut dire que c'est le développement industriel qui amène la formation des agglomérations humaines importantes — qu'on les appelle villes ou cités — et non pas celles-ci, qui, au premier stage tout au moins, suscitent l'industrialisation. Or, ces agglomérations requièrent de l'Etat toute une multitude de services: construction et entretien de rues, de parcs, d'édifices publics, de systèmes d'aqueduc et d'égout, organisation des services d'hygiène, d'ordre public, de protection contre les incendies et, en somme, de tous les autres services que les citoyens de la localité estiment devoir être communautaires plutôt que laissés à l'initiative privée. Les responsabilités de l'Etat et le degré de socialisation dans ce secteur ne dépendent pas uniquement de l'industrialisation, mais aussi de la grandeur de la localité, de la mentalité de ses habitants et de la structure des occupations. Les services publics varient donc d'un endroit à l'autre et diffèrent surtout entre les villes et les campagnes. Par exemple, un service des vidanges, absolument nécessaire dans un centre urbain, devient inutile dans une localité habitée uniquement par des cultivateurs. Les agglomérations où les gens sont généralement riches auront plus et de meilleurs services communautaires que les autres. On comprendra donc sans peine pourquoi la plupart des responsabilités qui incombent à l'Etat dans ce domaine particulier de l'aménagement du territoire soient confiées à l'autorité publique la plus près des citoyens eux-mêmes, c'est-à-dire aux administrations municipales.

Sans avoir touché à tous les problèmes que soulève le développement industriel, il est facile de se rendre compte que l'Etat a un rôle auxiliaire et complémentaire très important à jouer à cet égard, même si l'initiative privée en assume les principales responsabilités dans les conditions les plus favorables. En effet, l'autorité publique doit faciliter et stimuler le progrès économique mais, au besoin, le freiner et l'orienter afin d'assurer une utilisation rationnelle des ressources qui soit en même temps à l'avantage général de la population. Elle doit également faire en sorte que le chômage structurel soit minimisé et se charger de l'aménagement des agglomérations humaines que fait naître l'industrialisation. Pour s'acquitter de ces responsabilités, l'Etat dispose d'une infinité de moyens: concession des ressources du domaine public, contrôle des exportations, des importations, de l'immigration, des taux de transport, réglementation du crédit et de certaines pratiques monopolistiques, création de services de recherches et d'information, construction de routes et de centrales électriques, distribution de subsides spéciaux.

Il faut bien noter cependant que toutes ces méthodes ne sauraient être appliquées au hasard : elles présupposent une politique d'ensemble ayant des objectifs précis, car autrement elles risquent d'être utilisées à contretemps et sans résultat. Elles doivent être coordonnées vers un même but, car certaines d'entre elles, orientées dans des directions opposées, peuvent tout simplement s'annuler et se paralyser les unes les autres. Réussir à susciter de nouvelles industries dans une région affectée par le chômage structurel ne suffirait pas à régler le problème de l'emploi si, au même moment, on y dirige des immigrants. Donner des subsides pour encourager une nouvelle industrie serait inutile si des pratiques monopolistiques utilisées par d'autres entreprises l'empêchent de se créer un marché. Favoriser l'établissement d'une industrie d'exportation basée sur l'exploitation de ressources naturelles ne servirait à rien si on lui refuse le droit d'exporter ou si les droits douaniers des autres pays lui interdisent l'accès au marché international. Ainsi, comme on peut le constater, les méthodes dont dispose la politique de développement industriel sont souvent interdépendantes et doivent être utilisées en vue d'objectifs communs. Quand il s'agira de considérer la répartition des responsabilités entre les différents gouvernements en matière de développement industriel, de chômage structurel et d'aménagement du territoire, il faudra évidemment se rappeler l'ensemble des facteurs qui déterminent ces phénomènes ainsi que la multitude et l'interdépendance des méthodes dont dispose l'Etat pour les influencer.

C. Le chômage saisonnier

Les variations saisonnières engendrent le type de chômage qui a été le plus négligé jusqu'ici. Les chercheurs n'y ont guère porté attention car il ne pose pas de problèmes théoriques. Par contre, sur le plan politique, on a adopté une attitude fataliste qui se résume à venir en aide aux chômeurs saisonniers grâce à l'assurance-chômage, sans tenter d'atténuer les variations saisonnières de l'emploi par un programme d'ensemble approprié. A cet égard, certains efforts isolés ont été faits. Le plus notable est sans doute celui des gouvernements provinciaux et municipaux qui, par leur politique d'entretien des routes pendant l'hiver, ont contribué à stabiliser le transport routier et les industries connexes. Il s'agit là d'un exemple qui montre bien qu'on peut parfois se soustraire, au moins partiellement, à l'influence des causes naturelles.

Dans l'ensemble, toutefois, le chômage saisonnier est un phénomène tellement familier qu'il a été en quelque sorte pris pour acquis. Son caractère limité et temporaire explique aussi l'indifférence des pouvoirs publics. Et pourtant, les fluctuations saisonnières engendrent des pertes et des misères d'autant plus grandes qu'elles se répètent chaque année et qu'elles se produisent surtout l'hiver, alors que le coût de la vie est à son maximum. Dans un pays comme le nôtre, la lutte contre le chômage saisonnier devrait devenir l'un des premiers soucis de l'Etat et des groupements privés principalement intéressés.

La première étape à accomplir dans la réalisation d'un programme de stabilité saisonnière consiste à définir le problème. Il s'agit là d'un travail de recherches assez vaste mais qui ne présente pas de grandes difficultés car le chômage saisonnier est un phénomène très régulier et donc relativement facile à prévoir. Il faut en mesurer les dimensions sur le plan de chaque industrie et de chaque région économique et déterminer bien précisément dans chaque cas les facteurs qui en sont la cause. Seul l'Etat peut se charger de ce travail préliminaire, même si la collaboration des organismes privés est indispensable.

Ensuite, l'autorité publique et les représentants de l'industrie et des travailleurs devraient discuter le problème dans ses cadres les plus concrets, de préférence au niveau des cas spécifiques, afin de voir ce que peut faire l'initiative privée dans chaque secteur industriel pour atténuer les variations saisonnières de l'activité économique. Les tentatives qui sont faites présentement dans ce domaine sont beaucoup trop timides pour produire les résultats qu'on peut attendre d'un programme conjoint bien organisé.

Même si l'initiative privée, ainsi encouragée par l'Etat, fournit sa pleine contribution à la solution du problème, elle ne peut parvenir à éliminer totalement le chômage saisonnier qui atteint plus fortement certaines industries et certaines régions. Les gouvernements, tant sur le plan municipal que provincial et fédéral, peuvent aussi jouer un rôle bienfaisant à cet égard en aménageant au moins une partie de leurs travaux et de leurs dépenses en conséquence. Il est possible de prévoir avec assez de précision qu'à tel moment de l'année il y aura du chômage saisonnier dans telle région et dans tels secteurs industriels. Les gouvernements pourraient ainsi s'entendre à l'avance pour hâter ou retarder certains travaux de façon à ce que ceux-ci soient exécutés au cours de la baisse saisonnière, même si ce déplacement avait pour effet d'accroître les dépenses. En effet, une hausse du coût des travaux, à condition de ne pas être déraisonnable, pourrait être compensée par la diminution des frais de l'assistance et ne serait sûrement pas indésirable si elle contribuait à épargner les misères du chômage.

Enfin, il faut bien reconnaître que, malgré les efforts conjoints et systématiques de l'initiative privée et des gouvernements, il y aura toujours, dans un pays comme le Canada, un volume résiduel de chômage saisonnier presque impossible à éliminer, surtout pendant l'hiver. Par contre, c'est précisément au cours de cette saison qu'il en coûte le plus cher pour vivre. En effet, le chauffage, l'habillement, la nourriture et la maladie exigent alors de plus fortes dépenses. Il serait donc équitable et désirable de fixer les versements provenant de fonds de l'assurance-chômage à un niveau plus élevé entre les mois de janvier et de mai afin d'atténuer la misère. La crainte qu'un tel rajustement pourrait diminuer le désir de travailler est peu justifiée surtout au moment où il existe une rareté d'emplois disponibles.

En somme, le chômage saisonnier est avant tout attribuable à des causes extra-économiques. Il ne s'ensuit pas, toutefois, qu'il soit inévitable dans sa totalité comme le laisse croire l'attitude fataliste, sinon indifférente, qu'il a suscitée dans notre pays jusqu'ici. L'action conjointe des gouvernements et de l'initiative privée peut au contraire donner de bons résultats à condition qu'un plan concerté soit élaboré et exécuté.

CHAPITRE X

LA POLITIQUE DE STABILITÉ ÉCONOMIQUE ET LE CHÔMAGE CYCLIQUE

Le secteur privé de l'économie produit inévitablement des fluctuations cycliques, c'est-à-dire des phases alternantes d'inflation et de dépression, lorsqu'il est laissé à lui-même. Il est devenu urgent d'éliminer cette instabilité et nécessaire de confier cette responsabilité à l'Etat.

Avant d'aborder l'étude des objectifs et des méthodes de la politique dans ce domaine, il n'est pas inutile de revenir sur les causes de l'instabilité cyclique afin d'analyser brièvement une croyance assez répandue dans le public à ce sujet. On entend dire parfois que ce sont les exagérations des unions ouvrières et les salaires trop élevés qui amènent le chômage. Cette affirmation est beaucoup trop simple pour être vraie. D'abord, historiquement, les cycles économiques sont apparus avant l'avènement des unions ouvrières, à une époque où les travailleurs étaient loin d'être capables de dominer le marché du travail. De plus, la relation inverse entre l'emploi et les salaires que certains économistes, en particulier Jacques Rueff, avaient cru découvrir, a été clairement démentie par les faits [1]. Les statistiques les mieux établies tendent même à démontrer que le mouvement des salaires suit et ne précède pas celui de l'emploi, des prix et des profits.

Enfin, ceux qui tentent sérieusement d'expliquer les cycles de cette façon, se basent sur un élément de la réalité qui ne joue pas un rôle dynamique sur une courte période. En effet, ils considèrent les salaires uniquement comme un élément du coût de fabrication; mais la production courante est surtout influencée par l'intensité de la demande, non par le niveau des coûts; il en est ainsi, nous l'avons déjà vu, des investissements. Par ailleurs, les salaires doivent être égale-

---

[1] Nicolas Parisiadès, *Essais sur les relations entre le chômage, le salaire, les prix, le profit*, Paris, Presses Universitaires de France, 1949.

ment envisagés comme des revenus et, de ce point de vue, ils exercent
une influence considérable sur le niveau de la demande et des dépenses
de consommation, puisque les salariés constituent la grande majorité
des consommateurs et que leur propension à consommer est relativement élevée. Ainsi des salaires élevés contribuent à stimuler la production courante et, par ricochet, le volume d'investissements. Ils
ne sont donc pas à l'origine d'une dépression. Ils pourraient sans
doute décourager l'esprit d'entreprise s'ils étaient vraiment exagérés
par rapport aux profits, mais le processus qui les fixe les empêche
généralement de le devenir. La variation du niveau des coûts et des
prix est un effet et non une cause du phénomène cyclique, ce qui ne
signifie pas que les déséquilibres entre les coûts et les prix ne doivent
pas être éliminés le plus possible.

A. L'OBJECTIF DE LA POLITIQUE DANS LA LUTTE CONTRE L'INSTA-
    BILITÉ CYCLIQUE

Nous pouvons maintenant aborder l'examen de la contribution de
l'Etat à la lutte contre l'instabilité économique. Son objectif général
doit être d'assurer un volume stable et élevé de revenu et d'emploi,
alors que ces deux phénomènes sont essentiellement instables et qu'ils
subissent tour à tour des hausses et des baisses exagérées lorsqu'ils
sont déterminés uniquement par l'initiative privée. L'Etat doit donc
éliminer ou tout au moins atténuer ces fluctuations indésirables sans
toutefois prendre la direction permanente de l'économie, sans décourager inutilement l'esprit d'entreprise et sans trop changer le système
de motivation du secteur privé. En d'autres termes, l'objectif qui
correspond au désir de l'ensemble de la population canadienne est
d'assurer la stabilité économique tout en sauvegardant l'initiative
privée.

C'est en exerçant une action compensatoire que l'Etat peut satisfaire les deux exigences de cet objectif. D'abord, il peut diminuer
l'importance du rôle que jouent les facteurs irrationnels dans le secteur privé surtout lorsqu'il s'agit d'investir. Ensuite, il peut régulariser le comportement de l'initiative privée en faisant varier les profits. Ainsi, une baisse ou une hausse des impôts stimule ou décourage
les investissements privés en les rendant plus ou moins profitables.
Enfin, si ces interventions indirectes ne sont pas suffisantes, l'Etat
peut recourir à l'action directe en adoptant un système de contrôles, —

régie des prix, allocation des ressources et rationnement — si l'inflation devient dangereusement menaçante, ou un programme d'investissements publics, — financement des exportations et travaux publics
par exemple — si la dépression promet d'être aiguë et prolongée.
Quelle que soit la nature des méthodes d'intervention, l'action de
l'Etat est toujours destinée à compenser les mouvements indésirables
provenant du secteur privé.

Toutefois, la politique de stabilité économique ne peut ni ne doit
viser à fixer le volume d'emploi et de revenu et à empêcher toute
variation de l'activité économique soit à la hausse soit à la baisse.
Les mouvements de hausse, même s'ils s'accompagnent d'un certain
gonflement des prix, sont certes désirables. Par contre, un certain
volume de chômage n'est pas toujours évitable, surtout dans un pays
comme le Canada. Seul un régime de complète régimentation parfaitement efficace et infaillible pourrait parvenir à un tel résultat.
Alors que les exigences du plein emploi dans un pays changent constamment, on ne peut sérieusement espérer que tout individu se cherchant un emploi dans une localité et un métier donnés puisse trouver
une occupation dès qu'il se présente sur le marché du travail.

Le système économique ne saurait donc demeurer fixe dans une
position de plein emploi. Même dans des conditions idéales, il oscil-
lera sans cesse autour de cette position, la dépassant parfois et ne
l'atteignant pas tout à fait en d'autres circonstances. Il ne faudrait
pas demander à l'Etat d'intervenir dès que ces oscillations mineures
se manifestent, car elles sont, soit désirables, soit inévitables; elles sont
aussi temporaires et de très courte durée alors que l'action de l'Etat
exige un certain temps avant de pouvoir se mettre en branle. Au
moment que l'autorité publique serait prête à agir, le mouvement
qu'elle se préparait à combattre serait probablement disparu déjà et
remplacé peut-être par la tendance contraire de sorte que le plan
d'action serait à reviser complètement. Par exemple, si le gouvernement fédéral avait accepté en 1951 d'établir le contrôle des prix en
vue d'enrayer l'inflation, il lui aurait fallu près d'une année pour mettre sur pied un système vraiment efficace, alors que la stabilité était
déjà revenue en 1952. Il ne faut donc pas réclamer le recours à
toutes les armes de notre arsenal économique dès les premiers signes
d'une oscillation mineure de l'activité économique, car ce serait ou
bien jeter notre politique économique dans la plus grande confusion

ou bien enfermer notre économie dans une camisole de force et la condamner à la stagnation.

B. Nécessité et fonction de la prévision économique

L'action de l'Etat, étant de nature compensatoire et destinée à atténuer les mouvements économiques indésirables qui proviennent du secteur privé, présuppose un système de prévision et d'interprétation de la conjoncture économique. En effet, avant d'appliquer une politique anti-inflationnaire ou anti-déflationnaire, il faut connaître l'orientation des forces économiques et, si possible, l'anticiper. En fait, cette prévision est d'autant plus nécessaire que l'action de l'Etat ne peut pas s'exercer instantanément et qu'elle exige une phase préliminaire de préparation dans plusieurs cas.

La nécessité de la prévision économique n'est pas nouvelle; c'est la prise de conscience du problème qui l'est. Depuis toujours, les gouvernements prennent des décisions qui impliquent une prévision. Toutefois, celle-ci n'est pas toujours consciente, car il y a beaucoup de gens qui font des prévisions sans le savoir. La décision de construire une route ou une centrale électrique, d'imposer une taxe ou de lancer un emprunt présuppose une prévision. Les individus et les gouvernements n'ont donc pas la liberté de prévoir ou de ne pas prévoir. Leur choix porte sur la méthode: ils peuvent prévoir inconsciemment, — c'est la méthode la plus simple mais aussi la plus dangereuse — se fier à leur impulsion ou à leur intuition, ou encore recourir à des méthodes plus rationnelles et plus élaborées.

Puisqu'il est impossible d'échapper à la nécessité de prévoir, il est important de recourir aux meilleures techniques possibles quand il s'agit de prendre des décisions lourdes de conséquences. En particulier, l'orientation d'une politique de stabilité et de plein emploi ne saurait être laissée à la simple intuition, encore moins à la pure impulsion. Ce n'est pas parce que les techniques les mieux établies ne sont pas exemptes d'erreur et ne peuvent apporter de certitude que l'on doive s'en remettre aux méthodes les plus rudimentaires. D'ailleurs, pour éclairer la politique économique, il n'est pas nécessaire que la prévision soit parfaitement exacte, pourvu qu'elle renseigne sur les véritables tendances du secteur privé. Elle est précisément faite pour être démentie quand elle annonce une orientation indésirable de l'économie.

Mais alors dans quel cadre et d'après quelles méthodes doit s'établir la prévision économique afin d'éclairer la politique de stabilité ? Le cadre le mieux adapté est celui du budget national. Celui-ci peut être défini comme une méthode de présentation des revenus et des dépenses de toute la nation au cours d'une prochaine année. Ainsi, le budget national a le même objet et les mêmes subdivisions que la comptabilité nationale mais il porte sur l'avenir et non sur le passé. Sous ce dernier aspect, il est semblable au budget de l'Etat, dont il se différencie toutefois puisqu'il porte sur l'activité de toute la nation et non pas seulement sur celle du gouvernement. Alors que le budget de l'Etat comporte une prévision et une planification limitées au secteur public, le budget national est une prévision du comportement d'ensemble de toute l'économie qui permet à l'Etat d'adapter sa propre activité en vue d'assurer la stabilité. La méthode du budget national implique donc une transformation profonde des cadres à l'intérieur desquels se définit l'action de l'Etat et du climat qui inspire les décisions gouvernementales puisqu'elle met en lumière l'interdépendance qui existe entre le secteur privé et le secteur public de l'économie.

Une publication du Ministère fédéral de l'industrie et du commerce décrit sommairement la nature du système de prévision économique utilisé au Canada.

« Des analyses portant sur les perspectives économiques dans l'ensemble du pays au cours de la prochaine année sont préparées afin de renseigner le gouvernement. Elles couvrent la situation domestique et tiennent compte de l'influence qu'exercent les relations commerciales du Canada avec l'étranger sur le niveau global de l'emploi et du revenu. D'abord, les représentants de l'industrie, du travail et de l'agriculture, de même que les ministères gouvernementaux, incluant les organismes fédéraux, provinciaux et municipaux, fournissent des informations sur les conditions économiques courantes et sur celles du futur immédiat. Ensuite, ces renseignements sont interprétés et intégrés dans le cadre des comptes nationaux et évalués en termes d'emplois. Enfin, ces analyses sont complétées par des études industrielles et régionales et revisées par le Comité interministériel sur la prévision économique » [1].

---

[1] Department of Trade and Commerce, *Annual Report* 1949, p. 27.

En somme, on procède à un relevé systématique des intentions d'investir du secteur privé et des dépenses prévues par les différents organismes gouvernementaux, on évalue le volume probable des exportations, soit par des méthodes directes, — informations des attachés commerciaux du Canada à l'étranger et contenu des ententes intervenues entre les gouvernements — soit par des méthodes indirectes, comme les évaluations que l'on peut tirer des prévisions que font les autres pays sur leur propre niveau d'activité et leur volume d'importations. De la situation que laissent entrevoir ces différents estimés, il est relativement facile ensuite de déduire le comportement probable des dépenses de consommation [1].

Encore une fois, il est bon de noter que la prévision économique ne peut conduire à une certitude car elle ne saurait être exempte d'erreurs. Malgré cette limitation et certaines autres déficiences, le système inauguré en 1946 au Canada a donné, dans l'ensemble, de très bons résultats.

Une fois formulée, la prévision sert à la publication de deux brochures annuelles dont l'une porte sur la perspective des investissements privés et publics et l'autre sur le volume probable de la construction au Canada. Elle inspire le discours que prononce le Ministre du commerce au début de chaque année sur la situation économique du pays et sur l'état de la conjoncture. Elle est également utilisée lors de la préparation du budget du gouvernement fédéral. Enfin, et ce n'est certainement pas sa moindre utilité, elle peut servir de baromètre aux groupements privés, en particulier aux industriels. Nous avons déjà vu, en effet, que lorsque le secteur privé est laissé à lui-même, l'homme d'affaires n'a pas les informations suffisantes sur la situation courante et le comportement futur probable de l'ensemble de l'économie pour formuler rationnellement sa politique d'investissement. Il peut alors devenir la victime de fausses informations, de mauvais conseils ou de rumeurs sans fondement; il peut même en arriver à interpréter les fluctuations du marché de la bourse comme des présages du comportement futur de l'activité économique de la nation. C'est ainsi que des éléments irrationnels peuvent arriver à exercer une influence dé-

---

[1] La littérature sur les méthodes de prévision économique est abondante. Sur le système utilisé au Canada, on pourra consulter avec avantage: Stewart Bates, « Government Forecasting in Canada », *The Canadian Journal of Economics and Political Science*, August 1946.

mesurée sur la décision d'investir.   Dans ce contexte, un système de prévision économique bien organisé peut devenir un guide précieux pour ceux de qui relève la décision d'investir et contribuer à atténuer l'insabilité attribuable aux facteurs irrationnels.   Un tel service gouvernemental a donc pour effet de transformer en l'améliorant le climat psychologique dont dépendent les investissements privés.

Cette amélioration ne peut suffire à elle seule pour faire disparaître l'irrégularité du comportement du secteur privé.   D'autres facteurs d'instabilité subsistent et peuvent engendrer des mouvements économiques indésirables.   La contribution de l'Etat ne saurait donc s'arrêter à la prévision; elle comporte une action plus directe et plus déterminante dont il faut analyser les méthodes.

C.   LES SECTEURS DE LA POLITIQUE ÉCONOMIQUE

Lorsque le système de prévision annonce un déséquilibre cyclique indésirable, quels sont les moyens dont dispose l'Etat en vue de l'atténuer et, si possible, de le prévenir ?   Il en existe un grand nombre que l'on peut classifier selon les principaux secteurs de la politique économique, à savoir, la politique monétaire, la politique de commerce international, la politique fiscale et le contrôle de la dette publique.

a.   *La politique monétaire*

L'expérience passée et l'évolution de la théorie économique ont contribué à diminuer l'importance du rôle attribué à la monnaie au cours des cycles.   On reconnaît généralement aujourd'hui que la monnaie n'a pas une influence déterminante et inévitable sur le système économique.   En effet, un volume abondant de monnaie et de crédit, accompagné d'une structure de taux d'intérêt peu élevés, ne peut pas suffire à lui seul pour arrêter une dépression ou pour ramener la prospérité et il ne conduit pas nécessairement à l'inflation lorsque l'économie parvient au plein emploi.   Il ne faudrait pas conclure, cependant, que l'influence de la monnaie est négligeable.   L'abondance de monnaie et de crédit, en effet, est une condition indispensable au retour de la prospérité et à l'apparition de l'inflation.

L'importance et la nature du rôle joué par la monnaie changent avec les phases du cycle économique.   Nous savons par expérience que durant une dépression, ce rôle est plutôt passif et qu'il affecte peu le comportement des dépenses privées.   D'autres facteurs plus dynamiques doivent alors intervenir pour stimuler l'activité économique. Toutefois, l'influence de la monnaie est beaucoup plus déterminante lorsque le plein emploi est atteint. A ce point, l'expansion monétaire conduit à l'inflation à moins que d'autres mesures ne soient prises pour éviter ce résultat.

La politique monétaire, qui a pour objet de contrôler le volume de monnaie et de crédit ainsi que les taux d'intérêt, est donc incapable, à elle seule, d'assurer la stabilité économique. Toutefois, son rôle à cet égard n'est pas négligeable. Au cours d'une dépression tous les économistes admettent que l'expansion monétaire et des taux d'intérêt peu élevés sont désirables. Une telle politique exerce une influence favorable, quoique non décisive, sur le niveau des dépenses du secteur privé et joue un rôle primordial dans le secteur public. En effet, elle permet à l'autorité publique de qui elle relève, — en l'occurrence, au Canada, le gouvernement fédéral — d'accumuler des déficits budgétaires importants, c'est-à-dire de dépenser beaucoup plus qu'elle ne perçoit de revenus sous forme de taxation, sans toutefois ruiner son crédit et alourdir indûment le fardeau de sa dette. On ne saurait trop insister sur l'importance de cette contribution de la politique monétaire à un programme général de stabilité économique. C'est elle qui permet au gouvernement fédéral d'orienter sa politique fiscale de façon à stimuler les dépenses privées et, au besoin, à en compenser l'insuffisance. C'est elle aussi qui met cette autorité publique en mesure d'organiser un système de sécurité sociale capable de survivre à une dépression et d'assurer aux provinces des subsides stables même si le rendement des taxes diminue. Par ailleurs, c'est parce que les gouvernements provinciaux n'ont pas d'autorité en matière monétaire qu'ils ne peuvent supporter de déficits lourds et répétés, qu'ils doivent suivre aussi fidèlement que possible la règle de l'équilibre budgétaire et qu'ils ont besoin de subsides pour maintenir leurs dépenses si leurs sources de revenus se tarissent à la suite d'une diminution de l'activité économique. Tant que ce rôle primordial de la politique monétaire n'a pas été saisi et qu'il n'a pas été envisagé dans la perspective de l'instabilité économique, il est impossible de définir et encore moins de résoudre le problème fiscal que posent les relations fédérales-provinciales.

La contribution de la politique monétaire à la lutte contre l'inflation est plus difficile à apprécier. Il faut considérer tour à tour les différents moyens dont elle dispose et qui peuvent être classifiés en trois catégories: les contrôles obligatoires généraux, les contrôles volontaires généraux et les contrôles obligatoires sélectifs.

Les contrôles obligatoires généraux concernent surtout les opérations sur le marché libre, le taux de réescompte, le niveau et la composition des réserves minima exigées des banques commerciales et relèvent ordinairement de la banque centrale. Ils sont indirects, car ils cherchent surtout à influencer la structure des taux d'intérêt; ils sont aveugles puisqu'ils tentent de changer l'offre et la demande de monnaie et de crédit sans distinguer entre les besoins plus ou moins urgents et plus ou moins utiles.

Puisque ces contrôles agissent surtout sur les taux d'intérêt, leur utilité au cours des périodes inflationnaires dépend donc dans une large mesure des effets d'une hausse de l'intérêt sur le volume des dépenses de consommation, des investissements et des épargnes du secteur privé. A cet égard, deux questions se posent. D'une part, est-ce qu'une hausse modérée des taux d'intérêt est efficace ? D'autre part, est-ce qu'une hausse notable est désirable ?

Il semble bien qu'une augmentation modérée des taux d'intérêt n'est pas très efficace contre les pressions inflationnaires. D'abord, elle ne peut pas exercer une grande influence sur les dépenses de consommation et d'investissement financées à même les réserves accumulées ou les revenus courants. De plus, ni les faits ni la théorie n'ont pu prouver l'existence d'une relation directe entre les variations modérées de l'intérêt et le volume d'épargne. Enfin, une telle mesure est incapable de changer la demande de capital — elle augmente à peine le coût total d'un investissement — et l'offre de crédit surtout lorsque les banques commerciales possèdent des réserves excédentaires.

Par contre, une hausse importante des taux d'intérêt pourrait sûrement mettre fin à la spirale inflationnaire mais elle amènerait presque inévitablement aussi la déflation et la dépression. Entre ces deux effets extrêmes, il existe sûrement un juste milieu, où la variation des taux d'intérêt pourrait juste suffire pour atteindre le résultat recherché, c'est-à-dire la disparition momentanée des pressions inflationnaires. Mais il est impossible de déterminer « a priori » et de trouver du premier coup ce niveau idéal et optimum. Les autorités monétaires ne peuvent donc procéder que par tâtonnements. De telles expériences sont dangereuses car elles conduisent le public à interpréter la politique monétaire comme instable et provisoire. Même s'il était possible de découvrir du premier coup une structure de taux d'intérêt vraiment efficace, les contrôles monétaires généraux auraient pour effet de décourager toutes les dépenses, même celles qui sont destinées à apporter une solution à long terme au problème de l'inflation en augmentant la capacité de production dans les secteurs stratégiques. Enfin, une hausse des taux d'intérêt plus que modérée aurait des conséquences indésirables sur la répartition du revenu national entre les différentes classes de la société, sur le prix des obligations gouvernementales et sur le service de la dette publique.

Ces propositions, pour être démontrées, exigeraient de longues analyses qui sortiraient des cadres du présent exposé. Plutôt que de tenter de les justifier ici, il vaut mieux indiquer quelques références à la littérature [1] et rappeler l'opinion prédominante chez les économistes contemporains.

« One way of doing this (reduction of purchasing power) would be to reverse the process of credit expansion, to reduce the assets of the Bank of England, cut down the cash reserves of the clearing banks, compel these banks to sell investments and refuse overdrafts, and so reduce the swollen total of bank deposits. Such a policy would force a sharp rise in rates of interest, which, if carried far enough, would compel the postponement of many schemes of capital construction and release resources for an increase in the output of consumer goods. Il might very well also lead to a financial crisis, a widespread lost of business confidence, and a severe, if temporary, trade depression. At best, it would involve delay in the restoration of the country's capital, and at worst a period of serious unemployment. Nevertheless, if there were no other alternative to the conversion of England into a slave state, it might be better to choose an old-fashioned deflation with all its temporary discomfort. But it seems possible that there is another way out of our difficulties, unpleasant indeed, but preferable to either of the courses we have so far considered » [2].

---

[1] L. H. Seltzer, « Is a Rise in Interest Rates Desirable », *American Economic Review*, décembre 1945; H. C. Wallich, « Significance of the Interest Rate », *Ibid.*, décembre 1946; P. T. Homan et F. Machlup, *Financing American Prosperity*, New York, 1945.
[2] F. W. Paish, « Cheap Money Policy », *Economica*, août 1947.

« I should incline to the view that raising the rate of interest either has very serious consequences which could not be tolerated or is not an effective way of combatting temporary inflationary tendencies » [1].

« En résumé, l'inflation est un phénomène réel qui doit être combattu par des moyens réels et non par une manipulation monétaire. L'inflation, au sens envisagé ici, provient d'un excès de la demande sur l'offre. Elle peut être combattue, d'une part, en usant de tous les moyens possibles pour accroître l'offre: l'appel de catégories nouvelles de main-d'œuvre sur le marché du travail, la prolongation des heures de travail, l'augmentation du rendement. Elle peut être combattue, d'autre part, en réduisant la demande. Pour réduire la demande, la propagande, les campagnes d'épargnes peuvent avoir un certain effet... Mais avant tout, le rationnement est la méthode appropriée pour limiter la demande. Si le système de rationnement couvre un champ assez vaste et s'il est rigoureusement appliqué, il n'y a pas de danger d'inflation, quoiqu'il puisse advenir de la quantité de monnaie » [2].

Sans aller aussi loin que ce dernier auteur, il semble bien que le développement industriel, le progrès économique à long terme et la lutte contre les dépressions exigent un volume abondant de monnaie et de crédit et des taux d'intérêt peu élevés. Par ailleurs, la hausse de ces taux en vue de combattre l'inflation est ou bien inefficace, si elle est modérée, ou bien indésirable, si elle est excessive, tandis que le juste milieu entre ces deux extrêmes est difficile sinon impossible à déterminer. Sans s'opposer à une hausse générale modérée des taux d'intérêt en période d'inflation, il ne faut pas en attendre des résultats importants. Les contrôles obligatoires généraux ne sont pas des instruments assez flexibles pour lutter efficacement contre les pressions inflationnaires.

Les contrôles volontaires généraux que s'imposent d'eux-mêmes le système bancaire et les sociétés de finance n'ont pas les mêmes effets indésirables. Ils peuvent influencer le mouvement d'expansion monétaire plus efficacement que les contrôles obligatoires sans nécessai-

---

[1] H. H. Hansen, « Stability and Expansion », *Financing American Prosperity*, p. 252.

[2] Joan Robinson, « Budget et Inflation », *Bulletin de l'Institut de Science Economique appliquée,* septembre 1946.

rement changer la structure des taux d'intérêt et sans empêcher la réalisation de projets désirables et urgents. L'autorité monétaire peut sans doute exercer un rôle salutaire en examinant la situation générale de l'économie avec les prêteurs et en leur montrant qu'en période d'inflation, la restriction du crédit est avantageuse pour eux et pour le public en général. La banque centrale peut d'ailleurs recourir à des méthodes de persuasion assez efficaces en laissant entrevoir aux banques commerciales la possibilité qu'elle a d'utiliser des contrôles plus directs et plus gênants.

Les contrôles obligatoires sélectifs cherchent, comme leur nom l'indique, à règlementer la demande de crédit dans des secteurs particuliers, comme le crédit à la spéculation, le crédit au consommateur, le crédit à l'habitation et le crédit agricole. Ces contrôles sont très efficaces. Dans le domaine de l'habitation, par exemple, le paiement initial et le taux d'intérêt peuvent être augmentés ou diminués et la période de remboursement allongée ou abrégée. L'expérience a démontré que de telles mesures ont des résultats immédiats sur le mouvement de la construction.

Toutefois, les contrôles sélectifs ont deux limitations qui en restreignent l'application. D'abord, ils peuvent difficilement faire l'objet d'une politique uniforme parce que la plupart d'entre eux relèvent présentement de plusieurs autorités gouvernementales au Canada. Le crédit au consommateur établi par le système des ventes à tempérament tombe normalement sous la juridiction des gouvernements provinciaux et ceux-ci ont cherché à le contrôler non pas en vue de la stabilité économique, mais afin d'éviter une concurrence excessive qui oblige les entreprises commerciales à supporter trop de crédits et qui nuit au petit commerce. Quant au crédit à l'habitation et au crédit agricole, ils relèvent à la fois du gouvernement fédéral et des législature provinciales de sorte que, si les différents gouvernements ne s'entendent pas sur les buts à rechercher, leurs politiques peuvent être orientées dans des directions contraires et s'annuler réciproquement.

De plus, les contrôles sélectifs aboutissent à la discrimination et ils restreignent certaines dépenses qui peuvent, par ailleurs, répondre à des besoins urgents. Des contrôles sévères sur le crédit à l'habitation et à la consommation ou sur le crédit agricole, tout en servant à lutter contre l'inflation, soulèvent facilement les critiques de l'électorat. On peut même dire qu'ils deviennent d'autant plus impopulaires qu'ils sont efficaces. Il est donc dangereux pour un gouvernement d'y recourir, surtout quand d'autres gouvernements ou d'autres partis politiques sont prêts à utiliser l'impopularité de ces mesures pour consolider leurs positions.

En somme, la politique monétaire est appelée à jouer un rôle auxiliaire important lorsqu'il s'agit de favoriser le développement industriel et le progrès économique ou de combattre une dépression. A cette fin, elle doit assurer un volume suffisant de monnaie et de crédit, de même que des taux d'intérêt peu élevés et relativement stables. En temps d'inflation, les contrôles généraux volontaires et les contrôles sélectifs obligatoires peuvent être très utiles. Toutefois, il faut toujours se rappeler que la politique monétaire ne saurait exercer, à elle seule, une influence déterminante et suffisante pour combattre convenablement soit une inflation soit une dépression. Cette lutte exige donc le recours aux autres secteurs de la politique économique.

b. *Politique de commerce international*

Il est inutile d'insister sur l'importance du commerce international dans un pays comme le Canada. Notre dépendance du commerce extérieur diminue graduellement et relativement, mais elle est encore très grande. C'est ce qui explique pourquoi les variations du volume des transactions internationales peuvent être la cause immédiate et principale de la prospérité ou des crises dans un pays comme le nôtre, même si elles ne sont jamais la cause initiale des fluctuations cycliques.

Lorsqu'une baisse des échanges internationaux est cyclique, elle est attribuable à la diminution temporaire des dépenses domestiques dans les pays industrialisés et importateurs; cette réduction entraîne une chute du revenu national, du volume d'emploi et des importations de ces nations et donc aussi du commerce d'exportation des pays qui leur vendent. La baisse des ventes à l'étranger des pays exportateurs amène un déclin de leur revenu national, ce qui les oblige, à leur tour, à diminuer leurs importations. Dans ce domaine comme dans les autres, le processus cyclique se développe en forme de spirale, par enchaînement de réactions. Les fluctuations cycliques, contrairement aux autres mouvements économiques généraux, tendent toujours à se communiquer d'une industrie à l'autre, d'une région à l'autre et d'un pays à l'autre. On voit ainsi que la prospérité, comme la paix, est indivisible et que l'isolationisme économique n'est pas plus possible que l'isolationisme politique.

Quand une baisse cyclique des échanges internationaux engendre une crise dans un pays exportateur, le seul remède capable d'éliminer la source du déséquilibre est d'appliquer un programme de stabilité économique dans les pays d'où le mal provient. Toutefois, le pays exportateur peut aussi atténuer provisoirement les effets défavorables des fluctuations qui lui viennent de l'étranger. Que peut faire la politique commerciale extérieure à cet égard ?

Les principaux moyens d'action de cette politique sont les droits douaniers, les contrôles directs sur les échanges eux-mêmes, tels que les contingentements et les quotas, les contrôles sur les mouvements de capitaux et sur le taux d'échange. Les subsides à l'importation et à l'exportation, de même que le financement direct des exportations relèvent plus directement de la politique fiscale.

La politique commerciale extérieure est incapable d'assurer la stabilité économique interne d'une nation, même si la crise provient de la diminution de ses ventes à l'étranger. En effet, la politique douanière et le contrôle direct des échanges ne peuvent qu'affecter les importations et si, au moment d'une crise, il n'est pas opportun de stimuler celles-ci, il n'est pas avantageux non plus de les restreindre artificiellement surtout en ayant recours à une hausse des droits douaniers. L'encouragement ainsi donné aux industries exploitant le marché domestique ne fera que compenser la perte de pouvoir d'achat des consommateurs et ne rendra que plus difficile la reprise de l'activité dans les industries de biens de production et d'exportation. L'expérience de la dernière crise a confirmé ce résultat. La dévaluation monétaire peut contribuer à favoriser les exportations tout en décourageant les importations par son action sur la structure des prix, mais à condition de ne pas être imitée par les autres pays. Toutefois, en période de crise, une telle mesure ne saurait avoir de conséquences notables d'autant plus qu'elle amène souvent les autres pays à y recourir à leur tour. L'imitation ou les réactions que provoquent la plupart des mesures qui relèvent de la politique commerciale extérieure d'un pays expliquent en grande partie pourquoi leur utilisation comporte toujours des dangers et risque souvent de ne pas produire les effets désirés.

On ne demande plus aujourd'hui à la politique commerciale extérieure de contribuer à assurer la stabilité économique à court terme. Ce sont surtout ses effets à long terme qu'on recherche en l'orientant de façon à rendre plus libre et à stimuler le commerce international. Cet objectif à longue échéance n'est pas compatible avec les mesures restrictives auxquelles la plupart des pays ont eu recours lors de la dernière crise dans leur tentative bien illusoire de s'isoler du reste du monde. Ainsi, ce secteur de la politique économique, comme celui qui porte sur la monnaie, le crédit et l'intérêt, n'offre pas, dans le contexte actuel, d'instruments efficaces de contrôle cyclique.

Cet exposé ne peut ignorer la crise du commerce international que nous traversons présentement, même si elle n'est pas d'origine cyclique. On a cru un moment — certains le pensent encore — qu'elle était simplement une conséquence de la guerre. La cause du mal apparaît maintenant beaucoup plus profonde. D'ailleurs, son origine est antérieure au deuxième conflit mondial; elle remonte même au lendemain de la guerre de 1914, au moment que le centre de la vie économique internationale est passé de l'Europe à l'Amérique du Nord.

Ce déplacement ne peut s'expliquer sans remonter aux répercussions des grandes révolutions technologiques. Au début du premier conflit mondial, l'Europe approchait de l'apogée de son développement industriel dans les cadres de la technologie du dix-neuvième siècle, tandis que l'Amérique du Nord progressait encore à un rythme rapide que la guerre devait d'ailleurs accélérer. La deuxième révolution technologique qui prit son essor après 1920 et qui eut des répercussions très favorables sur notre continent et particulièrement défavorables en Europe, assura définitivement la suprématie économique de l'Amérique dans le monde. Celle-ci, avec ses immenses ressources, son vaste marché et son goût de l'aventure a pu progresser très rapidement en se suffisant en grande partie à elle-même tant du point de vue du capital que des biens nécessaires à sa production et à sa consommation.

Les pays d'Europe ont tenté de s'adapter à la nouvelle technologie, mais le développement des nouvelles industries comme des anciennes fut paralysé par l'insuffisance relative des ressources naturelles, la localisation désavantageuse des usines, les pratiques monopolistiques, la limitation des marchés nationaux, les habitudes routinières et la disparition graduelle du goût du risque. La stagnation économique devenait donc inévitable et menaçait d'engendrer un déséquilibre international. Celui-ci fut temporairement compensé par les revenus provenant des placements de capitaux à l'étranger et par les débouchés et les sources d'approvisionnements avantageux que constituaient les empires coloniaux. La période qui suivit le deuxième conflit mondial a marqué la fin de ce système. Une grande partie des prêts européens à l'étranger, surtout en Amérique du Nord, furent remboursés; la Russie a créé le bloc soviétique en divisant l'Europe et en attirant la Chine dans son orbite; les empires coloniaux se sont rapidement effondrés et plusieurs pays qui étaient auparavant rattachés économiquement à l'Europe se tournèrent vers l'Amérique et surtout vers les Etats-Unis.

Le centre économique du monde en se déplaçant a créé la crise du dollar. Ce n'était pas la première fois que les échanges internationaux soulevaient des difficultés. Le dix-neuvième siècle, par exemple, a connu le problème de la livre sterling, mais celui-ci n'a pas abouti à une crise. Il a pu être réglé relativement facilement, car l'Angleterre avait besoin d'un fort volume d'importations et pouvait pratiquer. le libre-échange sans nuire à ses propres industries. De plus, grâce à la stabilité politique relative de cette période, elle a réussi à atténuer le déséquilibre par de fortes exportations de capitaux. Enfin, les aspects résiduels du problème purent être réglés par des mouvements d'or et par le protectionisme douanier qu'adoptèrent certains pays. Les relations économiques complémentaires qui existaient alors étaient tellement naturelles que plusieurs économistes ne s'y arrêtèrent même pas et qu'ils expliquèrent l'équilibre des transactions internationales par le régime de l'étalon-or dont les effets étaient censés être tout-puissants et bienfaisants. Cette illusion contribua fortement à la justification du libéralisme économique.

La crise du dollar que connaît notre époque a son origine, comme le problème de la livre sterling, dans les répercussions différentes qu'exercent les révolutions technologiques sur les divers pays et qui entraînent des rythmes de développement industriel et des niveaux de productivité inégaux. Toutefois, elle a des caractéristiques bien spécifiques qui en rendent la solution très difficile.

D'abord, l'Europe de l'Ouest doit lutter contre une technologie qui lui est défavorable. De plus, étant coupée de l'Est et de plusieurs anciennes colonies, elle a perdu certaines de ses sources d'approvisionnement traditionnelles et doit s'alimenter davantage sur le marché américain de sorte que ses importations provenant des Etats-Unis et du Canada sont devenues en grande partie incompressibles. Pour contrebalancer ses importations et pour se développer industriellement, il lui faut des débouchés à l'exportation. Or elle est séparée du marché stable et quasi illimité du bloc soviétique. Elle peut difficilement parvenir sur le marché américain, car les Etats-Unis n'ont pas un grand besoin de ses produits et hésitent à nuire à leurs propres industries en abaissant leurs droits douaniers. Enfin, l'Europe de l'Ouest ne peut pas facilement se tailler une place sur les marchés du reste du monde puisqu'elle doit alors faire face à la concurrence américaine. Les autres régions du monde rencontrent de semblables difficultés.

Comment parvenir alors à rétablir l'équilibre pourtant nécessaire dans la balance des paiements internationaux ? En recourant à des exportations d'or ? Mais les mines d'or traversent une crise parce que, depuis 1933, le prix de l'or n'a pas été augmenté et que leurs frais d'exploitation se sont considérablement accrus. D'ailleurs, pourquoi les Etats-Unis accepteraient-ils d'augmenter le prix de l'or qui ne représente plus que les illusions d'un autre âge ? Les pays débiteurs devraient-ils recourir de nouveau à la dévaluation monétaire et, au besoin, rétablir la convertibilité des monnaies ? De telles mesures auraient sûrement pour effet d'accroître le coût de la vie déjà élevé à l'intérieur de leurs frontières sans contribuer beaucoup à augmenter leurs exportations. Les Etats-Unis pourraient encourager leurs citoyens à effectuer des investissements privés à l'étranger, mais les Américains craignent l'instabilité politique qui règne présentement dans le monde et plusieurs pays n'acceptent pas facilement toutes les conséquences de cette invasion économique. La méthode de l'aide américaine a des aspects paradoxaux, car les dons qu'elle distribue sont probablement plus utiles aux Etats-Unis qui peuvent ainsi continuer à se développer et à prospérer, qu'aux pays qui les reçoivent, mais dont le développement industriel est ainsi partiellement paralysé. D'ailleurs, elle offre d'autres inconvénients qui en limitent l'application.

Les tentatives que l'on fait présentement en vue de réorganiser le commerce mondial sur une base multilatérale et pour convaincre les Américains d'abaisser leurs droits douaniers sont certes louables, mais

elles ne peuvent aboutir à des résultats satisfaisants. L'unification
économique de l'Europe de l'Ouest, complétée par une lutte efficace
contre les pratiques commerciales restrictives est également désirable
en vue d'organiser un vaste marché unique, mais il faudrait aussi que
la nouvelle unité économique mette sur pied un programme gigantesque d'investissements publics, afin de réadapter sa structure industrielle, et puisse maintenir certaines mesures de discrimination contre
la concurrence provenant de l'extérieur. Un tel plan, comprenant
l'intégration économique, le protectionisme commercial et des investissements publics considérables, ressemblerait beaucoup à celui qui
fut mis en application au Canada dans des circonstances analogues
au début de la Confédération.

En plus des difficultés innombrables que soulève l'unification économique et politique en Europe même, on peut se demander si les
Etats-Unis accepteraient de diminuer leurs droits douaniers de façon
sensible, de continuer leur aide économique à l'Europe et de permettre
à celle-ci de maintenir un régime de discrimination contre les exportations américaines. L'opinion publique non seulement aux Etats-
Unis mais aussi au Canada n'est sûrement pas prête à accepter de
telles conditions.

Une autre possibilité de solution qu'on ne peut pas impunément se
refuser de considérer c'est la reprise des relations commerciales entre
l'Europe de l'Ouest et le bloc soviétique. Ces deux vastes régions
économiques sont complémentaires et la Russie pourrait consentir à
se procurer en Europe des produits qu'elle pourrait obtenir des Etats-
Unis à meilleur compte si ce n'était de la guerre froide. La reprise
des relations commerciales entre l'Europe de l'Ouest et le bloc soviétique exige l'exclusion des Etats-Unis de ce vaste marché. Alors,
très probablement, l'Europe de l'Ouest connaîtrait une nouvelle ère
d'expansion industrielle, elle pourrait résoudre sa crise du dollar et
se dispenser de l'aide économique américaine. Mais la Russie ne
consentirait pas à sauver ainsi l'Europe de l'Ouest pour que celle-ci
puisse ensuite se liguer avec les Etats-Unis contre elle. On voit donc
que cette solution exige non seulement l'exclusion des Etats-Unis du
marché qu'offre le bloc soviétique mais aussi la division politique du
monde occidental, ce qui reviendrait à isoler l'Amérique du Nord.

Il est probable que l'Europe de l'Ouest ne choisira pas d'elle-même
cette dernière solution, même si, économiquement, elle semble être

la plus avantageuse et la plus honorable. Tant que la tension internationale durera, elle demeurera rattachée à l'Amérique du Nord. Toutefois, les Etats-Unis et le Canada doivent se rendre compte davantage des sacrifices économiques que ce choix comporte et qui non seulement méritent mais exigent des compensations.

En somme, la deuxième grande révolution technologique a causé un profond déséquilibre commercial dans le monde. L'Amérique du Nord, — en particulier, les Etats-Unis — étant présentement grandement favorisée par la technologie et d'immenses ressources, ne peut pas impunément s'emparer des principaux marchés du monde libre, interdire à celui-ci l'accès à son propre marché par son protectionisme, lui défendre de nouer des relations commerciales avec le bloc soviétique et lui interrompre ou même lui diminuer son aide économique sous prétexte qu'il est indésirable d'organiser la charité sur une base permanente. Il faut prendre garde qu'en Europe, en particulier, les intérêts économiques viennent à prendre le pas sur les motifs idéologiques. Si les Etats-Unis ne peuvent se résoudre à laisser vivre les autres pays normalement, ils doivent au moins leur venir en aide et se convaincre qu'en le faisant c'est à leurs propres citoyens qu'ils rendent d'abord service.

Quant au Canada, il est directement impliqué dans la crise de structure qui sévit présentement dans le domaine du commerce international. Même s'il souffre lui-même parfois de la politique commerciale des Etats-Unis, ce qui le justifie de bénéficier indirectement de l'aide économique que ce pays accorde à l'Europe, cette assistance indirecte ne sera peut-être pas toujours suffisante. Le Canada devra peut-être bientôt reviser son attitude à l'égard des secours économiques à l'étranger. Il ne faut pas s'attendre que la présente crise du commerce international soit surmontée par de simples manipulations douanières et par des mesures superficielles en vue de rétablir un régime, bien illusoire d'ailleurs, de convertibilité monétaire.

Les méthodes traditionnelles de la politique commerciale extérieure sont impuissantes à résoudre les problèmes que créent une baisse cyclique ou structurelle des échanges internationaux dans le monde contemporain. Puisque la politique monétaire et commerciale ne saurait suffire à assurer la stabilité économique, il faut donc se tourner vers la politique fiscale.

c. *La politique fiscale*

La politique fiscale porte sur les dépenses de l'Etat et sur leur financement. La conception qu'on s'en faisait encore au cours de la dernière crise mondiale peut se ramener, d'après E. F. Schumacher, aux règles suivantes:

«1. Donner au budget le moins d'importance possible;

2. Le maintenir en équilibre.

3. Taxer la consommation, c'est-à-dire surtout les pauvres, plutôt que l'épargne, c'est-à-dire les riches.

4. Si on ne peut éviter le déficit, émettre des obligations à long terme.

5. Ne recourir à l'emprunt que pour effectuer des investissements productifs ...

6. Rembourser la dette nationale le plus rapidement possible en augmentant tous les impôts qui frappent la consommation courante » [1].

La conception que l'on se fait maintenant de la politique fiscale et qu'appliquent la plupart des gouvernements démocratiques du monde occidental n'accepte plus ces préceptes. Dans sa nouvelle formulation, la politique fiscale est soumise à l'objectif général de la politique économique. Elle devient même le principal instrument dont dispose l'Etat en vue de l'accomplissement de son nouveau rôle dans le domaine de la stabilité économique. Son but immédiat consiste dorénavant à atténuer et si possible à prévenir les fluctuations indésirables de l'économie d'où qu'elles proviennent. Au cours de cette transformation profonde, elle a gagné en complexité ce qu'elle a perdu en dogmatisme. Désormais, il ne s'agit plus de maintenir les dépenses publiques à un minimum et d'équilibrer le budget grâce à la taxation, mais plutôt d'adapter les dépenses de l'Etat et leur financement à la conjoncture économique. Une politique fiscale bien appliquée constitue notre dernière défense contre l'instabilité économique à l'intérieur d'un système d'initiative privée. Si elle a acquis cette importance, c'est à cause de ses possibilités de souplesse et de l'influence directe qu'elle peut exercer sur le comportement du secteur privé.

---

[1] *L'Economie du plein emploi,* les Presses Universitaires de France, 1949, pp. 101 et 103.

1. *Orientations de la politique fiscale*

Dans le contexte nouveau, l'objectif de la politique fiscale est de maintenir le revenu national au niveau du plein emploi des ressources productives. Le secteur privé de l'économie, laissé à lui-même, est incapable de réaliser cette condition de façon stable. Elle n'est pas davantage garantie si on ajoute aux dépenses privées domestiques les transactions internationales et les dépenses publiques incompressibles. Entre le niveau de revenu national qu'exige le plein emploi et les projets de dépense de ces trois secteurs, il existe presque toujours une différence dans un sens ou dans l'autre. Lorsque les dépenses tendent à être supérieures à ce niveau de revenu, il existe un vide inflationnaire; si, au contraire, elles ont tendance à être inférieures, il y a alors un vide déflationnaire. La prévision économique s'efforce de déterminer à l'avance le sens et l'importance du vide et la politique fiscale sert à le combler.

Deux méthodes différentes peuvent produire ce résultat. La première cherche à maintenir l'équilibre du budget et à redistribuer le revenu national en favorisant soit les groupes qui ont une propension à consommer élevée, soit ceux qui ont une forte propension à épargner. Le vide inflationnaire ou déflationnaire peut aussi se définir par la différence entre le volume d'épargne et les dépenses d'investissements, comme nous l'avons vu au cours du chapitre VII. Si les épargnes sont supérieures aux investissements, il existe des tendances déflationnaires. L'Etat peut alors accentuer le caractère progressif de la taxation sans nuire de façon notable au désir d'investir et distribuer les revenus provenant des taxes aux classes pauvres. Cette redistribution aura pour résultat d'accroître la propension à consommer de la nation et d'éliminer le surplus d'épargne. Si, au contraire, le volume d'épargne est inférieur aux dépenses d'investissements et s'il existe des pressions inflationnaires, l'Etat peut recourir davantage aux taxes régressives pour équilibrer son budget, ce qui aura pour effet de diminuer la propension à consommer de la nation et d'augmenter le volume d'épargne.

La deuxième méthode a pour effet de déséquilibrer systématiquement le budget sans nécessairement tenter de redistribuer le revenu national. Le déséquilibre budgétaire se manifestera sous forme d'un surplus, s'il s'agit d'une menace inflationnaire, ou d'un déficit, s'il existe des tendances déflationnaires. Le montant du surplus ou du déficit devra correspondre à la grandeur du vide inflationnaire ou déflationnaire. Cette méthode, à son tour, peut utiliser deux voies différentes. Dans le premier cas, les dépenses demeurent fixées à leur niveau normal et le surplus ou le déficit est réalisé par des rajustements de la taxation à la hausse ou à la baisse. Dans le deuxième cas, les revenus de la taxation restent relativement fixes et les dépenses publiques varient dans un sens ou dans l'autre, selon les exigences de la conjoncture.

La politique fiscale peut donc, en fait, suivre plusieurs voies différentes pour atteindre son objectif. Chacune d'entre elles possède des avantages et des inconvénients qui lui sont propres. Il serait trop long de les décrire ici [1]. D'ailleurs, dans la pratique, il ne s'agit pas d'utiliser exclusivement l'une ou l'autre méthode mais plutôt d'effectuer un certain dosage qui comporte le recours simultané à l'une et à l'autre mais à des degrés divers selon les circonstances et les origines du déséquilibre. Si, par exemple, une tendance déflationnaire mineure est attribuable à un ralentissement des dépenses domestiques privées, il suffira peut-être de diminuer les taxes qui découragent les investissements ou encore tout simplement d'accroître les impôts défavorables à l'épargne pour éliminer le déséquilibre. Si, par contre, le vide déflationnaire anticipé est considérable, il faudra non seulement diminuer les taxes qui gênent les dépenses privées, mais aussi appliquer un programme d'investissements publics, ce qui, évidemment, ne peut se faire sans un déficit budgétaire considérable. Enfin, si le vide déflationnaire est attribuable à une chute des exportations de blé ou d'aluminium, une baisse des impôts ou la réalisation d'un programme de travaux publics n'offre pas un remède bien efficace et ne peut que contribuer à produire des « goulots d'étranglement » dans certains secteurs industriels où la crise n'a pas encore manifesté ses effets.

On pourrait ainsi continuer à énumérer les sources possibles d'un vide déflationnaire ou inflationnaire et indiquer comment chacune exige une orientation particulière de la politique fiscale. Une telle

---

[1] Même si la littérature sur le sujet est abondante, nous ne signalerons que l'excellent symposium intitulé : *L'économie du plein emploi*, Presses Universitaires de France, 1949, et en particulier l'article de M. Kalacki : «Trois méthodes de réalisation du plein emploi » et celui de E. F. Schumacher: « Les finances publiques et leurs rapports avec le plein emploi ».

énumération n'est toutefois pas nécessaire pour montrer que ce secteur de la politique économique doit rester infiniment souple et bien
intégré.

2. *La taxation et la stabilité politique*

D'après la nouvelle conception de la politique fiscale, les dépenses
de l'Etat et leur financement doivent être dissociés et considérés séparément quoique toujours en vue de la stabilité économique. La
taxation et l'emprunt, qui sont les deux principales méthodes de financement des dépenses publiques, n'échappent pas à cette règle générale.

La taxation n'a pas comme but primordial de procurer des revenus
au gouvernement qui possède l'autorité monétaire. Cette conception
a été exprimée dans sa forme la plus audacieuse par l'économiste
Abba P. Lerner.

« The purpose of taxation is never to raise money but to leave less
in the hands of the taxpayer ... The second great prejudice shows
itself in the inability to see that taxation should never be imposed
merely as a means of raising money for the government on the
grounds that the government needs the money. The government
can raise all the money it needs by printing it if the raising of the
money is the only consideration ... It will tax more generally as
a means of cutting down total spending when this is necessary
to prevent excessice total demand and inflation. Taxation is important not as a means of raising money but as a means of cutting
down private spending »[1].

Ainsi, le niveau de la taxation doit être élevé lorsqu'il existe des
pressions inflationnaires et qu'il faut décourager les dépenses privées;
par contre, il doit être abaissé si la déflation devient une menace et
si les dépenses privées tendent à diminuer. Cette adaptation du
niveau général de la taxation à la conjoncture économique n'est pas
suffisante; il faut changer aussi la structure même de la taxation au
cours du cycle économique.

Il y a deux grandes catégories de taxes: celles qui portent sur les
produits ou les services et celles qui portent sur le revenu net, brut,

[1] Abba P. Lerner, *The Economics of Control*, MacMillan, 1944, pp. 307
et 308.

ou accumulé. Les premières, qui comprennent les taxes de vente et
d'amusement, les droits douaniers et les taxes d'accise, ont surtout
pour effet de décourager les dépenses de consommation et la production courante et donc de stimuler indirectement l'épargne. Elles ont
en général un caractère régressif qu'il ne faut pas trop prendre pour
acquis cependant avant d'avoir examiné chaque cas particulier. Elles
sont relativement faciles à prélever et donnent peu d'ouverture à
l'évasion. De plus, leur rendement est plus stable que celui des
impôts sur le revenu car, au cours du cycle économique, la consommation augmente et diminue moins rapidement que le revenu. Enfin,
sur le plan géographique, leur rendement varie assez étroitement avec
le niveau de la population et il est beaucoup plus régulier que celui
des impôts sur le revenu qui dépend fortement de la localisation industrielle.

La deuxième catégorie d'impôts porte sur le revenu net des individus et des corporations, le revenu brut, les excédents de profits, le
capital, la propriété foncière et les successions. En plus de l'instabilité
du rendement de ces taxes au cours du cycle économique et de leur
incidence très variable sur le plan géographique, ils sont généralement
progressifs, c'est-à-dire, proportionnels à la capacité de payer. Plusieurs d'entre eux sont difficiles à prélever et donnent lieu à l'évasion
fiscale. L'impôt sur le revenu net des individus en abaissant le pouvoir d'achat contribue certes à diminuer les dépenses de consommation mais il abaisse aussi le volume d'épargne. Lorsqu'il atteint un
taux élevé, il peut avoir pour effet de diminuer la durée du travail.
L'impôt sur le revenu net des corporations, et surtout celui qui porte
sur les excédents de profits, tout en réduisant la possibilité d'épargner
des entreprises, exerce ses principaux effets sur la décision d'investir
et donc aussi sur les dépenses d'investissement. Les mesures destinées
à accélérer ou à retarder la dépréciation du capital dans le calcul de
l'impôt peuvent également avoir une grande influence sur la décision
d'investir, comme l'a démontré l'expérience d'après-guerre au Canada.
Par contre, les impôts sur le revenu brut et sur le capital contribuent
à faire baisser le volume d'épargne sans avoir un effet notable sur la
décision d'investir [2].

---

[2] Pour avoir une idée d'ensemble sur les finances publiques, ainsi que sur les
caractéristiques des différentes taxes, on peut consulter le livre édité par
Harold M. Groves et intitulé: *Viewpoints on Public Finance,* Holt and
Company, New York, 1947.

Dans une société qui cherche à maintenir la stabilité économique, le recours à l'une ou l'autre de ces taxes ne peut pas être laissé aux caprices de l'autorité publique. Ainsi, quand il existe des pressions inflationnaires qui proviennent du secteur de la consommation, il devient nécessaire d'accroître non seulement l'impôt sur le revenu des individus mais aussi les taxes sur la consommation. Il faut d'ailleurs augmenter davantage celles qui portent sur les produits soumis aux plus fortes pressions. Si la poussée inflationnaire est attribuable à de trop grandes dépenses d'investissement, il faut hausser l'impôt sur le revenu net des entreprises, taxer fortement les excédents de bénéfices, diminuer les montants déductibles pour fin de dépréciation des nouveaux investissements et, au besoin, les abolir complètement pendant une certaine période. Par contre, quand un fléchissement de l'activité économique se dessine, il est désirable de diminuer les impôts qui découragent les dépenses privées soit de consommation soit d'investissement et recourir davantage à ceux qui ont un effet défavorable sur le volume d'épargne.

Vue dans cette perspective, la taxation prend une toute autre signification que celle que lui attribuaient les économistes classiques. Elle devient un instrument très puissant de contrôle économique en vue de la stabilité. Mais alors, il est très important de noter que les pouvoirs de taxation sont difficilement divisibles. Il ne s'agit pas d'attribuer des pouvoirs exclusifs dans tous les domaines de taxation à l'autorité publique principalement chargée de lutter contre l'inflation et le chômage cycliques. Par contre, il serait illogique d'exiger qu'elle assure la stabilité économique et de limiter ses pouvoirs de taxation soit au domaine des impôts sur les produits et les services soit à celui des impôts sur le revenu, car ce serait lui enlever un instrument indispensable à l'accomplissement de sa fonction. Lorsque l'inflation devient une menace, cette autorité publique doit être en mesure de recourir à tous les impôts capables de diminuer les dépenses qui sont à l'origine du déséquilibre; quand les pressions déflationnaires apparaissent, il faut qu'elle puisse utiliser les impôts qui découragent l'épargne et qu'elle possède suffisamment de contrôle sur l'ensemble du système de taxation pour pouvoir provoquer une baisse des taxes qui ont un effet défavorable sur le niveau des dépenses privées. Si l'autorité publique principalement chargée d'assurer la stabilité doit être capable d'utiliser tous les modes de taxation, ce n'est pas tellement

parce qu'elle a besoin de revenus, — quoique les surplus budgétaires
réalisés au cours des périodes inflationnaires peuvent servir à diminuer
la dette publique accrue par les déficits accumulés au cours des phases déflationnaires — mais parce que la taxation sous ses différentes
formes est devenue un instrument indispensable pour contrôler indirectement les dépenses de consommation, les investissements privés et
le volume d'épargne.   Cette conclusion est d'autant plus justifiée que
l'autorité publique dont dépend la politique monétaire peut toujours
recourir à l'emprunt et à l'expansion monétaire pour financer ses
dépenses.

3. L'emprunt et la dette publique

Encore récemment l'emprunt n'était pas considéré comme une méthode orthodoxe de financement des dépenses publiques mais il a été
réhabilité par les théories fiscales modernes.   Il peut prendre différentes formes : émission de nouvelle monnaie, avances de trésorerie,
bons à court terme et obligations à long terme.   Aucune de ces modalités
n'a d'avantages ou d'inconvénients particuliers.   Il importe surtout de
maintenir un certain équilibre entre elles et de tenir compte dans le
choix de l'une ou de l'autre des préférences de ceux qui détiennent la
dette publique.

« Si le gouvernement refusait d'accorder aux épargnants ce qu'ils
demandent — s'il insistait pour financer exclusivement le déficit au
moyen d'émissions d'obligations à long terme — il provoquerait une
hausse injustifiée du taux de l'intérêt.   S'il persistait (afin que les
charges correspondant aux intérêts demeurent peu élevées), à
financer principalement le déficit au moyen d'avances budgétaires, il
accroîtrait le volume d'espèces monétaires mis à la disposition du
système bancaire de telle façon qu'il s'ensuivrait une rupture de la
structure des taux d'intérêts, entraînant les répercussions que nous
avons déjà signalées sur les valeurs en capital » [1].

Les effets de l'accroissement de la dette publique dépendent en
partie de la composition du groupe que forment les créanciers du
gouvernement.   Il est rarement désirable que les emprunts gouvernementaux soient financés à l'extérieur du pays, car alors le rembourse-

---

[1] E. F. Schumacher, Symposium sur : *L'économie du plein emploi,* Presses
Universitaires de France, 1949, p. 135.

ment et le service de cette dette représentent véritablement un fardeau pour l'économie nationale et ils ont des effets défavorables sur la balance des paiements à l'étranger. Par contre, si un emprunt gouvernemental est souscrit par le système bancaire, il peut favoriser l'expansion monétaire en vertu de notre système de réserves fractionnaires. Enfin, un emprunt financé par le public peut avoir des effets déflationnaires en diminuant les réserves liquides des individus et des entreprises.

Le gouvernement qui possède l'autorité monétaire a une capacité d'emprunt beaucoup plus grande que celle des autres gouvernements et du secteur privé. En effet, grâce au contrôle qu'il exerce sur la banque centrale, il peut toujours déterminer les conditions de ses futurs emprunts.

« (Ce) gouvernement, contrairement aux autres emprunteurs, peut toujours modifier la situation du marché. Il peut à tout moment créer une pléthore ou une pénurie d'espèces monétaires. Durant cette guerre, le Trésor a organisé à cet effet une sorte de mécanisme automatique. Le montant des obligations à long terme à échéances diverses, au taux d'intérêt stable de $2\frac{1}{2}$ à 3 pour cent, n'est plus fixé à l'avance: il demeure indéterminé. Supposons que le gouvernement veuille dépenser un milliard de livres de plus que ses recettes. Si l'émission « on tap » (émission-robinet) n'a donné lieu, par exemple, qu'à 500 millions de souscriptions, il finance la différence en partie au moyen de bons du trésor et de certificats de dépôt et en partie par des avances budgétaires. Il s'ensuit que c'est la préférence exprimée par le marché lui-même qui détermine la forme que prend l'épargne résultant des dépenses que le gouvernement effectue grâce au déficit budgétaire. Cette méthode permet de maintenir le taux d'intérêt à long terme absolument stable » [1].

Ainsi, le gouvernement qui détient le contrôle monétaire peut emprunter les sommes qu'il désire tout en maintenant stables le prix de ses obligations et le taux d'intérêt. Cette conclusion est d'une importance fondamentale quand il s'agit de répartir les fonctions entre

---

[1] E. F. Schumacher: « Les finances publiques et leurs rapports avec le plein emploi » — Symposium sur *l'Economie du plein emploi*, Presses Universitaires de France, 1949, pp. 129-130.

les différents gouvernements et d'aménager un système de finances publiques apte à assurer la stabilité économique.

Mais alors quelles sont les règles générales qui doivent gouverner la politique d'emprunt ? Elles découlent de l'objectif général de la politique fiscale et se résument à éviter l'inflation et le chômage cyclique. Il est indéniable que l'emprunt destiné à combler un déficit budgétaire contient en lui-même le virus inflationnaire, mais il ne conduit pas nécessairement à l'inflation. Bien au contraire, lorsqu'il existe des pressions déflationnaires, il peut tout simplement contrebalancer ces tendances et empêcher une diminution indésirable des prix et de l'activité économique. Il ne fait alors que compenser le surplus d'épargne qui existe dans le secteur privé. Ce n'est que si l'économie approche du plein emploi et tente même de dépasser ce stage que le virus inflationnaire d'un déficit budgétaire apparaît dans toute sa force. A ce moment, tous les emprunts, sauf ceux qui sont effectués auprès des individus et des entreprises privées, deviennent indésirables. S'ils sont inévitables et importants, la seule alternative réside dans le contrôle des prix et le rationnement, comme il a été possible de le constater au cours de la dernière guerre, car alors le rendement plus élevé des taxes ne suffit plus à combattre l'inflation.

L'emprunt et la taxation sont donc, dans la plupart des cas, des moyens complémentaires de financement des dépenses publiques. C'est pourquoi la règle de l'équilibre budgétaire est bien loin d'être le critère définitif qui permet de juger de l'efficacité et de la sagesse d'un gouvernement. Tout dépend de la conjoncture économique. L'autorité publique à qui il incombe principalement d'assurer la stabilité doit, selon les circonstances, réaliser des surplus ou des déficits budgétaires importants si elle a vraiment le sens de ses responsabilités.

Que faut-il penser alors du fardeau de la dette publique ? On peut espérer qu'il ne soulèvera pas de difficultés surtout dans un pays comme le Canada où le développement industriel est intense. Les déficits budgétaires accumulés au cours d'une crise peuvent être compensés, en partie ou totalement, par les surplus servant à combattre l'inflation pendant la prospérité. De plus, il existe une profonde différence entre une dette nationale détenue à l'intérieur du pays et les dettes privées. La dette publique est une dette des citoyens envers eux-mêmes et elle ne causerait pas de problème si elle était également répartie entre ceux-ci. Même si les citoyens ne sont pas tous au même degré les créancier de l'Etat — ceux-ci se recrutent surtout parmi la classe riche — ce sont précisément les détenteurs de la dette publique qui en supportent le principal fardeau dans un système progressif de taxation.

Il y a là toutefois un inconvénient car, à mesure que la dette augmente, il devient de plus en plus difficile de redistribuer le revenu national grâce à la taxation progressive. Une dette publique qui s'accroît rapidement introduit donc un élément de rigidité dans les finances publiques. Ce désavantage devrait suffire pour convaincre l'Etat de ne pas augmenter la dette publique sans raisons valables. Toutefois, il n'est pas grave au point de rendre indésirables les déficits budgétaires réalisés en vue de la stabilité car les conséquences d'une crise économique sont beaucoup plus néfastes. D'ailleurs, au cours d'une dépression, la dette publique augmente nécessairement et le fardeau qu'elle impose devient de plus en plus lourd à mesure que le revenu national diminue.

4. L'aménagement des dépenses publiques

Non seulement l'Etat doit adapter ses méthodes de financement à la conjoncture économique, mais il a l'obligation d'aménager ses dépenses en fonction de la stabilité. Il est évident que les dépenses incompressibles, celles qui sont consacrées à la santé, à l'éducation et à la défense, par exemple, ne peuvent pas facilement être soumises à cette planification. En d'autres termes, il y a toujours des déboursés gouvernementaux inévitables. Par contre, plusieurs dépenses, tout en étant utiles sur le plan économique ou social, peuvent être accélérées ou retardées sans trop d'inconvénients. La diminution de ces dépenses lorsqu'il existe une menace inflationnaire et leur accroissement au cours des périodes déflationnaires peuvent fortement contribuer à la stabilité économique, surtout si le domaine normalement réservé au secteur privé n'est pas envahi par l'Etat.

Toutefois, il ne s'agit pas seulement de faire varier le niveau global des dépenses publiques en fonction de la conjoncture. Il faut constamment reviser la composition de ces dépenses. L'Etat a le choix entre plusieurs possibilités: investissements publics, — construction d'écoles, d'hôpitaux et de grandes routes servant à accroître le volume d'emploi, le revenu national et les investissements privés — octrois spéciaux à certaines industries, aide à la construction de maisons, subventions à la consommation, soit sous forme de sécurité sociale, soit en vue de maintenir le prix de certains produits, financement des exportations sous forme de prêts ou de dons à l'étranger. Dès que le chômage apparaît, certaines gens proposent d'organiser immédiatement un programme de travaux publics. Le problème est beaucoup plus complexe. En effet, un tel programme ne serait pas tellement efficace au cours d'une dépression si celle-ci était attribuable à la mévente du blé canadien sur les marchés mondiaux. Dans une telle occurrence, il faut avant tout stimuler les exportations et même, au besoin, les financer. En agissant ainsi, l'Etat maintient plus sûrement la stabilité économique et à un coût moindre que s'il utilise d'autres moyens. L'aménagement des dépenses publiques en vue de la stabilité implique un choix qui doit reposer sur un diagnostic du déséquilibre.

Dans le domaine des dépenses, comme dans celui de la taxation, on ne saurait impunément limiter les pouvoirs du gouvernement qui est chargé de la principale responsabilité à l'égard de la stabilité économique et qui, seul, peut accumuler des déficits budgétaires importants à cause de son autorité sur la politique monétaire. Pour qu'il combatte efficacement une menace déflationnaire, il doit avoir accès à tous les secteurs de dépenses, soit directement, soit indirectement en distribuant des octrois aux autres institutions publiques ou privées. Comment pourrait-il réaliser un déficit budgétaire important s'il ne peut recourir aux principales catégories de dépenses publiques domestiques, — sécurité sociale, aide à l'habitation et à l'éducation, construction d'hôpitaux et de routes, protection et conservation des ressources naturelles — s'il est violemment critiqué quand il cherche à stabiliser les transactions internationales en finançant lui-même certaines exportations et s'il lui est impossible de concurrencer l'initiative privée ? S'il est exclu de tous ces domaines, il n'est plus possible d'assurer la stabilité économique, car les autres gouvernements, n'ayant pas d'autorité dans le domaine monétaire, ne peuvent pas accumuler de déficits budgétaires importants, ce qui constitue pourtant le principal moyen capable de compenser le fléchissement des dépenses privées.

Telles sont les grandes lignes de la politique fiscale qui est devenue l'arme principale de notre défense contre l'instabilité économique.

On conviendra sans doute qu'elle n'est pas facile à manier. C'est pourquoi elle ne peut être confiée qu'à des experts, du moins au stage de l'élaboration. Cette exigence soulève un aspect du problème de la bureaucratie même si elle ne fait que rappeler la nécessité de la division du travail et de la spécialisation des tâches dans l'administration publique. Confier à des spécialistes l'élaboration de la politique fiscale, dont dépend en partie le bien-être de la société, est aussi souhaitable que de s'en remettre à l'ingénieur pour construire un pont, au médecin pour soigner les malades et à l'avocat pour éclaircir un point de droit. Une autorité publique qui se vante de se passer d'experts ou de ne pas les consulter dans l'élaboration de sa législation démontre beaucoup plus son ignorance que sa sagesse politique.

Il faut noter enfin que le nouveau rôle de la politique fiscale exige qu'elle soit bien intégrée, afin de prévenir des orientations contradictoires et de lui conserver sa souplesse et sa flexibilité. Les retards, causés par la lenteur du processus administratif ou par le prolongement des discussions entre des autorités qui ne veulent pas s'entendre, peuvent l'empêcher d'intervenir au moment propice et lui enlever une grande partie de son efficacité.

D. LA STABILITÉ ÉCONOMIQUE EST-ELLE UNE CHIMÈRE ?

Deux questions importantes n'ont pas encore été abordées. La politique économique telle que nous l'avons décrite est-elle vraiment capable d'atténuer les fluctuations cycliques de façon satisfaisante et de réduire l'inflation et le chômage à des dimensions acceptables ? Quelles sont les autres solutions possibles ?

L'expérience vécue depuis le début du deuxième conflit mondial démontre qu'une politique économique bien conçue, bien appliquée et supportée par une opinion publique éclairée peut assurer la stabilité économique. En effet, c'est grâce au programme de dépenses publiques nécessité par la guerre que l'économie canadienne est sortie de la dépression à partir de 1939. Son influence a été tellement considérable que le niveau du plein emploi exprimé en termes monétaires a même été dépassé. Ce dépassement de l'objectif n'est pas le résultat inévitable de la politique économique; il s'explique plutôt par le caractère incompressible des dépenses d'armements dans une guerre totale et par une certaine immobilité des ressources. Telle est l'origine du vide inflationnaire qui fut alors systématiquement créé. L'inflation n'en fut pas moins évitée au cours du conflit, même s'il devint nécessaire de recourir à la régie des prix et à certaines formes de rationnement.

Il est vrai que la montée des prix a été rapide à partir de 1946, mais elle doit être attribuée au refus de suivre les prescriptions de la politique économique plutôt qu'aux limitations de celle-ci. On se souviendra sans doute des campagnes organisées au Canada et ailleurs par les principaux groupements privés et destinées à forcer le gouvernement à mettre fin au système du rationnement et des régies. A ce moment, la demande accumulée était trop forte et les réserves liquides du secteur privé trop élevées pour que de simples méthodes indirectes puissent à elles seules éliminer rapidement les pressions inflationnaires. D'ailleurs, notre politique fiscale a manqué de coordination. Au moment où certains gouvernements diminuaient leurs dépenses, d'autres les augmentaient rapidement contribuant ainsi à nourrir l'inflation. On peut donc dire que la nation canadienne a alors décidé, consciemment ou non, d'ignorer les mécanismes économiques et de se payer le luxe de l'inflation.

Au cours de 1949, les premiers signes d'un fléchissement de l'activité économique sont apparus surtout aux Etats-Unis. Les dépenses publiques consacrées aux armements et nécessitées par le déclenchement du conflit coréen ont réussi à prévenir un recul économique au Canada. La courte période d'inflation qui suivit fut surtout causée par la peur d'une guerre totale. Les gouvernements se hâtèrent d'accumuler des réserves de matières premières et de produits nécessaires au réarmement. Les citoyens, anticipant de nouvelles raretés et peut-être le rationnement de certaines denrées, voulurent également se créer des réserves ou se procurer des biens dont ils n'avaient pas besoin immédiatement mais qu'ils craignaient de voir disparaître du marché. Une fois passée la première réaction de peur collective, les méthodes indirectes de contrôle soit fiscales soit monétaires réussirent à rétablir la stabilité économique assez rapidement. Enfin, depuis 1950, si le chômage cyclique n'est pas apparu, — les chômages structurel et saisonnier n'en existent pas moins — c'est encore grâce, en grande partie, au programme de réarmement.

Si les dépenses publiques réussissent à mettre fin à une crise et à empêcher le fléchissement de l'activité économique quand elles portent sur le réarmement, pourquoi n'auraient-elles pas le même résultat lorsqu'elles sont consacrées à des projets pacifiques dont la réalisation exige l'utilisation des mêmes ressources productives ? Ces expériences sont d'ailleurs confirmées par la théorie économique moderne.

Il existe, à ce sujet, une grande unanimité d'opinion parmi les économistes. Il est très significatif que leurs divergences de pensée s'atténuent au moment même où leurs sources d'information se multiplient, leurs instruments d'analyse se perfectionnent et les concepts qu'ils utilisent se précisent. Les dissidents se ramènent à deux groupes principaux. Il y a d'abord le groupe de ceux qui ne se sont jamais donné la peine de s'initier à la théorie économique moderne ou qui se refusent à l'accepter par besoin d'originalité ou qui n'ont pas été capables de s'adapter aux nouveaux cadres et aux nouveaux instruments d'analyse après avoir été formés dans la tradition des économistes classiques. Il y a aussi le groupe de ceux qui sont plus doctrinaires que théoriciens et qui sont moins intéressés à rendre compte de la réalité qu'à la justifier ou à la changer. Ce groupe se situe avant tout sur le plan doctrinal et se divise entre le libéralisme et le marxisme. Oubliant les exigences du réalisme scientifique et même souvent celles du bien-être général, il lutte surtout pour le triomphe d'une doctrine, au mépris parfois de l'initiative privée ou de la promotion du prolétariat qu'il veut défendre.

Hors ces groupes dissidents, qui constituent une minorité, la majorité des économistes acceptent dans leur ensemble l'orientation et le contenu de la politique économique exposée ici de façon sommaire. Cette communauté de vues ne se limite pas aux milieux académiques et aux spécialistes. Elle est apparue aussi au niveau gouvernemental. A la fin du dernier conflit mondial, les Etats-Unis, les principaux pays du Commonwealth, y compris la Grande-Bretagne et le Canada, la Scandinavie et certains pays du Continent européen ont publié des Livres blancs d'une remarquable similitude qui proclamaient l'adhésion des gouvernements de ces pays à la nouvelle politique économique.

Les divergences entre les principaux partis politiques — sauf évidemment les partis d'extrême-gauche ou d'extrême-droite — deviennent beaucoup plus apparentes que réelles. Plusieurs partis, ayant refusé d'accepter cette nouvelle conception de la politique économique quand ils étaient dans l'opposition ou en campagne électorale, ont changé complètement leur attitude une fois parvenus au pouvoir. De tels renversements sont survenus à peu près partout où il y eut des changements de gouvernements depuis la dernière guerre. Les partis conservateurs en Angleterre, en Australie et en Nouvelle-Zélande et surtout l'administration républicaine aux Etats-Unis constituent sans doute les meilleures illustrations de cette conversion au réalisme sous la pression des circonstances et des responsabilités du pouvoir.

Enfin, les groupements privés acceptent de plus en plus les conceptions nouvelles. On peut le constater au Canada par les pressions qui s'exercent sur le gouvernement fédéral, au moindre signe de chômage même saisonnier, pour le convaincre d'appliquer un vaste programme de travaux publics, de réduire les taxes et de se lancer ainsi sur la voie du financement déficitaire. Même si certaines de ces revendications sont inopportunes ou trop simples, elles n'en révèlent pas moins une orientation bien précise de l'opinion publique.

La nouvelle politique économique n'a pas que des avantages. Elle a aussi des inconvénients qui font naître des griefs. Elle contribue à accroître le rôle de l'Etat même si elle se limite surtout à des mesures de contrôle et d'intervention indirectes. Pour être souple et efficace, elle exige sûrement une certaine centralisation des pouvoirs de l'Etat entre les mains de l'autorité publique dont dépend la politique monétaire. Elle oblige les gouvernements à réduire leurs dépenses et à maintenir la taxation élevée, quand apparaissent les pressions inflationnaires. Elle accroît la dette publique et décourage les épargnes privées au moment d'une dépression. Ces caractéristiques constituent autant de désavantages qui peuvent rendre la politique économique impopulaire surtout au cours des périodes d'inflation.

Mais alors quels sont les autres choix possibles ? Il y a d'abord la solution offerte par le libéralisme économique qui laisse le secteur privé à lui-même, considère l'instabilité économique comme une fatalité et exige que l'Etat se comporte comme une entreprise privée. Cette solution, qui s'en tient exclusivement aux mécanismes aveugles du marché, engendre, on le sait, des maux très graves et ne peut même pas éviter les inconvénients de la nouvelle politique économique. Si on se plaint en période d'inflation que le surplus budgétaire réalisé par une diminution des dépenses publiques et par des taxes élevées abaisse le niveau de vie réel de la population, — en fait il ne le diminue pas mais il élimine un pouvoir d'achat qui, s'il était utilisé en période de plein emploi ne ferait que contribuer à gonfler les prix —

alors il faut reconnaître que les pressions inflationnaires laissées à elles-mêmes produisent le même résultat beaucoup plus sûrement tout en pesant davantage sur les classes pauvres. Si, en période déflationnaire, on reproche à l'Etat de vouloir compenser, sinon diminuer, le surplus d'épargnes privées, et d'accroître la dette publique, il faut admettre que la solution du libéralisme économique, en laissant la crise se dérouler normalement, contribue à détruire les épargnes du public et à accroître l'endettement privé en tarissant ou en réduisant les sources de revenus. Elle produit inévitablement tous ces résultats et elle engendre, en plus, les misères innombrables qui accompagnent le chômage généralisé. En somme, cette solution est inacceptable car elle ne tente même pas de lutter contre l'instabilité économique; étant extrémiste, elle risque fort de provoquer l'application de la doctrine opposée.

En effet, il existe une autre solution possible, fort simple elle aussi, qui veut éviter l'instabilité économique en remontant à sa source même et en supprimant l'initiative privée. Elle est sûrement efficace car elle laisse exclusivement à l'Etat le soin de déterminer le niveau de l'activité économique et des prix. Le gouvernement peut alors assurer la stabilité économique s'il en fait le premier objectif de son plan d'action. Par contre, cette solution pose de graves problèmes économiques et politiques. Il est impossible de les analyser ici. D'ailleurs, la grande majorité des gens sont convaincus, au fond d'eux-mêmes, qu'il s'agit là d'une solution de désespoir. Elle est souvent imposée mais rarement choisie. Quand elle est acceptée par un individu ou un groupe, ce choix n'est pas souvent le résultat d'une démarche rationnelle. Pour l'ensemble d'un peuple, elle reste une solution ultime quand la misère devient insupportable. Les démonstrations abstraites et doctrinales montrant les avantages de l'initiative privée ont généralement peu d'effets, car la majorité des gens préfèrent naturellement conserver leur liberté d'action. Par contre, si l'initiative privée donne de mauvais résultats, l'argumentation la plus serrée ne réussira pas à prévenir les solutions extrémistes, s'il ne s'en offre pas d'autres qui, tout en étant moins radicales, peuvent assurer un niveau satisfaisant et stable de bien-être général.

L'instabilité économique est sans doute, sur le plan domestique, le plus grave danger qui menace la démocratie canadienne à notre époque. La nouvelle politique économique représente vraisemblablement la seule solution efficace à ce problème qui soit en même temps compatible avec l'initiative privée et nos traditions politiques. Retourner au libéralisme économique aboutirait à condamner tôt ou tard l'ensemble de la population canadienne à une diminution inacceptable de bien-être, ce qui serait sans doute le plus sûr moyen de l'inciter à recourir à une solution radicale qu'elle ne désire pas pour le moment.

CHAPITRE XI

L'ÉTAT, LA DISTRIBUTION ET LE
BIEN-ÊTRE SOCIAL

L'Etat a non seulement le devoir d'assurer un revenu national stable et élevé; il doit aussi en surveiller la distribution afin que les différents groupes de la société reçoivent leur juste part. La nature des responsabilités de l'Etat dans le partage du revenu national varie selon la composition de la population active et de la population inactive. C'est précisément ce que nous allons maintenant analyser.

A. La distribution et la population active

a. *Les relations patronales-ouvrières*

Le premier souci de l'autorité publique à l'égard du marché du travail doit être de maintenir un certain équilibre des forces tel que ni les employeurs ni les ouvriers ne puissent imposer unilatéralement leur volonté, car une telle domination serait incompatible avec les exigences d'une distribution équitable du revenu national. Les unions ouvrières ont pour effet de changer profondément la nature du marché du travail et de poser ce problème d'équilibre dans une nouvelle perspective.

L'autorité publique peut décider d'interdire les groupements de travailleurs et prendre alors des mesures pour atténuer la domination qu'exerce l'employeur. La législation destinée à prohiber le travail des enfants, à fixer un salaire minimum, des vacances payées ainsi que certaines autres conditions de travail s'inspire sans doute de cet objectif. Mais elle ne peut avoir que des résultats très limités car, tout en cherchant à éliminer les conditions de travail inhumaines, elle ne peut ignorer la situation précaire des entreprises marginales. C'est dire que la position dominante de l'employeur ne peut pas être grandement affaiblie de cette façon.

De plus, le mouvement de concentration du pouvoir économique peut se développer sans rencontrer beaucoup d'obstacles de l'Etat. Même celui-ci y contribue par sa législation sur les sociétés anonymes, laquelle donne une entité légale aux associations d'actionnaires et rend possible la mise en commun de masses énormes de capitaux grâce à certains privilèges tels, par exemple, la responsabilité financière limitée. Même si la législation sur les corporations vise d'autres objectifs, elle a aussi pour effet de consolider la position des entreprises sur les marchés des produits et du travail. Elle constitue la reconnaissance légale par l'Etat des associations d'actionnaires.

Puisque l'Etat contribue à accentuer le déséquilibre des forces sur le marché du travail et permet aux propriétaires de l'entreprise d'y faire défendre leurs intérêts par des délégués assignés à cette tâche, il ne peut plus interdire les unions ouvrières dont la force politique s'affirme de plus en plus. Il se doit même de les encourager en reconnaissant légalement leur existence et le droit des ouvriers de se désigner des représentants pour négocier leurs conditions de travail avec les délégués des propriétaires de l'entreprise. Il n'est donc pas étonnant que l'Etat oblige un employeur à négocier avec une union ouvrière librement constituée et dûment reconnue. Bien au contraire, il est plutôt surprenant que certains gouvernements, pour accorder ou conserver la reconnaissance légale à une union ouvrière, mettent tant de conditions inutiles à la protection de la liberté de choix du travailleur, alors qu'ils sanctionnent si facilement les groupements d'actionnaires pourvu que les intérêts de ceux-ci soient protégés.

C'est encore en vue de maintenir un meilleur équilibre sur le marché du travail, d'accorder aux unions ouvrières un avantage dont les associations d'actionnaires n'ont pas besoin et, en définitive, de promouvoir la paix industrielle, que six gouvernements provinciaux au Canada obligent les employeurs, par une loi, à accepter la formule de la retenue syndicale volontaire et révocable. Cette forme de sécurité syndicale signifie que tout membre d'un syndicat peut, s'il le désire, autoriser son employeur à déduire la cotisation syndicale de son salaire et mettre fin à cette autorisation quand il le juge à propos, même pendant la durée de la convention collective.

On prétend parfois qu'une telle formule restreint la liberté de l'ouvrier et limite son droit de disposer de son revenu comme il l'entend. Cette prétention n'a pas de fondement. L'employé qui, de sa propre initiative, demande à son patron de retenir sur son salaire le montant de la prime mensuelle destinée à payer son assurance-maladie restreint-il sa liberté ? Certes non, d'autant plus que cet arrangement cesse dès qu'il retire l'autorisation volontaire qu'il avait donnée à son employeur.

La retenue syndicale volontaire et révocable est à l'avantage du travailleur. Dès qu'un ouvrier constate que le syndicat est devenu un instrument indispensable de protection et de sécurité et qu'il accepte librement d'en faire partie, il reconnaît du même coup qu'il doit contribuer à son financement. Par ailleurs, le versement direct des cotisations à tous les mois peut présenter un inconvénient parfois aussi considérable que le sacrifice d'argent qu'il comporte. Si des travailleurs décident de former un syndicat et de se donner des dirigeants, ils ne désirent sûrement pas que leurs chefs consacrent une partie de leur temps à recueillir les cotisations syndicales et à visiter ceux qui, par simple négligence, n'effectuent pas leurs paiements. Les dirigeants syndicaux ont autre chose à faire et s'ils ne remplissent pas convenablement leurs fonctions après avoir obtenu la retenue syndicale, les travailleurs peuvent toujours les changer ou suspendre le paiement de leurs cotisations en avertissant leur employeur en conséquence.

Cette forme de sécurité syndicale est aussi à l'avantage de l'employeur qui désire négocier de bonne foi avec l'union ouvrière. La charge additionnelle qu'entraîne l'application de ce système est mnime. Quand un employeur a été amené à reconnaître juridiquement le syndicat, il est de son intérêt immédiat de l'accepter aussi en fait et même de le consolider de façon à l'amener à être raisonnable. Autrement, les dirigeants du syndicat interprètent son refus d'accorder la sécurité syndicale comme un acte d'hostilité. Pour convaincre les membres de l'union de verser directement et régulièrement leur cotisation, ils sont naturellement portés à insister sur les torts de l'employeur et peut-être tentés de lui en attribuer indûment. En somme, l'insécurité du syndicat fait naître un climat psychologique hostile et un état de guerre froide qui peut facilement dégénérer en conflit ouvert. Un employeur n'a rien à gagner sur une longue période à maintenir des relations tendues avec les dirigeants du syndicat et s'il veut les amener à comprendre son point de vue, il doit leur donner des preuves tangibles de son esprit de collaboration.

La retenue syndicale volontaire et révocable est donc une formule désirable de paix industrielle. Elle a été acceptée librement par les patrons et les travailleurs dans un très grand nombre d'entreprises. Il est temps que l'État la généralise en la rendant obligatoire dans tous les cas où un syndicat est dûment reconnu. Une telle législation aurait pour effet de rétablir un certain équilibre de forces sur le marché du travail et d'éviter des acrimonies et des conflits inutiles.

La reconnaissance en droit et en fait des unions ouvrières ne règle pas tous les problèmes. Son principal résultat est de confirmer la transformation du marché du travail en monopole bilatéral. Toutefois, l'employeur et le syndicat n'ont pas de critères objectifs, précis et reconnus de part et d'autre pour déterminer la valeur du travail ou le niveau des salaires. Dans ces conditions, le monopole bilatéral, contrairement aux autres types de marchés, n'aboutit pas à un point d'équilibre [1] mais à une indétermination, qui se situe entre le niveau de subsistance, pour le travailleur, et de profit nul, pour l'employeur. Ces limites extrêmes de l'indétermination n'ont qu'une signification théorique. Dans la pratique, la zone indéterminée est plus réduite. En période de hausse, l'employeur s'en tient, au pire, aux conditions de travail prévues dans l'entente antérieure tandis que le syndicat ne formulera pas de revendications ayant pour effet d'éliminer les profits. En période de baisse, les travailleurs s'efforceront de conserver l'ancien taux des salaires et le patron ne tentera pas de ramener la rémunération de ses employés au simple niveau de subsistance à moins que la crise ne soit très aiguë.

A l'intérieur de cette zone, le résultat des négociations dépend en partie de la « volonté » de résistance de l'employeur et du syndicat. La volonté de résistance est un terme technique qui se définit par le rapport entre le gain et la perte qui peuvent résulter de l'interruption des négociations et d'un conflit ouvert. Dans le cas d'une demande d'augmentation de salaires, par exemple, le gain éventuel du syndicat est mesuré par la différence entre sa demande et l'offre du patron tandis que la perte possible dépend des conditions de travail accordées par l'employeur et de la longueur probable du conflit. Pour le patron, l'économie éventuelle équivaut au gain du syndicat et la perte à laquelle il s'expose est déterminée par la durée probable de la grève,

---

[1] Henri Denis, *Le monopole bilatéral,* Presses Universitaires de France, 1947. 1947.

les conditions de la demande pour le produit et le volume des stocks. Le danger de conflit est grand si la volonté de résistance ainsi définie est forte et à peu près égale de part et d'autre.   Si elle est inégale, la partie la moins favorisée à cet égard fait des concessions, ce qui a pour effet d'accroître sa propre volonté de résistance et de réduire celle de la partie adverse.   L'employeur et le syndicat peuvent ainsi en arriver à une entente par voie de tâtonnements successifs.

Il faut aussi tenir compte de la « capacité » de résistance, car il peut se faire qu'une partie ait une volonté de résistance forte mais qu'elle n'ait pas la puissance suffisante pour imposer sa volonté.   La capacité de résistance dépend de facteurs financiers, psychologiques et politiques.   Les réserves de trésorerie et les fonds disponibles sont d'une grande importance, car dans toute négociation de ce genre, la partie qui peut attendre est plus forte que l'autre.   L'entreprise dont la trésorerie est solide et qui sent derrière elle de puissants concours financiers peut faire traîner les négociations en longueur et, au besoin, les rompre temporairement.   Le syndicat sera puissant s'il a des fonds abondants, si ses membres ont des économies, s'il peut compter sur des secours extérieurs et sur la collaboration des commerçants de la localité.   La capacité de résistance d'un groupe dépend beaucoup aussi de sa capacité de rallier les classes dirigeantes, les forces de propagande et l'ensemble de la population.   Enfin, elle est grandement influencée par l'attitude des gouvernements.

Dans la pratique, les divergences doctrinales, les préjugés, le manque de confiance, l'entêtement, l'âpreté au gain et l'ignorance sont souvent des sources de conflits.   Pourtant, si au moment des négociations, les parties acceptaient un critère objectif et quantitatif de détermination des salaires ou si elles consentaient à considérer froidement les motifs qu'elles invoquent pour justifier leurs positions respectives ou si, tout simplement, elles portaient plus d'attention au calcul de leur volonté et de leur capacité de résistance, elles en viendraient plus facilement à une entente et un grand nombre de conflits seraient évités.

Plutôt que de tenter de mettre les parties en face de leurs responsabilités immédiates, l'autorité publique, dans la province de Québec en particulier, a préféré prolonger le débat en le reportant à un autre niveau. C'est ainsi que l'arbitrage est né. Celui-ci a remplacé le droit de grève dans les services publics et il est devenu une condition préalable à l'exercice de ce droit dans toutes les industries du secteur privé. L'arbitrage domine maintenant le marché du travail car il transforme tout le processus suivi au cours de la détermination des conditions de travail. L'influence de l'arbitrage se fait sentir dès le stade des négociations et de la médiation. En effet, l'une ou l'autre des parties n'acceptera les résultats de ces discussions que si elle est assurée de ne pas pouvoir obtenir de conditions plus favorables en recourant à l'arbitrage. Par ailleurs, les négociations « post-arbitrales » doivent nécessairement tenir compte des recommandations du conseil d'arbitrage même lorsque celles-ci ne sont pas exécutoires.

Que signifie cette transformation du processus de détermination des salaires ? Dans l'abstrait, elle implique que dorénavant le niveau des salaires est fixé ou tout au moins directement influencé par le jugement d'hommes qui doivent représenter l'autorité publique et s'inspirer des exigences de la justice et de l'équité. L'arbitrage signifie l'abandon des critères de l'économie d'échange, basés sur la lutte, et le recours aux principes de l'économie dirigée, dérivés de la justice. Dans ce cadre nouveau, le prix du travail n'est plus déterminé sur le marché de la main-d'œuvre par le mécanisme de l'échange et le jeu de la loi de l'offre et de la demande ; il est fixé par le jugement d'hommes dont la fonction doit être d'apprécier dans chaque cas le juste salaire.

Dans la pratique, toutefois, la majorité des gens, y compris certains législateurs, ne se sont pas rendu compte que l'arbitrage était une institution propre à l'économie dirigée et qu'il impliquait une transformation profonde du processus servant à déterminer les conditions de travail. Ils l'ont plutôt conçu comme un moyen de sauvegarder l'ordre public et de limiter l'exercice du droit de grève. C'est pourquoi, à l'intérieur d'un cadre d'économie dirigée, on a continué à appliquer les critères de l'économie d'échange.

Il serait facile d'en appeler aux faits pour démontrer que, dans la plupart des cas où les conseils d'arbitrage ont remplacé le marché d'échange, ils se sont souvent limités à en appliquer le mécanisme, de sorte que les deux processus ont abouti aux mêmes résultats. A l'intérieur d'un système d'arbitrage ainsi appliqué, le divorce entre l'ouvrier et l'entreprise, entre le salaire et la valeur des services, est maintenu. Les unions ouvrières invoquent l'augmentation du coût de la vie, les exigences du budget familial, les comparaisons d'une

14

industrie à l'autre et d'une région à l'autre, la nécessité de réduire les heures de travail et la situation prospère de l'entreprise. L'employeur répond que la hausse du coût de la vie a déjà été compensée, que les comparaisons industrielles et régionales sont inacceptables, qu'il est dangereux de diminuer les heures de travail, que la situation de l'entreprise n'a rien à voir avec la détermination des salaires — sauf si elle est mauvaise — et que la demande des ouvriers n'est pas justifiée dans le milieu où l'entreprise est localisée. Dans la majorité des cas, les conseils d'arbitrage refusent les comparaisons industrielles et régionales, ne tiennent pas compte des variations de la productivité, acceptent la comparaison avec le milieu et accordent, s'il y a lieu, une augmentation de salaires correspondant à l'accroissement du coût de la vie et à la réduction des heures de travail. La situation de l'entreprise et la valeur de la production n'interviennent que pour empêcher les salaires d'augmenter. Il n'y a pas à s'étonner ensuite que les ouvriers ne s'efforcent pas d'accroître leur rendement et qu'ils ne s'intéressent pas au sort de l'entreprise.

Le comportement de plusieurs conseils d'arbitrage, la façon de désigner leurs membres, le manque de compétence et même d'objectivité de certains arbitres expliquent en grande partie pourquoi l'arbitrage a peu de supporteurs sérieux tant chez les employeurs que chez les ouvriers. Cette perte de confiance des parties se révèle par le peu de soin qu'elles apportent souvent à la préparation et à la présentation de la preuve qu'elles soumettent aux arbitres.

Le régime de l'arbitrage obligatoire peut être interprété dans plusieurs cas uniquement comme un moyen de retarder le moment où l'employeur et le syndicat se retrouveront face à face avec leurs pleins pouvoirs de négociation. La partie qui présente les revendications se hâte de brûler les étapes prévues par la loi afin de pouvoir exercer le plus tôt possible toutes les pressions qu'elle peut utiliser. La partie se tenant sur la défensive désire temporiser afin d'en arriver aux négociations « post-arbitrales », à un moment où la résistance de l'adversaire est affaiblie.

Quand l'arbitrage obligatoire est considéré principalement comme un moyen de délais, il ne remplit plus sa fonction normale. Il ne sert probablement plus à diminuer le nombre de conflits, ce qui, pour plusieurs, constitue sa principale raison d'être. Il donne aux premières négociations et à la conciliation une atmosphère qui les réduit souvent à de simples étapes préliminaires et qui leur fait perdre leur importance primordiale. Il occasionne des pertes de temps et des dépenses inutiles. Enfin, l'arbitrage obligatoire appliqué dans le secteur purement privé de l'économie aboutit à un déséquilibre des forces. Il constitue un élément d'économie dirigée qui, en fait, contribue à gêner l'action des syndicats, tandis que l'employeur, en tant que vendeur, vit toujours dans une économie d'échange et peut utiliser librement ses pouvoirs monopolistiques sur le marché des produits. Les contrôles et les restrictions établis par l'Etat à l'intérieur d'une économie libre défavorisent presque toujours ceux qu'ils atteignent directement.

Puisqu'il ne saurait être question dans le contexte actuel de faire disparaître ce déséquilibre de forces en établissant l'arbitrage obligatoire des prix sur le marché des produits, le seul moyen de l'éliminer est de retourner le plus possible à l'initiative privée des patrons et des syndicats sur le marché du travail. L'expérience semble démontrer que l'Etat est souvent intervenu inutilement dans les relations entre patrons et ouvriers et qu'il a parfois empêché les parties de régler leurs problèmes directement et rapidement.

L'arbitrage pourrait rester obligatoire tout au plus dans le secteur public de l'économie et dans les industries privées dont les prix et les activités sont déjà régis par l'Etat. L'arbitrage obligatoire ne ferait alors qu'établir l'équilibre. Il faudrait toutefois changer la composition des commissions d'arbitrage et améliorer la méthode de sélection des arbitres. Par exemple, ces commissions pourraient être composées de deux assesseurs représentant les parties et d'un arbitre qui seul ferait rapport. Cet arbitre serait désigné par les parties, si elles réussissent à s'entendre, ou être choisi au hasard dans une liste préparée à l'avance et approuvée par les représentants des patrons et des ouvriers. Le mécanisme serait ainsi laissé entièrement à l'initiative privée et l'Etat ne pourrait être accusé d'avoir indûment favorisé une des parties.

En ce qui concerne le secteur purement privé, l'arbitrage ainsi conçu deviendrait volontaire et les parties ne seraient pas obligées d'y recourir avant de déclarer une grève ou un lockout. Par contre, la conciliation demeurerait très utile et resterait obligatoire. Les conciliateurs cesseraient d'être des employés de l'Etat et seraient désignés de la même façon que les arbitres. Un seul conciliateur

serait nommé dans chaque cas.   Il devrait faire rapport à l'autorité
publique et aux parties dans un délai de trente jours.   Si une entente
n'était conclue au cours de cette période, les parties recouvriraient
ensuite leurs pleins recours.

Ces suggestions qui impliquent un retour à l'initiative privée ne
débouchent pas sur une solution simple et facile.   Elles n'en possèdent
pas moins plusieurs avantages.   Les délais s'en trouveraient diminués et la procédure simplifiée.   L'Etat serait placé au-dessus des
conflits d'intérêts particuliers et pourrait intervenir avec d'autant plus
d'autorité à un stade ultérieur, lorsque l'intérêt public est vraiment
en jeu.   A la longue, le nombre de conflits diminuerait au lieu d'augmenter.   En effet, tant que l'une ou l'autre des parties peut remettre
ses responsabilités à un tiers, les efforts en vue d'en arriver à une entente directe sont rarement sérieux, les négociations n'engendrent que
la méfiance et la frustration.

Si, au contraire, les parties sont plus ou moins forcées d'établir
un dialogue, elles auront peut-être des difficultés au point de départ,
mais elles en viendront à reconnaître que les conflits ouverts et
prolongés ne sont pas à leur avantage.   Elles chercheront à mieux
se comprendre et à découvrir des facteurs objectifs et quantitatifs
leur permettant d'en arriver plus facilement à un accord.   Elles
en viendront peut-être à constater que, dans une économie où le plein
emploi est réalisé et où le développement industriel est rapide, il
faut revenir au principe reconnu par l'économie artisanale et faire
varier le revenu des agents de production, y compris les salaires, avec
la valeur de la production.   Ce critère appliqué à la détermination
des salaires possède plusieurs avantages.   Il tient compte des droits
de l'ouvrier, des possibilités de l'industrie et des conditions générales
de l'économie.   Il permet d'intégrer le travailleur dans l'entreprise
sans exiger de réformes de structure, souvent illusoires.   Il assure
l'ouvrier à l'avance que l'augmentation de son rendement sera reconnue et récompensée.   Enfin, dans la plupart des secteurs industriels,
il ne soulève pas de graves difficultés pratiques car il est relativement
facile de mesurer les variations de la valeur de la production.

Il faut aussi songer dans certains cas à élargir le cadre des négociations.   Présentement, elles se situent au niveau de l'entreprise et
parfois même sur le plan de l'usine.   Cette situation suscite des difficultés et des injustices, surtout quand la législation régissant les rela-

tions du travail change d'une région à l'autre. Elle explique en partie les variations de rémunération entre les diverses industries et surtout les différences de salaires entre les régions. Les industries fortement monopolisées grâce à l'existence d'un trust ou d'un cartel et possédant des usines dans plusieurs provinces, peuvent maintenir des différences régionales de salaires injustifiées, en négociant des conditions particulières de travail dans chaque usine. Cette pratique est facilitée par la variété de la législation, par les divergences dans l'administration des lois et, dans un régime d'arbitrage obligatoire, par le refus des arbitres d'accepter les comparaisons de salaires interrégionales. Dans les industries où existe une certaine concurrence, les négociations au niveau de l'entreprise aboutissent souvent à un cercle vicieux. Certains employeurs refusent souvent des demandes qu'ils trouvent acceptables en elles-mêmes parce qu'ils savent à l'avance que des concurrents récalcitrants les placeront ensuite dans une situation difficile.

La formule des négociations à l'échelle de l'industrie ne doit donc pas être rejetée sans examen. Comment une entreprise jouissant d'un monopole pourrait-elle s'y opposer puisqu'elle représente déjà toute l'industrie ? Par ailleurs, cette méthode est souvent la seule à pouvoir éviter le cercle vicieux qui menace la négociation des conditions de travail sur le plan de l'entreprise dans les industries concurrentielles.

Toutefois, les négociations à l'échelle de l'industrie posent un problème à l'intérieur du fédéralisme canadien. Suffirait-il, pour les rendre possibles, d'en autoriser la formule dans chacune des lois provinciales ? Ne faudrait-il pas aussi uniformiser celles-ci pour rendre semblable le cadre juridique des négociations et de la conciliation ? Peut-on espérer des ententes interprovinciales à ce sujet ? Ne vaudrait-il pas mieux que les industries dont le nombre d'usines est restreint et qui sont fortement monopolisées soient considérées comme ayant un intérêt national et tombent sous la juridiction du gouvernement fédéral comme le prévoit présentement la constitution canadienne ? Même dans ce cas, une certaine uniformisation de la législation provinciale du travail demeure désirable afin d'éviter de trop régionaliser le marché du travail alors que la plupart des marchés des produits au Canada ont un caractère national sinon international.

Cet exposé n'a pas pour but d'analyser le problème des relations entre patrons et ouvriers dans toute son ampleur. Son principal objectif était de considérer l'aspect monétaire de cette question générale et de voir comment les méthodes utilisées pour déterminer les salaires pouvaient être améliorées afin d'assurer une meilleure distribution du revenu national entre les employeurs et les employés. Cette étude aura peut-être contribué à montrer que si des parties, ayant souvent des intérêts divergents, se rencontrent sur un marché de monopole bilatéral, elles doivent surmonter de graves difficultés pour arriver à s'entendre. Il n'existe pas de solutions faciles et préfabriquées.

Ce n'est pas en limitant indûment l'initiative des parties et en demandant à l'Etat d'intervenir à la moindre dispute que les groupes en présence apprendront à assumer leurs propres responsabilités. Dans le contexte actuel, il semble désirable de recourir davantage à l'initiative des patrons et des syndicats et de favoriser, au moins dans certains cas, la négociation et la conciliation à l'échelle de l'industrie. Ces propositions ne sont certes pas des solutions définitives — en existe-t-il vraiment — mais elles peuvent favoriser à la longue une meilleure distribution du revenu national et une paix industrielle plus stable.

b. *Les relations entre consommateurs et producteurs*

Lors d'un précédent chapitre, nous avons montré que les pratiques et les formes de monopoles étaient multiples et variées, que les contrôles monopolistiques, en général, ne s'exerçaient pas à l'avantage du public, et que l'intervention de l'Etat s'imposait afin de protéger les intérêts des consommateurs, l'efficacité du système économique et l'existence de l'initiative privée elle-même. Souvent, en effet, les conséquences des monopoles sont indésirables.

« The limitation of competition in a large portion of the economic structure has produced a number of repercussions. These include 1) a retardation of the rate at which reductions in production costs resulting from technological improvements are passed along to consumers in lowered prices; 2) a tendency to maintain prices at a level which covers unit costs, even though most concerns are operating far below their capacity, and, therefore are producing at unit costs much above those potentially available at higher outputs; 3) in periods of recovery, an unduly rapid increase in profits and dividends, as compared with the increase in pay rolls; 4) a tendency to an intensification of the maldistribution of income in periods of rising national income; and 5) in some controlled industries, a maintenance of profits at a level far above that prevailing in more competitive lines without new concerns being able to break into the industry and participate in these high profits » [1].

La lutte contre les monopoles peut se faire selon différentes méthodes. L'autorité publique peut tenter de prévenir l'élimination de la concurrence et, au besoin, la rétablir si elle est disparue. Elle peut admettre l'existence de monopoles privés mais les soumettre à une étroite surveillance ou à un système de réglementation. Enfin, elle peut socialiser les entreprises qui ont acquis des pouvoirs monopolistiques.

Dans un système économique reposant sur l'entreprise privée, la première méthode est sans doute la plus normale. Pour protéger ou rétablir la concurrence, plusieurs moyens sont disponibles: les poursuites en droit criminel, les recours en droit civil, — l'injonction et aussi les ordres de dissolution ou de dévestiture en usage aux Etats-Unis — la baisse des droits douaniers, l'obligation de rendre les brevets accessibles à ceux qui désirent les utiliser. De telles mesures sont efficaces lorsque la disparition de la concurrence provient d'une entente ou d'une conspiration dans une industrie où il y a un assez grand nombre de producteurs et où il faut recourir presque inévitablement à des accords écrits. Il suffit alors d'avoir un bon système de surveillance et la collaboration du public pour mener à bien le travail de dépistage.

Toutefois, il n'est pas toujours possible ni désirable de rétablir la concurrence. Les méthodes qui conduisent au monopole ne sont pas toujours condamnables. L'entreprise qui, sans être directement responsable de cette situation, se trouve seule dans l'industrie ou qui parvient à une position prédominante grâce à son efficacité et à sa sage administration pourrait difficilement être accusée de conspirer contre l'intérêt public. Par ailleurs, si le monopole a pu consolider sa position non pas par une entente mais en éliminant les rivaux, il est ensuite très difficile de rétablir une véritable concurrence en suscitant un nombre suffisant d'entreprises dans l'industrie. Enfin, dans la pratique, le choix porte souvent entre un régime de concurrence

---

[1] Ezekiel, M., « Economic Policy and the Structure of the American Economy », *The Structure of the American Economy*, Washington, 1937, Tome II, p. 37.

monopolistique inefficace où les entreprises ne peuvent atteindre des proportions leur permettant d'abaisser leur coût de production, et une situation de monopole plus ou moins parfait qui rend possible la réduction des coûts et des prix. Le Canada, qui s'est industrialisé sous l'ère des grandes entreprises et dont le marché domestique est limité, se voit souvent placé dans cette alternative.

En somme, le maintien de la concurrence ne peut pas être le seul objectif de la lutte contre les monopoles. Cette conclusion est généralement acceptée par les spécialistes en la matière.

« Antitrust policy cannot, even though it is successful in eliminating collusion, maintain effective competition; for the large corporation with only a few large rivals, or even with many small competitors, possesses substantial power to control prices and output, and this power is used to restrict output and maintain prices at high levels... According to some, dissolution of the great corporations to restore effective competition is impracticable; according to others, it would severely impair efficiency in production and marketing. Both opinions lead to the view that industries containing a few large enterprises are not « naturally » competitive and cannot be made sufficiently competitive to achieve desirable prices and profits and desirable volumes of investment and output » [1].

« Where oligopoly already exists, economic conditions have not by their nature compelled competitive behavior. The effort to maintain competitive behavior under these conditions seeems to be doomed to failure. If businessmen choose price leadership as a means of avoiding price competition, no legal device has yet been discovered by which leadership can be prevented, except perhaps where it is based on collusion. There is no form of decree that can be addressed to a leader by which he can be prevented from being accepted as a leader... The same difficulties attend efforts to eliminate basing point systems... Similar difficulties attend efforts to attack another important policy that has emerged from oligopoly, namely the price set and maintained at a stable level for considerable periods of time » [2].

---

[1] *Economic Standards of Government Price Control*, T.N.E.C. Monograph 32, Washington, p. 405.

[2] Arthur Burns, *American Economic Review*, June 1949, pp. 693-694.

« It is my belief that the antitrust laws are inherently incapable of maintaining really effective competition. The real difficulty — the basic difficulty — in their application and enforcement is not to be corrected by statutes, appropriations or sentiment, sympathy and eagerness. It is simply not to be corrected — period ... I want better laws, better enforced; but no revision of the laws, no additional appropriations, and no hyposhots of zeal in enforcement will be capable, in my judgment, of bolstering competition sufficiently to warrant permanent reliance upon it as the central organizing and regulating force in our economic system. The way is effectively and permanently barred by the presence — the increasing presence — of large-scale industrial, marketing and labor units. We will not reduce their scale in any significant measure » [1].

Les efforts visant à maintenir la concurrence ne sont donc pas suffisants. Est-ce à dire qu'il faille s'en remettre aux contrôles monopolistiques privés ? Ce n'est pas ce que pensent plusieurs économistes.

« Within our mixed economy, competition should continue to be used to the extent it can be made effective and antitrust policy should be continued for these purposes. The steady growth of concentration and private controls shows the need of other measures in fields where competition cannot be made workable ... The trend of events here and abroad suggests that eventually antitrust policy may become a less important way of dealing with the problem of the decline of competition, while more direct and purposive instruments of public policy making and action take the center of the stage » [2].

« Where it seems impossible to revitalize competition in privately controlled industries, one of two courses of action may be taken : private ownership may be continued, but private management may be subjected to extensive regulation by a government administrative agency; producing properties may be acquired by the state and the industry may be operated as a state monopoly, as government plants may compete with privately operated plants » [3].

[1] Lewis, B., *American Economic Review*, June 1949, pp. 704-705.
[2] M. Ezekiel, *American Economic Review*, Supplement 1946, p. 204.
[3] Purdy, Lindahl and Carter, *Corporate Concentration and Public Policy*, Prentice-Hall, 1946, p. 621.

« On the other hand, in industries where a few large concerns dominate the market, unless these concerns can be effectively broken up into a number of smaller concerns, the solution may best be found along lines of economic planning in the public interest, which provide the possibility of concerted action for balanced expansion in production and employment » [1].

« If, however, the scale of business is to continue to grow not only by expansion but by unchecked merger it will be necessary to accept oligopolistic price policies as typical and to fight the battles against complete monopoly only as last-ditch struggles in a war already lost. Such a prospect would require the community to consider adopting types of industrial control which operate directly upon the policies of corporations, in recognition of the fact that a giant concern with powers not limited by its rivals in the market, is a quasi-public enterprise » [2].

La propriété publique, totale ou partielle, est utilisée au Canada dans certains domaines comme les chemins de fer, le transport maritime, le transport urbain, l'aviation, la T.S.F., la télévision, les armements et l'électricité. Dans certains de ces champs d'activité et dans d'autres, comme le téléphone, les entreprises privées sont soumises à un régime de réglementation. Malgré ces mesures, il reste encore des contrôles monopolistiques privés dans l'économie canadienne. Est-ce à dire qu'il faille étendre l'application de la socialisation et de la réglementation publique ?

Il faut d'abord reconnaître que l'utilisation de ces deux méthodes est indésirable dans le cas du cartel établi par une entente entre plusieurs producteurs. Cette forme de monopole, tout en étant souvent la plus néfaste du point de vue de l'efficacité économique, peut être plus facilement combattue par la première méthode. Par ailleurs, il n'est pas possible ni sage de lutter indistinctement contre toutes les formes de contrôles monopolistiques, car certaines d'entre elles sont limitées, provisoires et liées en quelque sorte au progrès économique. Le monopole ne pose vraiment de problème que s'il a un caractère de permanence et que s'il est assez fort pour exploiter le public, retarder le progrès et menacer la démocratie politique.

---

[1] M. Ezekiel, *op. cit.*, p. 41.
[2] C. Edwards, *American Economic Review*, Supplement 1940, p. 179.

« Dans un grand nombre de cas, cependant, le libre jeu du pouvoir monopolistique est restreint à d'étroites limites. Nous préférons acheter le journal du matin au magasin du coin, ou un appareil de T.S.F. portant un nom bien connu, mais uniquement si les conditions de vente ne s'écartent pas trop sensiblement de celles des autres vendeurs. Dans nombre d'autres cas, la puissance du monopole est non seulement restreinte, mais provisoire. Le fabricant d'un nouveau dispositif ou le producteur d'un article régulier qui découvre des méthodes nouvelles et moins coûteuses, dispose, pendant quelque temps, d'une situation privilégiée qui s'apparente au monopole mais, à moins qu'il ne puisse la maintenir légalement au moyen d'un brevet ou d'une autre sauvegarde artificielle, il se peut qu'elle s'évanouisse assez tôt, à mesure que ses concurrents découvrent des dispositifs aussi utiles et des méthodes aussi efficaces. Le progrès économique tient à la création de situations avantageuses par l'homme d'affaires averti et débrouillard qui devance ses concurrents mais qui, s'il se repose sur ses lauriers, constatera bientôt que son monopole lui a échappé parce que ceux-ci l'ont rattrapé ou dépassé. On ne saurait donc concevoir un régime d'entreprise privée ne comportant aucune puissance monopolistique, même provisoire, puisque la montée d'une telle puissance constitue précisément ce qui conditionne l'évolution et le progrès économique.

Du point de vue du contrôle social et de la politique générale, nous nous inquiétons surtout des situations où un pouvoir monopolistique considérable dure assez longtemps et peut s'exercer dans des limites assez larges pour exiger du public des prix indûment élevés, retarder les améliorations, dissimuler l'incompétence ou mettre en danger la démocratie politique » [1].

Il existe sûrement dans l'économie canadienne un secteur où la concurrence n'est ni possible ni désirable mais qui n'est pas soumis à la réglementation publique. Le moins qu'on puisse dire à son sujet c'est qu'il doive être soumis à une recherche et à une surveillance attentive [2]. En effet, avant d'avoir recours à des mesures plus ra-

---

[1] *Rapport du Comité d'étude de la législation sur les Ententes,* Ottawa, 1952, p. 32.

[2] A propos de l'orientation et de l'utilité des recherches dans ce domaine, on peut consulter avec avantage le *Rapport du Comité d'étude de la législation sur les ententes,* Ottawa, 1952, pp. 51, 52, 53 et 56.

dicales qui, tout en réglant le problème des monopoles privés, peuvent faire surgir d'autres graves difficultés, il est bon de connaître les données de la question, d'en informer la population et de voir dans quels cas une surveillance systématique est insuffisante.

La lutte contre les monopoles au Canada soulève un problème de répartition des fonctions et des pouvoirs entre les gouvernements. Les gouvernements provinciaux ne se sont jamais vraiment intéressés aux contrôles monopolistiques, sauf peut-être parfois pour en créer de nouveaux. D'ailleurs, s'ils peuvent susciter et protéger des monopoles, leur capacité d'intervenir pour éliminer ceux qui se sont formés sans eux est limitée à ceux qui n'ont qu'un caractère local et provincial. Leur action est peu efficace lorsque le marché du produit monopolisé est national ou international. C'est le cas le plus commun et le plus important.

Par contre, l'intervention du gouvernement fédéral dans ce domaine n'est clairement justifiée, sur le plan constitutionnel, qu'en droit criminel. La clause 2 de l'article 91 de la constitution, qui attribue au gouvernement central la réglementation du trafic et du commerce, a été, à toute fin pratique, mise à l'écart par les cours de justice. Quant au paragraphe de la clause 10 de l'article 92, qui permet la juridiction fédérale dans les industries déclarées « être pour l'avantage général du Canada ou pour l'avantage de deux ou d'un plus grand nombre des provinces », il est mal adapté au cas des monopoles et son application dans ce domaine susciterait de graves protestations.

Ainsi, le gouvernement central est bien placé pour surveiller et s'il y a lieu, pour combattre les cartels, les trusts et les pratiques monopolistiques qui dépassent les frontières d'une province mais il ne peut intervenir, d'après l'opinion de la plupart des spécialistes en droit constitutionnel, qu'en définissant ces situations et ces pratiques comme des crimes. Une juridiction aussi limitée aboutit souvent à des injustices, elle rend difficile l'application des mesures préventives qui sont souvent les plus efficaces, et elle laisse, comme principal moyen de lutte contre les monopoles, les poursuites en droit criminel, dont l'efficacité dans plusieurs cas est au moins douteuse. Les recours en droit civil, (comme l'injonction), la réglementation et la propriété publiques, relèvent normalement des gouvernements provinciaux. Ainsi placé entre des autorités provinciales qui possèdent les principaux recours légaux contre les monopoles mais qui ne peuvent efficacement les combattre, et le gouvernement central qui serait capable d'exercer cette fonction mais qui n'a pas en fait les pouvoirs constitutionnels nécessaires à cette fin, un secteur assez important de l'économie canadienne reste soumis à des contrôles monopolistiques privés qui ne sont pas menacés d'une intervention publique imminente.

c. Les relations entre producteurs

Le problème de distribution du revenu national que pose les relations entre producteurs a déjà été défini. Il provient du fait que certaines industries sont soumises plus que d'autres aux contrôles sévères de la concurrence. Elles souffrent souvent ainsi d'une situation d'infériorité sur le marché de leurs produits, lorsqu'elles ont à faire face à un petit nombre d'acheteurs puissants, et elles sont particulièrement sensibles aux mouvements économiques généraux car les prix de leurs produits subissent de fortes fluctuations. Parmi ces industries, les plus importantes sont les pêcheries et l'agriculture. Il sera maintenant plus spécifiquement question de cette dernière.

Contrairement au secteur purement industriel, l'agriculture au Canada et surtout dans la province de Québec ne pose pas un problème de chômage cyclique. Dans certaines régions agricoles, le chômage structurel, attribuable à la rareté des terres arables et à la mécanisation des fermes, soulève des difficultés, mais le surplus de population émigre ordinairement vers les villes ou vers d'autres régions agricoles en expansion. Le chômage saisonnier est normalement élevé mais il peut être atténué de plusieurs façons. Dans un autre domaine, il est sûrement désirable d'encourager l'utilisation des méthodes propres à assurer une production agricole mieux équilibrée, à accroître les rendements et à améliorer la mise sur le marché des produits, mais ces mesures relèvent généralement d'une politique agricole à long terme.

Sur une courte période, la production agricole peut être considérée comme une donnée qui varie selon les caprices du climat. Dans cette perspective, les éléments le plus facilement contrôlables dont dépend le revenu des agriculteurs sont les marchés et les prix. L'agriculture canadienne est assurée du marché domestique car généralement nous n'importons que les produits qu'elle ne peut offrir. Puisqu'il est impossible, en courte période, de réorienter la production ou de la diminuer en réduisant le nombre de fermes, il faut trouver des débouchés à l'extérieur du pays. Dans l'état actuel du commerce international, il n'est pas toujours facile de vendre le surplus de notre production sur les marchés mondiaux. Lorsque tous les efforts raisonnables ont été faits en ce sens, le gouvernement canadien peut faire supporter par les agriculteurs la perte correspondant à la valeur de la production invendue, ou absorber lui-même cette perte et constituer des réserves, ou encore distribuer gratuitement ces produits aux pays qui souffrent de la faim. Cette forme d'aide, qui n'est que la manifestation d'une charité clairvoyante, est de plus en plus réclamée par l'opinion publique au Canada.

Puisque les autres pays ne peuvent acheter toutes les exportations agricoles canadiennes à des prix normaux et que notre agriculture ressent violemment les contre-coups des fluctuations cycliques, les mesures destinées à assurer des marchés extérieurs s'avèrent insuffisantes. Une politique générale visant à lutter contre l'instabilité économique et la disparité des prix doit stabiliser la production et l'emploi dans le secteur industriel et atténuer les fluctuations des prix dans le domaine agricole. Le gouvernement fédéral s'était déjà chargé de trouver des débouchés puisque le commerce international relève de sa compétence. Il était normal qu'il dirige aussi la politique des prix à l'intérieur du pays car la détermination des prix d'exportation et le financement des surplus de production relèvent de son autorité et le marché des produits agricoles, étant national, ne respecte pas les frontières provinciales; enfin, un tel programme de stabilisation des prix comporte de graves risques financiers.

La politique de soutien des prix des produits agricoles fut inaugurée après le dernier conflit mondial. Elle touche les denrées dont les prix sont particulièrement instables. La loi autorise le gouvernement canadien à fixer des prix minimums et à acheter sur le marché les quantités nécessaires à maintenir ces prix lorsque l'offre est trop forte par rapport à la demande privée.

Quand on songe aux récoltes abondantes des dernières années et à la présente crise de structure du commerce international, on peut se demander ce qui serait arrivé sans la politique de marchés et de soutien des prix qui fut suivie par le gouvernement fédéral au cours de l'après-guerre. Elle représente, dans la perspective de la courte période, le pivot de toute notre politique agricole. Sans elle, l'agriculture canadienne n'aurait pu éviter une crise, ce qui aurait provoqué presque inévitablement une dépression générale. Ses effets au point de vue du bien-être immédiat et réel des agriculteurs ont été d'une importance beaucoup plus grande que les conséquences à long terme du crédit agricole tant fédéral que provincial, puisqu'ils ont assuré à l'agriculture une part convenable du revenu national.

Dans une étude même sommaire de la politique agricole, il est impossible d'éluder la question de la margarine. Jusqu'à ces dernières années, la production, l'importation et la vente de ce produit étaient interdites au Canada par une loi fédérale. Au lendemain du dernier conflit mondial, la juridiction du gouvernement central dans ce domaine fut mise en doute. Plusieurs groupements et le gouvernement du Québec en particulier prétendaient que cette loi fédérale n'était pas constitutionnelle. Les cours de justice leur donnèrent gain de cause de sorte que la vente de la margarine devint possible au Canada, sauf sur les territoires des provinces qui décidèrent subséquemment de l'interdire par une loi spéciale. Seules les provinces de Québec et de l'Ile-du-Prince-Edouard en vinrent à cette décision.

Quelles sont les conséquences de cette loi destinée à protéger les producteurs de beurre, dans la province de Québec en particulier ? Permet-elle aux producteurs de vendre plus de beurre ? Contribue-t-elle à accroître le prix de ce produit ? Sinon, quels sont ses effets ?

L'interdiction de la margarine dans le Québec ne permet pas aux producteurs de cette province de vendre plus de beurre, car ceux-ci peuvent de toute façon écouler les quantités qu'ils désirent. En effet, quand un surplus apparaît sur le marché, le gouvernement fédéral l'absorbe en vertu de la loi des prix de soutien. Par contre, cette interdiction limitée n'est pas suffisante pour accroître le prix du beurre dans le Québec. En effet, le marché de ce produit a un caractère national et non provincial. Si, à un moment donné, le prix avait tendance à être plus élevé dans le Québec que dans le reste du pays, des importations des autres provinces viendraient contrebalancer ce mouvement de hausse. En fait, on peut observer que, même en l'absence de la margarine, le prix du beurre dans le Québec n'est pas plus élevé qu'ailleurs au Canada et qu'il est rarement au-dessus du prix de soutien fixé par le gouvernement fédéral.

Mais alors qu'arriverait-il si la vente de la margarine était permise dans la province de Québec ? Des experts estiment que la demande de beurre diminuerait d'environ 25 pour cent. La consommation de margarine ferait plus que compenser cette diminution, car les gens à revenus modiques qui achètent relativement peu de beurre pourraient se procurer une plus grande quantité du succédané à un prix moindre. La vente de la margarine dans le Québec contribuerait donc à accroître le niveau de vie réel des consommateurs, principalement dans les villes et parmi les classes pauvres, sans diminuer le revenu des producteurs de beurre.

En temps de grande prospérité et sous le régime d'interdiction de la margarine, la province de Québec doit souvent importer du beurre des autres régions du pays pendant l'hiver, ce qui permet généralement d'absorber le surplus de la production nationale. Si la vente de la margarine était autorisée, cette absorption ne serait très probablement plus possible. Le surplus de beurre au Canada deviendrait chronique et s'accentuerait avec les fléchissements de l'activité économique et de la demande. Le gouvernement fédéral devrait alors absorber ces surplus au prix de soutien fixé par la loi et s'efforcer de les écouler, soit au pays au cours des périodes de rareté saisonnière, soit sur les marchés mondiaux.

La conclusion de cette brève analyse semble évidente. Grâce à une loi provinciale interdisant la margarine, les consommateurs du Québec, et non les plus riches, facilitent la tâche du gouvernement fédéral en absorbant au moins partiellement les surplus de beurre de la production nationale. Ils se substituent au programme de soutien des prix mais leur revenu réel en est d'autant diminué.

Cette situation peut-elle durer ? Sinon, comment en sortir ? Il serait contradictoire de demander au gouvernement central d'interdire la margarine partout au Canada après avoir contribué à lui en enlever le pouvoir. Il faut donc permettre la vente de la margarine dans la province de Québec. Le gouvernement fédéral pourrait alors régler le problème en imposant de fortes taxes sur la margarine ou sur les matières premières importées qui entrent dans sa fabrication, mais les consommateurs canadiens n'accepteraient pas facilement cette solution. Autrement, en courte période, le gouvernement central devra débourser des sommes de plus en plus considérables pour soutenir le prix du beurre, absorber les surplus et en disposer d'une façon ou d'une autre. La seule solution désirable se situe au niveau de la longue période et consiste dans le rajustement de la production agricole. Comme on peut le constater, l'isolationisme économique, au moins sur le plan provincial, est difficile à pratiquer.

Les surplus chroniques qui apparaissent de plus en plus dans certains secteurs de notre production agricole posent de graves problèmes au niveau de la politique à long terme. En effet, quand la politique à court terme ne parvient à assurer la stabilité des revenus de l'agriculture qu'en accumulant des surplus croissants de produits, des rajustements de structure sont devenus nécessaires. L'agriculture de la province de Québec, au moins dans certaines régions, peut se réorienter facilement de façon à produire moins de beurre tout en continuant à prospérer. Ce n'est pas en boudant le progrès qu'on résout les problèmes. Par ailleurs, il faudrait se hâter d'effectuer les changements qui s'imposent avant que l'abandon des programmes de stabilité devenus trop dispendieux ne plonge les agriculteurs dans la misère, les forçant ainsi à s'orienter dans le sens qu'une politique agricole rationnelle aurait dû les inciter à suivre tout en leur exemptant les misères d'une crise.

La politique agricole pose elle aussi un problème de relations fédérales-provinciales. Sous son aspect de courte période, qui touche surtout les marchés extérieurs, les prix et les surplus de production, elle relève principalement du gouvernement fédéral. Sous son aspect de longue période, qui concerne la superficie des terres cultivées, l'orientation de la production, l'amélioration des rendements, la qualité des produits et la formation professionnelle, elle dépend d'abord des autorités provinciales. Toutefois, dans la réalité, il existe une grande interdépendance entre ces deux plans et il n'est pas facile de les isoler. Par exemple, le rajustement à long terme de la production est la seule solution permanente et rationnelle aux surplus annuels chroniques. Dans ces conditions, il semble bien que tout système rigide de répartition des fonctions entre les gouvernements et le refus de collaborer à des programmes conjoints ne sont pas à l'avantage de l'agriculture et empêchent cette importante industrie de recevoir la part du revenu national à laquelle elle a droit.

B. La distribution et le bien-être social

Le domaine du bien-être social peut être défini de façon à couvrir les risques collectifs, auxquels sont exposés certains groupes de la population par manque ou insuffisance de revenus, et les besoins d'éducation et de culture. Cette division servira à distinguer les deux principaux aspects de la politique de bien-être social analysés dans cette étude.

a. *La population inactive et l'insécurité sociale*

Nous savons déjà quelle est l'origine de l'insécurité sociale et des principaux risques collectifs, tels que la vieillesse, les charges familiales, le chômage, l'invalidité, la maladie et les accidents du travail. Le secteur privé ne peut régler convenablement tous ces problèmes et l'Etat doit s'y intéresser. Mais alors, il faut se demander quels sont les risques à couvrir, jusqu'à quel degré doit-on les couvrir, et quelle forme doit prendre l'intervention de l'Etat.

Les principaux risques collectifs qui, à l'époque actuelle, engendrent l'insécurité chez la population canadienne font déjà l'objet de notre législation sociale mais ils ne sont pas tous couverts au même degré ni de la même façon. A l'égard de certains d'entre eux, l'Etat ne remplit pas toutes ses obligations, même s'il doit se limiter à assurer un certain minimum de bien-être et à laisser à l'initiative privée le soin d'ajouter à ce minimum. L'aide insuffisante qu'il apporte à la protection contre la maladie le démontre assez. Les sommes d'argent consacrées à cette fin sont trop faibles; la forme de l'intervention publique doit être revisée.

La discussion sur les mérites respectifs de l'assistance et de la sécurité sociales a perdu beaucoup d'acuité, car les graves limitations de l'assistance sociale comme formule générale de lutte contre l'insécurité sont apparues de plus en plus. Dans tout régime d'assistance, l'obtention et le montant des secours dépendent de la situation financière des individus. L'Etat fixe un niveau de revenu au-delà duquel les citoyens n'ont pas droit à l'assistance. Il doit faire enquête sur l'état de fortune des requérants afin d'établir leur éligibilité et le montant des secours requis. L'assistance sociale se ramène donc à une forme de secours directs et de charité publique. Elle punit ceux qui se sont privés d'un certain confort pour économiser. Elle favorise les subterfuges, les fausses déclarations et parfois même le patronage politique. Elle laisse dans l'insécurité ceux qui se refusent à faire connaître leurs misères. En fixant un maximum de revenu très bas comme condition d'éligibilité, elle élimine une partie importante de la population qui a besoin de secours.

L'assistance sociale ne peut pas être complètement abandonnée mais sa fonction dans le cadre de la politique de bien-être doit être redéfinie. Cette formule devrait servir le moins possible à assurer un niveau de vie minimum; elle ne devrait être utilisée que lorsque ce minimum est déjà acquis, pour le compléter dans le cas des citoyens nécessiteux et sans autres ressources.

C'est la formule de la sécurité sociale qui doit servir à garantir un minimum de bien-être. Contrairement à l'assistance, elle ne fait pas de distinction entre les riches et les pauvres; elle s'adresse à tous ceux qui sont soumis aux risques collectifs, quel que soit leur état de fortune. Les versements qu'elle distribue sont les mêmes pour tous et les problèmes administratifs sont ainsi simplifiés. En somme, c'est la méthode qui implique le moins d'ingérence directe de l'Etat et qui respecte le plus la dignité et la responsabilité individuelles. Par contre, et c'est là son inconvénient, la sécurité sociale coûte cher et les charges financières qu'elle impose peuvent devenir très lourdes au cours des périodes de fléchissement économique. C'est ainsi sur le plan du financement que la sécurité sociale pose des problèmes.

A ce propos, plusieurs suggèrent que la sécurité sociale soit financée par la méthode de l'assurance. Cette formule qui exige le paiement d'une prime soulève de nombreuses difficultés. D'abord, les primes doivent, presque inévitablement, être invariables et fixées au même niveau pour tous les individus. Si elles ne l'étaient pas, elles varieraient, soit selon les besoins, et alors plus l'insécurité serait grande plus les primes seraient élevées, soit selon les revenus, et alors il ne s'agirait vraiment plus d'un système de primes mais d'un impôt spécial sur le revenu. En second lieu, si les primes sont invariables, elles doivent être fixées à un niveau très bas pour tenir compte de la situation financière des classes pauvres, de sorte que la sécurité sociale ne pourra plus être financée exclusivement ni même principalement par ce moyen. Enfin ce système ne tient pas compte des situations très fréquentes — le chômage n'est qu'une des possibilités — où la diminution et l'interruption des revenus empêcheront les individus de verser leurs primes. Le régime des assurances sociales, appliqué dans un monde affligé par l'instabilité économique et où l'insécurité est d'autant plus grande que les revenus sont faibles, ne peut pas être stable.

Il ne peut protéger les classes pauvres et, au moindre dérangement économique, il est appelé à être remplacé par l'assistance pure et simple.

Pour obvier à certaines de ces difficultés, on a élaboré le système de financement tripartite qui se rapproche de celui de l'assurance et qu'on applique dans le cas du chômage au Canada. Cette formule se ramène à la création d'une caisse ou d'un fonds spécial alimenté par des contributions provenant des employés, des employeurs et de l'Etat. Cette formule, qui s'adapte assez bien au cas du chômage temporaire, a également de graves limitations. Elle s'applique difficilement à certains secteurs industriels et à certaines formes d'insécurité. Pour conserver sa ressemblance à la méthode de l'assurance, elle cesse de protéger les citoyens après une certaine période, de sorte que ceux-ci doivent ensuite faire appel à l'assistance. Enfin, l'incidence et les effets de sa méthode de financement sont indésirables.

Pour pouvoir apprécier convenablement ce mode de financement, il faut le comparer aux autres systèmes possibles. Ceux-ci se ramènent principalement à la taxation générale et à l'impôt spécial sur le revenu, dit de sécurité sociale. Le caractère spécifique et distinctif du financement tripartite réside dans la contribution des employeurs, puisque celle des employés n'est qu'un impôt spécial sur le revenu et que celle de l'Etat provient de la taxation générale. Les versements des employeurs à la caisse de sécurité sociale représentent des taxes sur les salaires qu'ils distribuent (payroll taxes). Ils varient donc, non pas selon la capacité de payer des employeurs, mais d'après le niveau des taux de salaires dans leurs usines et le nombre de leurs employés. Quels sont donc leur incidence et leurs effets ? En d'autres termes, qui doit payer cette contribution en définitive ? Est-ce l'employeur, le consommateur ou l'employé ?

L'analyse de l'incidence et des effets des taxes est difficile et il ne s'agit pas de la reprendre ici dans tous ses détails et ses complexités. Pour l'employeur, la taxe qu'il doit payer sur le montant global des salaires qu'il distribue est un élément du coût de production et il cherchera à la faire supporter par d'autres. A cette fin, il peut soit l'inclure dans son prix de vente et la reporter sur les consommateurs, — elle devient alors assimilable à une taxe de vente — soit l'intégrer au coût de la main-d'œuvre et en prendre prétexte pour diminuer ou refuser d'augmenter d'autant les salaires des employés.

En dernier ressort, il peut diminuer son volume d'emploi, soit en remplaçant certains travailleurs par des machines, soit en réduisant son niveau de production. Dans ces derniers cas, ce sont les employés qui, en définitive, supportent la taxe puisque les salaires ou l'emploi diminuent. Tous ces procédés de détournement sont possibles et leur utilisation variera selon les circonstances. Tout dépend de la conjoncture économique, des conditions de l'offre et de la demande dans chaque industrie, de la période d'adaptation plus ou moins longue que l'on envisage, de la force des unions ouvrières, de l'importance du prix de la main-d'œuvre dans le coût total de production et de la facilité plus ou moins grande avec laquelle la machine peut être substituée au travailleur. Par exemple, la taxe pourra facilement être incluse dans le prix au cours d'une période de prospérité, si l'offre du produit est monopolisée et si la demande réagit peu aux variations de prix.

En dépit de cette multitude de facteurs, on peut conclure que les taxes sur les salaires (payroll taxes) payées par les employeurs comme contribution au financement de la sécurité sociale ne sont pas généralement supportées par eux-mêmes mais qu'elles retombent sur les ouvriers en tant que travailleurs plutôt qu'en tant que consommateurs. C'est, du moins, l'opinion d'un grand nombre d'économistes qui ont étudié spécialement les effets et l'incidence de ces taxes.

Le professeur H. G. Brown déclare : « Il est évident que les prestations ainsi exigées pour organiser l'assurance-santé ou l'assurance-vieillesse auront des effets et une incidence semblables à celles qui servent à financer l'assurance contre les accidents du travail. Elles aussi, en dernière analyse, seront payées par les salariés, même si, originellement, elles tombent intégralement ou partiellement sur l'employeur ». Russel Bauder partage la même opinion : « Si les salaires, en général, sont déterminés par la productivité marginale en valeur du travail, la conclusion est alors inévitable : les taxes sur les salaires devront être supportées par les salariés ». Joseph L. Cohen analysant l'effet de la contribution des employeurs conclut que, sur une longue période, les firmes marginales disparaîtront et que l'offre de capital diminuera. L'emploi qui résulte nécessite une diminution des salaires « tel que le nouveau salaire, plus la contribution de l'employeur, égale l'ancien salaire ». Le professeur

Lloyd Rice allègue que la taxe de l'employeur « dans les industries où elle est particulièrement lourde, sera transférée par l'employeur à l'employé, sur une longue période ». Harold Groves arrive à une conclusion identique : « Souvent, cependant, comme dans le cas de certaines taxes imposées par le Social Security Act, la demande de travail peut être réduite comme résultat de la taxation; ainsi le chômage et de plus bas salaires deviennent des conséquences normales ». H. P. Mulford, concluant une étude statistique sur le sujet, exprime l'opinion traditionnelle : « Le fardeau de la taxe tombera en définitive à un faible degré sur le consommateur, en augmentant les prix, mais probablement dans une plus grande proportion sur le travail, par une baisse des salaires et une diminution de l'emploi ».[1]

Les taxes sur les salaires payés par l'employeur sont déjà utilisées au Canada pour financer l'assurance-chômage et l'assurance contre les accidents du travail. Puisqu'elles peuvent avoir pour effet, soit de diminuer la consommation, soit de réduire les salaires ou de nuire à l'emploi, et qu'elles semblent être supportées principalement par les travailleurs, elles ne devraient pas servir à compléter notre programme de sécurité sociale. Certaines de leurs conséquences économiques indésirables ont été notées en France où elles ont été fortement utilisées pour alimenter les fonds de bien-être.

La taxation générale sert déjà au financement de l'assistance sociale et de certaines mesures de sécurité sociale, telles que les allocations familiales. Elle doit défrayer tellement d'autres dépenses publiques qu'elle devrait dorénavant être affectée le moins possible à la lutte contre l'insécurité. D'ailleurs, à mesure que notre programme de bien-être se complète, il faut orienter le mode de financement de façon à bien montrer que la sécurité sociale n'est pas gratuite et que la population devra payer plus d'impôts si elle veut être mieux protégée contre les risques collectifs. En somme, la méthode de financement la plus désirable dans les circonstances est celle qui s'établit d'après la capacité de payer sans éliminer les citoyens incapables d'y contribuer; qui ne nuit pas trop à l'initiative individuelle et à l'administration publique; qui permet de protéger toutes les catégories de la population sans mettre d'obstacle à la mobilité de la main-d'œuvre

---

[1] Cette citation et ces témoignages, adaptés et traduits, proviennent d'une brochure du « Committee on Social Security » : *Prospects for a Study of the Economic Effects of Payroll Taxes*, Washington, 1940.

et qui conserve certains aspects d'un système contributif afin que la sécurité sociale n'apparaisse pas comme un pur don.

Un impôt spécial sur les revenus individuels semble répondre à toutes ces exigences. Cette taxe de sécurité sociale peut être modelée sur l'impôt général sur le revenu et n'exempter que les faibles revenus. Son taux devrait être fixé à un niveau tel que, dans une situation économique normale, son rendement équivaudrait à peu près aux dépenses de sécurité sociale qu'il est supposé financer. Ce taux pourrait être uniforme pour toutes les catégories de revenus et ne pas varier avec les conditions de prospérité ou de dépression. Pour attirer davantage l'attention de la population sur la comptabilité de la sécurité sociale, un fonds spécial pourrait être créé afin de recevoir les revenus provenant de la taxe spéciale. En période de stabilité économique, le fonds serait en équilibre puisque les injections et les retraits seraient à peu près égaux. Si l'inflation venait à se manifester, les réserves du fonds augmenteraient. En temps de dépression, celles-ci diminueraient mais si l'argent venait à manquer, le financement déficitaire deviendrait non seulement inévitable mais désirable pour défrayer le coût de la sécurité sociale, comme d'ailleurs celui de bien d'autres dépenses publiques. Cette méthode de financement est à la fois saine et souple; elle est semblable à celle qu'on utilise déjà dans le cas des pensions de vieillesse.

Quand on songe à l'amélioration de notre système de sécurité sociale, on pense surtout à la maladie. On parle beaucoup, de nos jours, d'assurance-santé et il ne fait pas de doute que l'Etat devra bientôt aborder ce problème systématiquement. Quand il le fera, il ne faudra pas lui demander de satisfaire plus que les besoins minimums. Ceux qui en ont la capacité devront compléter ce régime de leur propre initiative et à leurs dépens. Pour le moment, l'opinion prédominante semble être favorable à la formule de l'assurance. Sur le plan idéal, cette méthode a sûrement des avantage. En fait toutefois, elle a des inconvénients qui la rendent indésirable et vraisemblablement impraticable, car la portion importante de la population qui est incapable de contribuer en temps normal s'accroît considérablement lorsque l'activité économique du secteur privé diminue. Il est illusoire d'établir le financement de la sécurité sociale en supposant que la pauvreté n'existe plus, que la prospérité se maintiendra indéfiniment et en ne tenant pas compte de la capacité de payer. Les frais encourus par la maladie ne peuvent être convenablement financés que par un impôt spécial sur le revenu.

Le partage des responsabilités et des fonctions entre les gouvernements dans le domaine du bien-être n'a pas posé jusqu'ici de graves difficultés. Les mesures de sécurité sociales telles que les pensions de vieillesse ont été confiées au gouvernement central parce qu'elles s'appliquent à toute la population, qu'elles exigent des standards minimums semblables à travers le pays, qu'elles nécessitent peu de surveillance et qu'elles coûtent cher. L'assistance sociale, pour les motifs contraires, a été assumée par les administrations municipales et surtout par les gouvernements provinciaux, même si, dans certains cas, le gouvernement fédéral contribue à son financement. C'est dans le domaine du bien-être social que la collaboration fédérale-provinciale a causé le moins de problèmes et pourtant on aurait pu s'attendre à y voir naître de graves conflits.

L'intervention de l'Etat en vue de financer les frais de maladie de toute la population soulève pourtant des difficultés spécifiques. En effet, si elle entraîne des déboursés considérables qui peuvent nécessiter un financement déficitaire au moment d'un fléchissement économique, et si elle exige des standards nationaux pour ne pas mettre obstacle aux déplacements de population, elle pose aussi de graves problèmes administratifs, car les contacts directs avec les patients, les médecins et les hôpitaux sont inévitables. Il y a donc une nécessité de décentralisation administrative. Même celle-ci ne semble pas suffisante, car dans ce secteur comme dans celui de l'assistance et peut-être à un moindre degré dans les autres aspects du programme de bien-être, il est infiniment désirable qu'il y ait des intermédiaires entre les citoyens et l'Etat. De ce point de vue, les institutions bénévoles privées, qui s'assurent la collaboration de spécialistes dans plusieurs domaines, peuvent exercer certaines fonctions plus efficacement que les organismes publics et en accomplir d'autres que l'Etat ne saurait remplir. Le caractère humanitaire et l'efficacité de notre régime de bien-être social dépendent dans une bonne mesure de la collaboration que l'Etat établira avec ces institutions privées et de l'aide financière qu'il leur accordera.

L'aide à l'habitation est une mesure connexe à l'assistance et à la sécurité sociale et relève sûrement de la politique de bien-être social. En effet, tant que subsiste la rareté de logement et que des familles doivent habiter des taudis, on ne saurait prétendre qu'un minimum de bien-être est assuré. La crise du logement est même une des principales sources d'insécurité. La population qui a besoin de l'aide de l'Etat pour résoudre son problème de logement se répartit en deux catégories: celle dont les revenus sont assez élevés et stables pour pouvoir accéder à la propriété mais qui ne peut faire de fortes économies, et celle dont les revenus sont trop faibles ou incertains pour pouvoir supporter les charges de la propriété. La politique de logement doit donc répondre à ces deux situations différentes. Elle doit, d'une part, faciliter l'accès au crédit, autoriser une période de remboursement suffisamment longue et abaisser le taux d'intérêt sans trop gêner les institutions de finance. D'autre part, elle doit contribuer directement au financement d'un programme de construction de logements à loyer modique, car c'est la seule façon de résoudre le problème d'habitation d'un grand nombre de familles pauvres.

C'est le premier aspect de la politique de logement qui a jusqu'ici semblé attirer davantage l'attention de l'Etat au Canada. Ce fait s'explique sans doute en partie parce qu'on a réussi à établir une division des responsabilités entre les gouvernements. L'autorité fédérale s'est chargée d'établir une période de remboursement satisfaisante et de rendre le crédit de plus en plus facile d'accès, soit en garantissant les prêts ou en les effectuant elle-même par l'intermédiaire de la *Corporation centrale d'hypothèques et de logements*. La loi à cet effet a d'ailleurs été revisée et améliorée en 1954. Par contre, dans le Québec du moins, le gouvernement provincial absorbe une partie du paiement des intérêts. Enfin, ce programme a souvent été complété sur le plan municipal par une réduction temporaire de l'impôt foncier. Dans l'ensemble, ces mesures forment un tout bien intégré et sont d'une utilité incontestable.

La politique d'aide à l'habitation destinée à secourir les classes pauvres a été beaucoup plus timide. A cause de son coût élevé et de la décentralisation qu'elle présuppose, elle ne peut être appliquée que dans les cadres d'un programme conjoint qui nécessite la collaboration de tous les gouvernements. Un plan d'action assez vaste a été élaboré par l'autorité centrale et accepté par plusieurs provinces mais le gouvernement du Québec a refusé de coopérer. Celui-ci a fait plus que les autres administrations provinciales pour régler le problème d'habitation des classes moyennes, mais il n'a encore rien tenté pour résoudre celui des classes pauvres. Et pourtant, ce dernier n'est-il pas le plus urgent ?

La lutte contre l'insécurité sociale est devenue un des premiers objectifs de l'Etat dans le monde libre. Elle vise avant tout à établir une distribution du revenu national en relation plus directe avec les besoins, tout en sauvegardant les stimulants nécessaires à l'initiative privée, mais elle contribue également à maintenir la stabilité économique. Le rôle que l'autorité publique doit remplir à cet égard varie selon le rythme du développement à long terme de l'économie nationale. Il sera considérable, comme dans certains pays d'Europe, si la stagnation économique suit l'industrialisation. Il sera relativement réduit dans un pays comme le Canada où la technologie et les ressources permettent un développement industriel rapide et une hausse constante du niveau de vie de l'ensemble de la population. Malgré cette perspective rassurante, l'Etat, même au Canada, ne saurait négliger impunément l'insécurité sociale. Les différents gouvernements doivent donc se répartir les tâches à accomplir et, au besoin, s'entendre sur des programmes conjoints en vue d'établir un minimum de bien-être pour tous. Il s'agit là d'une condition indispensable à une vie vraiment humaine.

b. *Le bien-être et la culture*

La culture, entendue dans son sens large, couvre tous les aspects de la formation de l'être humain. On parle tout aussi bien de culture physique et de culture intellectuelle, de culture scientifique et de culture littéraire ou artistique. La culture, sous toutes ses formes, s'acquiert grâce à un entraînement, à une discipline. Au niveau de l'esprit, elle résulte de l'accumulation de connaissances ordonnées, d'un processus d'assimiliation qui permet de maîtriser un ou plusieurs domaines de la vie intellectuelle.

Précisément parce que la culture exige une véritable assimilation et une connaissance approfondie, elle ne peut pas s'emprunter. Elle ne peut être que le fruit des efforts et du travail de l'individu même qui veut se cultiver. Pour ne pas être artificielle, elle doit être vraiment personnelle. Cette exigence ne signifie pas que l'individu doive s'en remettre complètement à lui-même et se limiter à ses propres moyens. Autrement, l'acquisition d'une culture serait un perpétuel recommencement et ne permettrait que rarement de dépasser l'état primitif. Pour se cultiver, l'homme doit en avoir le goût, le temps et les moyens financiers, mais il doit pouvoir disposer aussi d'instruments de culture. Ces instruments sont nombreux et variés. Les institutions d'enseignement, les bibliothèques, les musées, les théâtres, les cinémas, les livres, la T.S.F. et la télévision comptent parmi les médiums indispensables, mais il faut aussi des gens possédant une culture suffisante pour pouvoir la transmettre: des instituteurs, des hommes de science, des écrivains et des artistes.

La culture et ses exigences matérielles posent un problème de distribution du revenu national. Rendre la culture accessible au plus grand nombre possible coûte cher. Par contre, elle ne rapporte rien, du moins au stage de son acquisition; elle est plutôt une occasion de dépenses. Ceux qui désirent s'instruire sont souvent incapables d'en défrayer le coût et ceux qui veulent vivre de leur culture, surtout les artistes et les écrivains, se condamnent parfois à vivre maigrement. En somme, une organisation efficace des activités culturelles, sauf à un niveau inférieur — les sports, par exemple — est incompatible avec le mobile du profit, de sorte que l'initiative privée, laissée à elle-même ne peut pas satisfaire convenablement les besoins de culture. L'Etat a un rôle important à jouer à cet égard, car il doit encourager et, au besoin, suppléer les initiatives des individus, des familles et des groupements privés.

Peut-on dire que l'autorité publique a vraiment accompli ce rôle dans notre pays et qu'elle a orienté sa politique de bien-être de façon à assurer qu'une part équitable du revenu national serve à satisfaire les besoins de l'éducation et à favoriser les valeurs de culture et de civilisation ? Il n'est pas possible de répondre dans l'affirmative. La *Commission royale d'enquête sur l'avancement des arts, lettres et sciences au Canada*, qui a fait un inventaire systématique de la situation et des besoins de la culture au Canada, a révélé dans son rapport l'existence de conditions déplorables et comportant de graves dangers. C'est là un fait indéniable. Il est admis par tous, et pourtant, les principales recommandations de la Commission Massey n'ont pas encore été mises en pratique.

Comment expliquer cette inaction qui ne provient sûrement pas de l'apathie générale ? A l'analyse, il semble que si l'Etat ne remplit pas tout son rôle dans le domaine culturel, il faut en attribuer surtout la cause au manque de systématisation de son intervention ainsi qu'à la confusion et à l'absence de réalisme qui caractérisent le partage des responsabilités entre les gouvernements. Une revue sommaire de la situation qui existe présentement dans la province de Québec est assez révélatrice à cet égard. Au niveau de l'enseignement primaire, la construction des écoles, l'administration et le financement des dépenses courantes dépendent principalement des corporations scolaires locales. Celles-ci partagent l'impôt foncier avec les municipalités et peuvent recourir en certains cas à la taxe de vente. Les méthodes variées d'évaluation, la différence des taux et l'inégale répartition des propriétés industrielles et commerciales font que le rendement de l'impôt foncier subit de grandes variations d'une localité à l'autre. D'ailleurs, même s'il était uniforme et élevé, il ne suffirait pas pour répondre aux besoins grandissants des corporations scolaires. Le gouvernement provincial doit donc leur venir en aide, soit en contribuant au financement de la construction des écoles, soit en prenant à sa charge leur dette obligataire, soit en leur versant des octrois spéciaux.

Il n'est pas possible ni désirable que le financement de l'enseignement primaire provienne uniquement des taxes que peuvent imposer les commissions scolaires. Par ailleurs, la politique d'aide financière du gouvernement provincial n'a jamais été clairement définie. Elle manque d'objectifs précis, elle est sporadique et dépend trop souvent du bon plaisir de l'autorité, de sorte que la distribution des octrois peut faire naître de graves injustices. En l'absence d'une politique reposant sur un plan d'ensemble rationnel et d'un système adéquat d'octrois statutaires, les commissions scolaires sont souvent incapables d'établir leur budget à l'avance et sont portées à mettre de côté des améliorations désirables plutôt que les financer elles-mêmes ou entreprendre des démarches longues et pénibles auprès du gouvernement provincial afin d'obtenir une aide qui peut toujours être refusée.

Dans la province de Québec, l'enseignement secondaire dépend d'institutions privées. Celles-ci, malgré de lourds sacrifices, ont grandement besoin de secours financiers. Les souscriptions privées ne sont pas toujours possibles; elles sont irrégulières et insuffisantes. Les collèges classiques reçoivent du gouvernement provincial un subside annuel de 15,000 dollars, et certains d'entre eux ont réussi à obtenir des octrois spéciaux quand ils ont subi des désastres ou célébré des anniversaires. On peut trouver des imperfections au niveau de l'enseignement secondaire [1]. Les collèges classiques sont peut-être les premiers à les reconnaître. Certaines des critiques et des suggestions qui peuvent leur être faites demeureront en grande partie inutiles tant que les octrois statutaires provenant de l'Etat n'auront pas été considérablement augmentés pour leur permettre de financer les améliorations qu'ils considèrent eux-mêmes comme urgentes.

L'enseignement universitaire est également assuré par des institutions privées qui sont aux prises avec de graves difficultés financières [2]. Les besoins sont urgents et croissants. L'aide provenant du gouvernement provincial est sporadique et insuffisante. Le système actuel d'octrois exige des démarches longues et pénibles et ne s'accommode pas toujours avec la liberté académique pourtant si importante. On s'entend généralement aujourd'hui sur la nécessité de le rendre plus adéquat, plus régulier et moins capricieux. Le programme de bourses est lui aussi insuffisant.

Le gouvernement fédéral s'est également intéressé au problème universitaire. Il distribue, par l'intermédiaire des universités, des octrois de recherches aux professeurs dans plusieurs domaines tels que la médecine, les sciences naturelles, le folklore, le service social, les relations du travail et l'urbanisme. Il organise, conjointement avec les universités, des cours destinés aux membres des services armés. En collaboration avec le gouvernement provincial, il finance en partie les programmes conjoints d'aide à la jeunesse et de santé qui prévoient des bourses aux étudiants et des octrois de recherches. Le Collège militaire de St-Jean, tout en formant des officiers pour les services armés, prépare aussi de futurs professionnels qui pourront recevoir leurs titres après un séjour d'une année dans une université. Toutefois, quand le gouvernement fédéral a voulu s'entendre avec le gouvernement provincial québécois pour distribuer aux universités des octrois calculés sur l'ensemble de la population et sur le nombre d'étudiants, le gouvernement du Québec a refusé définitivement, après avoir accepté une fois, alors que toutes les autres provinces du Canada ont consenti. C'est ainsi que les universités du Québec peuvent accepter des octrois s'échelonnant sur une assez longue période et provenant des grandes

[1] Arthur Tremblay, *Les collèges et les écoles publiques,* Les Presses Universitaires de Laval, Québec, 1954.

[2] Mémoire de l'Université Laval à la Commission royale d'enquête sur les problèmes constitutionnels (texte polycopié).

entreprises canadiennes ou américaines, demander l'aide des autorités municipales ou provinciales, accepter les octrois conditionnels de recherches provenant du gouvernement fédéral mais qu'il leur est impossible de recevoir de celui-ci des octrois statutaires dépendant uniquement de l'effectif de la population.

L'enseignement dans les domaines technique et artistique est financé directement par l'Etat même si, dans certains cas, il est confié à des institutions privées. L'orientation de l'enseignement et la composition des programmes relèvent du gouvernement provincial, mais, dans plusieurs domaines, le financement des dépenses courantes et capitales est partagé avec le gouvernement central.

En ce qui concerne l'enseignement qui n'est pas institutionalisé, comme l'éducation populaire, et les instruments de culture autres que les maisons d'enseignement, le partage des responsabilités de l'Etat entre les différents gouvernements est complexe et varié. Les organismes privés qui s'occupent de culture populaire peuvent en fait recevoir de l'aide du gouvernement central et du gouvernement provincial. Les cours d'initiation aux immigrants relèvent de l'autorité fédérale qui s'occupe aussi de certains aspects de la «citoyenneté». Les bibliothèques, les musées et la production de films font l'objet d'une responsabilité partagée, mais la surveillance des livres est faite par le gouvernement fédéral aux frontières et celle des films relève des gouvernements provinciaux. La T.S.F. est devenue un instrument puissant d'éducation et de culture. La radio d'Etat, en particulier, permet à un grand nombre d'artistes d'exercer leurs talents et leur fournit un apport financier indispensable. Et que dire de la télévision, surtout lorsqu'elle aura réussi à mieux définir sa fonction? Ces deux puissants moyens dépendent de la juridiction exclusive du gouvernement fédéral.

L'ensemble de cette situation révèle que la politique de l'Etat dans le domaine de l'éducation et de la culture est insuffisante mais surtout qu'elle n'est pas systématisée ni coordonnée. Elle est souvent confuse, illogique et même arbitraire. Comment espérer qu'elle soit efficace et qu'elle réponde vraiment à nos besoins ? Il ne s'agit plus uniquement de proposer des programmes d'ensemble visant à remédier à la situation et à rappeler à l'Etat l'importance de son rôle culturel. D'excellentes suggestions ont déjà été faites et nous connaissons suffisamment ce que devrait être le contenu d'une politique d'éducation et de culture vraiment adaptée à nos besoins. C'est sur le plan de la méthode que les décisions doivent d'abord être prises. Plus précisément, le manque d'initiative de l'Etat semble provenir principalement du fait que le présent système de partage des responsabilités entre les gouvernements ne correspond plus à la réalité et que les relations entre les différentes autorités publiques n'ont jamais été systématisées.

Les gouvernements qui possèdent les responsabilités sont trop souvent apathiques et recourent à divers prétextes, dont l'incapacité financière, pour justifier leur inaction. Ceux qui ont la capacité financière ou bien ne peuvent intervenir soit parce qu'ils n'en ont pas le droit, soit parce que leur collaboration est refusée, ou bien se contentent d'une intervention sporadique et capricieuse qui perd ainsi beaucoup de son efficacité.

Sur un autre plan, on peut se demander jusqu'à quand il sera possible de nier au gouvernement fédéral le droit de remplir un rôle dans le domaine de l'éducation et de la culture, alors qu'en fait il ne peut s'empêcher d'y intervenir. Quand un gouvernement a une juridiction exclusive sur la radio et la télévision et qu'il doit exercer ses responsabilités dans le domaine du film, comment peut-on lui refuser de se soucier de l'éducation et de la culture ? S'il ne le faisait pas, on l'en blâmerait. Est-il désirable de lui interdire de consulter les savants canadiens qui enseignent dans les universités et de leur verser des octrois de recherches qui exerceront sûrement une influence sur l'enseignement puisque le professeur désirera bien naturellement faire profiter ses étudiants du résultat de ses recherches. Le plan Bilodeau-Rogers inauguré en 1937 et qui a servi à établir définitivement l'enseignement spécialisé dans la province de Québec n'est-il pas bienfaisant même s'il est financé partiellement par le gouvernement fédéral ? Il faudra bien un jour se plier aux exigences de la réalité et de la logique.

On entend dire souvent que la culture, tant française qu'anglaise, au Canada, est menacée de l'extérieur. C'est vrai. Mais c'est surtout sa faiblesse interne qui rend la menace extérieure dangereuse. Il ne faut jamais oublier que la culture est avant tout un phénomène personnel et que si la vie culturelle d'un peuple est affaiblie au point d'être menacée, il faut en rechercher la cause dans la médiocrité individuelle.

Par ailleurs, la culture pour s'épanouir dans les individus exige un milieu et des instruments. C'est sur ce plan que se situent les responsabilités de l'Etat et si celui-ci avait affecté une part convenable du revenu national au développement de la vie culturelle, elle se serait sûrement épanouie davantage. Le Canada a dépensé des sommes inouïes pour aménager et développer ses ressources naturelles, pour construire un immense réseau de chemin de fer et des boulevards modernes. Il est devenu une grande puissance économique et commerciale qui fait l'admiration du monde. Ce gigantisme industriel fait apparaître avec d'autant plus d'évidence son infantilisme culturel. On ne peut s'empêcher de songer ici à ce passage des « Deux sources de la morale et de la religion » où Bergson, réfléchissant sur l'organisation du monde moderne, constate l'inquiétant déséquilibre qui existe entre la culture et les techniques d'une humanité « dont le corps démesurément agrandi appelle un supplément d'âme ». Pourrons-nous éliminer cette disproportion avant qu'il ne soit trop tard ? Il n'est pas exagéré de dire que la réponse à cette question dépend en partie du degré de réalisme avec lequel nous aborderons la solution des problèmes que pose le fédéralisme dans notre pays.

CHAPITRE XII

LE PARTAGE DES FONCTIONS ENTRE LES GOUVERNEMENTS

L'évolution du fédéralisme canadien depuis la Confédération a été décrite dans ses grandes lignes au cours de la première partie de cette étude. La deuxième partie a abordé l'analyse des principaux problèmes économiques et sociaux qui se posent au niveau du secteur privé. Nous avons aussi envisagé le rôle de l'Etat et les exigences d'une politique orientée vers le bien-être général. En retenant cette double perspective, il est maintenant possible d'aborder la question du partage des responsabilités entre les gouvernements à l'intérieur du fédéralisme canadien.

La solution de ce problème épineux dépend d'une multitude de facteurs. Elle découle surtout des principes qui inspirent notre fédéralisme, de la nature des fonctions à exercer et de l'aptitude des différents gouvernements à les remplir. Avant de l'aborder sous ces aspects, il faut répondre à une question fondamentale. Est-il possible, à notre époque et au Canada, de séparer les fonctions de l'Etat en sphères indépendantes, tout en tenant compte de la réalité ? Beaucoup de discussions et de mésententes stériles deviennent inévitables si cette question n'est pas d'abord soulevée.

A. Séparation des fonctions ou participation aux fonctions ?

La question posée peut être formulée en ces termes: les fonctions de l'Etat doivent-elles être séparées entre les gouvernements ou être partagées par tous, chacun ayant sa part de responsabilités à l'égard d'un même problème ?

La définition classique du fédéralisme exige que les membres de la fédération aient une sphère propre et exclusive de juridiction et qu'ils soient indépendants les uns des autres. La Confédération canadienne n'a pas entièrement respecté cette définition. Elle a laissé subsister une zone assez vaste de juridiction commune et elle a placé les provinces dans une certaine dépendance du gouvernement central en reconnaissant à celui-ci le droit de désaveu et de réserve sur des lois provinciales. Depuis, les gouvernements provinciaux ont conquis de fait leur autonomie, mais la zone des responsabilités conjointes s'est agrandie, même si le principe de la séparation des juridictions est encore affirmé avec véhémence dans plusieurs milieux.

Une certaine séparation de fonctions est essentielle au maintien du fédéralisme. L'unité canadienne serait impossible si le gouvernement central ne possédait pas une juridiction bien définie dans les domaines de la politique internationale et de la défense, du commerce extérieur et du régime douanier, de la monnaie et du crédit. La fédération canadienne ne serait plus possible si chaque province avait le droit de déclarer la guerre ou de faire la paix, d'établir son propre régime douanier, d'émettre sa monnaie et de contrôler le crédit bancaire. Même dans ces domaines, la séparation n'est pas complète : les provinces assument une part des responsabilités dans la défense civile, peuvent recourir à des embargos sur l'exportation ou l'importation de certains produits et intervenir dans les domaines du crédit à l'habitation, au consommateur et à l'agriculture.

Effectivement, à l'intérieur du fédéralisme, la participation aux fonctions est nécessaire, comme le montre Sir Douglas Copland :

« Federalism involves the sharing of administrative functions among governments of the constituent members of the federation. Although federal government has been defined as a 'form of government in which sovereignty or political power is divided between the central and the local governments, so that each of them within its own sphere is independent of the other', an affective system of federal government requires much inter-governmental co-operation. If there are many fields in which co-ordinated administrative action is required, the problem is one of « government by agreement ». [1]

Pour effectuer une séparation des fonctions, on peut choisir un critère géographique ou procéder par catégories de problèmes. D'après la première formule, on pourrait dire que l'aspect international et national des problèmes relève exclusivement du gouvernement central, tandis que leur aspect provincial et local dépend uniquement des

---

[1] Sir Douglas Copland, « The Impact of Federalism on Public Administration », dans: *Federalism,* Cheshire, Melbourne, 1953, p. 135.

gouvernements provinciaux. On conviendra qu'il est impossible de séparer avec précision les fonctions de l'Etat de cette façon. Les incidences d'un problème ne sont divisibles qu'en établissant des distinctions formelles sans correspondance dans la réalité. Il est vrai de dire par exemple que le chômage peut avoir un caractère local, régional, national et même international, mais ces zones de répercussions ne sont pas assez nettement délimitées pour servir de base à une séparation de juridictions. On peut prétendre que tous les problèmes n'ont pas des incidences aussi diffuses que celles du chômage. Mais alors, même si les problèmes ont des répercussions plus circonscrites, ce sont les méthodes d'intervention gouvernementale qui en étendent la portée. Ainsi, l'organisation d'un programme de défense entraîne des effets locaux. L'éducation a des aspects nationaux par les problèmes financiers qu'elle fait surgir et les instruments de culture qu'elle utilise. A très peu d'exceptions près, les problèmes qui relèvent de l'Etat ont des répercussions directes ou indirectes à tous les échelons, et la distinction entre les différents plans géographiques ne peut se faire assez nettement pour permettre une séparation satisfaisante des fonctions entre les gouvernements.

La deuxième méthode, qui procède par catégories de problèmes, semble plus facile à appliquer que la première. Il paraît plus simple de séparer les problèmes différents que de distinguer l'aspect national et l'aspect provincial d'une même question. Cette plus grande simplicité n'est cependant qu'apparente. Cette méthode exige une énumération complète des problèmes qui peuvent nécessiter l'intervention de l'Etat. Si l'énumération n'est pas exhaustive, les questions qui n'auront pas été incluses ne seront attribuées à aucun gouvernement, à moins d'ajouter à la constitution une clause résiduelle. L'expérience des clauses résiduelles, au Canada et ailleurs, s'est avérée un échec, tandis que les zones de responsabilités indéterminées constituent la négation même d'un régime fédéral fondé sur la séparation des fonctions. Par ailleurs, est-il possible d'énumérer avec une précision suffisante tous les problèmes dont peut s'occuper l'Etat ?

Une simple énumération par grandes catégories de problèmes n'est pas satisfaisante. Il faut définir chaque question de façon précise. Le terme « chômage », par exemple, est déjà ambigu. Il peut désigner à la fois le chômage structurel, cyclique ou saisonnier. Chacun de ces types peut être attribuable à une multiplicité de facteurs et requérir des remèdes très différents. Plusieurs autorités provinciales affirment que le chômage relève de la responsabilité exclusive du gouvernement fédéral. Une telle attitude, pour être conséquente avec elle-même, oblige à reconnaître que le gouvernement central peut recourir aux moyens les plus efficaces pour combattre le chômage. C'est là favoriser indûment la centralisation. En effet, si le chômage est structurel, il faut, pour le combattre efficacement, la juridiction immédiate sur les ressources naturelles. Pour éviter d'en arriver à cette situation, il faudrait donc définir chaque type de chômage et laisser aux provinces la responsabilité du chômage structurel qui doit être combattu par une exploitation plus intense des ressources naturelles. La plupart des autres problèmes soulèvent des difficultés analogues de définition. Un autre exemple: on ne peut davantage dire que la lutte contre l'insécurité sociale relève exclusivement des provinces, car il est impossible d'expliquer la responsabilité totale accordée au gouvernement fédéral en 1941 dans le secteur de l'assurance-chômage, et en 1950 dans celui des pensions de vieillesse. Il faut donc se demander de quelle catégorie d'insécurité sociale il s'agit. De même, si l'éducation appartient exclusivement aux provinces, leur juridiction ne se limite pas à l'enseignement primaire, secondaire et universitaire, mais elle s'étend à toutes les formes d'éducation et à tous les véhicules de la culture y compris la radio et la télévision.

La division des fonctions de l'Etat en secteurs complètement séparés ne peut donc se faire en utilisant des expressions générales telles que « chômage », « relations du travail », « commerce », « monopoles », « insécurité sociale » et « culture ». En tentant de procéder ainsi, on constate vite que ces catégories de problèmes ne sont pas homogènes, que la plupart d'entre elles sont reliées par des liens d'interdépendance et que leur séparation, possible dans l'abstrait, aboutit dans la pratique à des conflits perpétuels entre les membres de la fédération. L'utilisation d'expressions plus restreintes recouvrant des réalités plus homogènes n'écarte pas cette difficulté car elle crée de nouveaux problèmes inextricables de définitions. La séparation des fonctions pourrait en ce cas être précise, mais elle exigerait une minutieuse analyse des problèmes concrets afin de classifier ceux-ci et de les attribuer à tel ou tel gouvernement. Dans ces conditions, l'administration d'un pays deviendrait impossible.

En définitive, l'attribution de responsabilités exclusives aux différents gouvernements n'est pas possible parce que la politique économique et sociale est devenue quasi indivisible. Revenons, par exemple, à la question cruciale de l'instabilité économique, c'est-à-dire, au chômage et à l'inflation cycliques. L'aspect national et international de cette instabilité est déjà connue. Nous savons également que la lutte contre ce déséquilibre doit être surtout menée par le gouvernement dont dépendent les politiques de commerce international et monétaire et qui peut recourir, soit à des déficits budgétaires importants et répétés, soit à un système efficace de contrôle national des dépenses privées. Par ailleurs, on ne peut demander à ce gouvernement de jouer un rôle prépondérant dans la lutte contre le chômage ou l'inflation cyclique s'il n'a pas accès à tous les pouvoirs de taxation en période inflationnaire ni aux principales catégories de dépenses publiques, surtout pendant les périodes déflationnaires. Que reste-t-il alors comme juridiction exclusive aux autres membres de la fédération dans un régime qui sépare complètement les fonctions ?

Si, par ailleurs, on suppose une assez grande décentralisation législative et administrative et une autonomie financière reposant sur des pouvoirs exclusifs de taxation, il ne faut pas compter sur le gouvernement fédéral pour assurer la stabilité économique. On ne pourrait même pas lui confier de responsabilités en ce domaine. Qu'adviendrait-il alors ? L'instabilité économique continuerait à se manifester : les gouvernements provinciaux, ne pouvant contrôler directement les facteurs économiques nationaux et internationaux et étant incapables de recourir à des déficits budgétaires systématiques, ne pourraient pas, à eux seuls, lutter efficacement contre l'inflation ou le chômage cycliques. Même les provinces riches, au cours des périodes de dépression, deviendraient incapables d'exercer toutes leurs fonctions et l'autonomie financière fondée sur des pouvoirs exclusifs de taxation aboutirait à l'incapacité fiscale.

Il est inutile de développer davantage cette analyse. La nécessité et les exigences d'une politique de stabilité économique ont déjà été démontrées. L'action de l'Etat dans ce domaine a des répercussions dans tous les autres secteurs de la politique économique et sociale. Dans un régime de séparation des fonctions, l'intervention de l'Etat en vue d'atténuer l'inflation et le chômage aboutit à un échec si elle est confiée exclusivement aux autorités provinciales; elle aboutit à une centralisation très poussée qui signifie concrètement la fin du fédéralisme, si elle relève uniquement du gouvernement central.

La doctrine qui définit le fédéralisme comme étant une forme d'unification politique où la souveraineté est répartie entre plusieurs gouvernements ayant leur sphère propre et exclusive de juridiction n'est donc pas acceptable. Cette définition peut satisfaire les esprits recherchant avant tout la clarté logique. Elle a pu correspondre déjà à des situations de fait. Elle ne peut plus s'adapter aux réalités présentes. Au Canada, elle correspond davantage aux conditions du dix-neuvième siècle, alors que les responsabilités et les méthodes d'intervention de l'Etat étaient beaucoup plus simples, que les problèmes nés de l'industrialisation apparaissaient à peine, que l'interdépendance des secteurs de la politique économique et sociale n'était pas reconnue et que le système de transports et de communications n'avait pas encore réussi à unifier le pays. Aujourd'hui, même les pays ne sont plus isolés en dépit de leurs frontières. C'est en participant à la vie internationale qu'ils parviennent à conserver une plus grande indépendance. Comment, dans ces circonstances, peut-on prétendre que les membres d'une fédération à l'intérieur d'un pays peuvent être pleinement souverains et avoir une sphère de juridiction propre et exclusive?

La théorie de la séparation des fonctions aboutit soit à l'éclatement du fédéralisme, en provoquant le séparatisme ou l'union législative complète, soit à la co-existence de gouvernements isolés à l'intérieur d'un même pays, ce qui empêche l'Etat moderne de remplir convenablement ses responsabilités à l'égard de la population et menace indirectement le fédéralisme. Dans ce dernier cas, en effet, on voit apparaître la pire forme d'inefficacité bureaucratique: quand il s'agit de résoudre un problème, le gouvernement qui a la juridiction n'a pas la capacité réelle suffisante pour lui apporter une solution, tandis que celui qui pourrait le régler n'a pas la compétence constitutionnelle nécessaire. C'est à ce résultat que songent K. C. Whealer et Douglas Copland quand ils signalent certains inconvénients du fédéralisme:

« Federal constitutions are classified by political scientists as 'rigid'; they exhibit judicial review; they are legalistic and conservative. They require courts and judges to decide questions which are often the subject of political controversy, and that, some people say, is bad for law and bad for politics. They tend to encourage irre-sponsibility in government, for politicians can excuse their inaction or camouflage their actions by relying upon the veto of the court or the rigidity of the amending process » [1]. « In fact, I would say that administrative irresponsibility is the chief feature of the federal structure. Its chief characteristic is probably the old game of 'passing the buck'. I can assure you that not only the officials but also the politicians become artists at passing the buck in any federal system. If that is what we mean by 'avoiding bureaucracy', I think we ought to use a little more care when we employ those terms » [2].

La séparation des fonctions gouvernementales érigée en règle géné-rale est incompatible avec la réalité sociale et économique de notre époque et avec un régime politique efficace: ou bien elle est une con-dition inhérente au fédéralisme, et alors celui-ci est appelé à disparaître sous la pression des exigences du bien-être général; ou bien elle ne l'est pas, et alors elle ne doit pas être généralisée mais plutôt réduite à un minimum afin d'éviter tant une centralisation excessive qu'une trop grande inefficacité de l'administration publique.

En fait, l'attribution exclusive de certaines fonctions à un gouver-nement au sein d'une fédération est nécessaire pour maintenir l'unité du pays vis-à-vis l'extérieur et pour empêcher l'érection de frontières à l'intérieur. A cette fin, la politique étrangère, la défense militaire, le régime douanier, la monnaie et le crédit bancaire doivent relever exclusivement de l'autorité centrale. La diversité culturelle et les exigences d'une saine décentralisation, surtout dans un pays comme le Canada, rendent également nécessaire l'attribution exclusive de cer-taines responsabilités aux gouvernements provinciaux. L'enseigne-ment institutionnalisé, le droit civil, l'exploitation des ressources na-turelles et l'aménagement local des agglomérations humaines doivent ou peuvent avec avantage faire partie de ce groupe de fonctions. Toutefois, la plupart de ces responsabilités ne doivent pas être exclu-sives au point d'interdire une participation financière de l'autorité centrale quand celle-ci est désirable pour le bien-être des provinces.

---

[1] K. C. Whealer, « When Federal Government is Justifiable », *Federalism,* p. 111.

[2] Douglas Copland, *Ibid.,* p. 123.

C'est donc la participation de tous les gouvernements aux principales fonctions de l'Etat qui doit devenir la règle générale. Elle peut s'établir selon deux formules différentes: la méthode confédérative, selon laquelle les gouvernements ont des prérogatives et des responsabilités identiques; la formule fédérative qui, tout en reconnaissant la participation commune, repose sur la spécialisation des tâches.

Dans certains milieux canadiens, on propose parfois de confier à un organisme interprovincial du type confédéral certaines fonctions importantes de l'Etat moderne. Un tel organisme pourrait, par exemple, effectuer une certaine redistribution des revenus de la taxation entre les provinces. Mais cette formule soulève de graves difficultés. En temps de dépression, les provinces riches consentiraient-elles à venir en aide aux provinces pauvres, alors que leurs revenus ne suffisent plus pour rencontrer leurs propres dépenses ? Même en temps de prospérité, cette forme d'aide aux régions pauvres ou sous-développées serait-elle acceptée par la population des provinces riches ? Comment serait-elle déterminée ? Comment les provinces pauvres pourraient-elles exiger que l'aide soit continuée et, au besoin, augmentée ? Quel recours pourraient-elles exercer contre les provinces riches ? Un tel système semble inadmissible. Il est inacceptable pour les provinces pauvres qui, présentement, peuvent au moins se servir de la puissance de leur électorat contre le gouvernement fédéral, lequel, au surplus, possède les pouvoirs monétaires nécessaires pour encourir des déficits et venir en aide aux régions pauvres même au cours des dépressions. Il ne favorise pas les intérêts immédiats des provinces riches qui pourraient facilement cesser de participer à cette redistribution des revenus.

Sur un plan plus général, un organisme interprovincial pourrait compléter nos institutions fédérales, mais il ne saurait les remplacer. Ressemblant dans sa structure à l'assemblée des Nations Unies, il serait paralysé par des discussions interminables qui l'empêcheraient d'exercer convenablement les fonctions importantes et complexes de l'Etat. Il pourrait tenter d'effectuer une certaine uniformisation des lois provinciales, mais son utilité serait assez réduite, car l'économie des provinces, leur composition ethnique, leurs traditions politiques et leurs intérêts immédiats sont trop différents. D'ailleurs, les ententes interprovinciales, qui sont désirables dans plusieurs domaines, n'ont pas donné de résultats assez concrets pour permettre d'espérer que les grandes tâches de la politique économique et sociale puissent s'exercer de cette façon. Il serait enfin facile de démontrer, en rappelant les expériences tentées ailleurs, que les régimes confédératifs aboutissent à l'inaction s'ils respectent les droits égaux des associés et que, tôt ou tard, ils se transforment en fédérations ou sont dominés par le plus puissant des membres de l'association.

Puisque la participation conjointe à des responsabilités identiques est inacceptable, seul un régime de compétences concurrentes prévoyant une spécialisation des tâches et des responsabilités devient possible. Par exemple, la lutte contre le chômage ne peut être confiée exclusivement ni aux provinces, ni au gouvernement fédéral; elle ne peut pas davantage être attribuée à un groupe de gouvernements qui, à cette fin, auraient des prérogatives égales et des responsabilités identiques. Elle peut néanmoins relever de tous les gouvernements à la fois, chacun d'entre eux apportant la contribution spécifique qu'il est le mieux en mesure de fournir. Cette méthode est la seule qui puisse s'accommoder avec le fédéralisme et la réalité économique et sociale de notre époque.

La participation conjointe de tous les gouvernements aux fonctions de l'Etat est d'ailleurs parfaitement compatible avec la constitution canadienne. La première partie de cette étude a montré la flexibilité de notre fédéralisme. Le Canada, en gardant substantiellement la même constitution, a d'abord vécu sous un régime assez fortement centralisé, puis il a connu une période où les provinces et le gouvernement fédéral ont successivement prédominé. La constitution canadienne peut donc s'adapter à la formule des compétences conjointes et spécialisées, surtout dans le domaine des responsabilités récemment assumées par l'Etat. Cette méthode exige des consultations et même parfois des ententes intergouvernementales, ce qui n'est pas toujours facile mais est réalisable. D'ailleurs, nous n'avons guère le choix.

B. RESPONSABILITÉS CONJOINTES ET RÔLES DIFFÉRENTS DES GOU-
   VERNEMENTS

Venons-en à l'examen des principales responsabilités de l'Etat afin de voir quels rôles particuliers peuvent remplir les différents gouvernements dans un régime de compétences conjointes. En premier lieu, quels principes doivent inspirer la répartition des tâches ? Il ne s'agit pas de reprendre ici les traditionnelles discussions sur les mérites respectifs des principes de décentralisation et d'efficacité administrative. On s'entend généralement pour reconnaître que la décentralisation est désirable lorsqu'elle est efficace mais qu'elle devient moins acceptable si elle engendre l'inefficacité. En d'autre termes, il faut parder une préférence pour la décentralisation, mais il n'est pas sage de confier à un gouvernement une fonction qu'il est incapable de remplir convenablement sous le seul prétexte que la décentralisation est souhaitable.

a. Les gouvernements, le développement industriel et le chômage saisonnier

La nature et l'importance des fonctions de l'Etat ont considérablement changé depuis 1867. On se rappelle qu'un des principaux objectifs de la Confédération a été d'unifier et de développer l'économie du pays en dépit des répercussions défavorables de la technologie de l'époque. Cette fonction fut confiée à l'Etat et assumée principalement par le gouvernement fédéral. Aujourd'hui, cependant, les conditions ne sont plus les mêmes. Les effets de la technologie moderne et la découverte d'immenses ressources naturelles permettent à l'initiative privée de se charger du rôle prédominant dans le domaine du développement industriel. La fonction de l'Etat est devenue subsidiaire et elle peut être assumée principalement par les gouvernements provinciaux, car le progrès industriel dépend surtout de l'exploitation des ressources naturelles et de l'abondance de l'énergie électrique.

C'est donc aux provinces qu'il appartient d'abord de stimuler le développement économique et de l'orienter afin d'assurer l'exploitation rationnelle des ressources en vue du bien-être de leur population. C'est d'elles aussi que doit relever principalement la lutte contre le chômage structurel ou technologique, surtout lorsque celui-ci n'affecte que certaines industries et non des régions entières, car ce qui importe alors est de susciter de nouvelles industries et accélérer le rythme de l'exploitation des ressources. Il y a là un vaste domaine où peut s'exercer efficacement la politique provinciale. Il ne saurait être négligé impunément puisque le développement et l'orientation d'une économie conditionne plusieurs autres aspects de la vie économique et sociale. Plutôt que de demander au gouvernement fédéral de s'occuper à lui seul du chômage technologique, certaines provinces devraient entreprendre un inventaire sérieux de leurs ressources naturelles et établir une véritable politique de développement économique. Le gouvernement fédéral a aussi des responsabilités directes dans ce domaine, car l'immigration, le commerce international et la construction des chemins de fer relèvent de sa compétence. Il est, en outre, désirable qu'il collabore à certains programmes provinciaux portant sur la protection et la conservation des ressources et sur la construction de certaines routes d'importance nationale. Les provinces, enfin, doivent permettre aux municipalités de promouvoir le développement économique et demander à celles-ci, en les aidant au besoin, de fournir les services publics locaux exigés par l'industrialisation et l'urbanisation.

Ainsi, les fonctions de l'Etat dans le domaine du développement industriel et du chômage structurel doivent être attribuées principalement aux provinces. Celles-ci, à leur tour, peuvent confier certaines de leurs responsabilités aux administrations municipales et accepter la collaboration du gouvernement fédéral dans la réalisation de certains programmes conjoints.

La lutte contre les variations saisonnières de l'emploi requiert la coopération de l'initiative privée et de tous les gouvernements. Le travail initial de recherches destiné à définir le problème devrait être laissé au gouvernement fédéral parce qu'il possède déjà les services de renseignements requis. Des comités conjoints devraient ensuite être formés avec les groupements privés pour déterminer quelle contribution ceu-ci peuvent apporter. A un stage ultérieur, les divers gouvernements devraient s'entendre pour faire coïncider la réalisation de certains travaux publics avec les baisses saisonnières de l'emploi. L'assurance-chômage viendrait compléter ce plan d'ensemble.

b. *Les gouvernements et la stabilité économique*

Si l'accélération du développement industriel devint le premier souci de l'Etat en 1867 et le premier objectif recherché par la Confédération, la principale responsabilité de l'Etat dans notre pays est maintenant la stabilité économique. Tant que ce fait et ses implications n'auront pas été saisis, il est impossible de comprendre le problème des relations intergouvernementales tel qu'il se pose à l'heure actuelle car la lutte contre l'instabilité influence fortement tous les autres aspects de la politique économique et sociale.

A première vue, la répartition des fonctions de l'Etat à l'égard de l'instabilité économique ne soulève pas de difficultés car tout le monde semble admettre au Canada que la lutte contre le chômage et l'inflation cycliques relève principalement du gouvernement fédéral. Il y en a même — et ils se disent les adversaires de la centralisation — qui vont jusqu'à prétendre qu'il s'agit là d'une responsabilité exclusive de l'autorité centrale. Sans aller aussi loin, il faut reconnaître que la politique de stabilité économique doit dépendre d'abord du gouvernement fédéral. Tout semble désigner celui-ci à cette fonction : le caractère national et international des fluctuations cycliques, le fait que la politique de défense l'amène parfois à susciter lui-même les pressions inflationnaires, la juridiction presque exclusive qu'il détient dans le domaine du commerce international et surtout dans celui de la politique monétaire et enfin, en temps normal, le caractère assez compressible de ses dépenses. Le gouvernement fédéral peut successivement accroître ou diminuer ses dépenses et réaliser des surplus ou des déficits budgétaires importants. Il peut aussi imposer un système efficace de contrôles directs lorsque les fluctuations économiques deviennent dangereuses. En somme, lui seul peut pratiquer vraiment la nouvelle politique fiscale qui demeure notre principal instrument de lutte contre l'instabilité économique.

Les gouvernements provinciaux, considérés individuellement, ne peuvent exercer qu'une influence très limitée sur les marchés nationaux et internationaux tandis que leur action conjointe et parallèle est très difficile à réaliser dans un domaine aussi complexe. Leur juridiction dans les domaines du commerce international et de la politique monétaire est négligeable et ne peut être accrue sans mettre en danger le fédéralisme lui-même. Leurs dépenses sont relativement incompressibles et leur capacité d'emprunt limitée. Les autorités provinciales ne peuvent facilement s'écarter de la règle de l'équilibre budgétaire et se voient forcées de suivre, au moins dans ses grandes lignes, l'ancienne politique fiscale qui inspira tous les gouvernements au Canada lors de la grande crise de 1930, avec les résultats que l'on connaît. Notons de nouveau que, quels que soient les pouvoirs de taxation dont ils disposent, les gouvernements provinciaux doivent s'en tenir à cette politique fiscale et que celle-ci, dans un climat d'instabilité économique, a des répercussions néfastes sur le comportement du secteur privé et sur la capacité financière des gouvernements provinciaux eux-mêmes.

Le gouvernement fédéral et les provinces doivent suivre deux politiques fiscales ayant des orientations et des exigences très différentes. C'est sans doute parce qu'on n'a pas suffisamment tenu compte de cette nécessité qu'est survenue, au Canada, la mésentente entre les gouvernements. Comment autrement expliquer qu'on demande au gouvernement fédéral d'assumer les principales responsabilités dans la lutte contre l'instabilité et qu'on le critique lorsqu'il veut utiliser les moyens reconnus par la grande majorité des spécialistes comme étant les seuls efficaces pour combattre les fluctuations indésirables de l'économie ?

Pour assurer la stabilité économique, il importe que le gouvernement fédéral puisse, à l'occasion, réaliser des surplus et des déficits budgétaires. Pour obtenir des surplus, il doit fixer des taux de taxation d'autant plus élevés que les pressions inflationnaires sont plus fortes et que les dépenses incompressibles, telles les dépenses d'armements, sont plus considérables. Pour pouvoir atteindre tous les secteurs d'où provient l'inflation, il doit retenir et utiliser, souvent au maximum, toutes les formes de taxes qui lui sont attribuées par la constitution. Au cours des périodes de fléchissement économique, il doit encore retenir le contrôle sur ces pouvoirs de taxation, afin d'être vraiment en mesure d'abaisser les impôts pour stimuler l'activité économique. Par ailleurs, pour réaliser un déficit budgétaire important, le gouvernement fédéral doit avoir accès, soit directement soit indirectement, aux principales catégories de dépenses publiques. Si les exigences de cette politique de stabilité ne semblent pas acceptables, il ne faut pas demander au gouvernement fédéral d'assumer les principales responsabilités dans la lutte contre l'inflation et le chômage cycliques. Mais alors, quelle est l'alternative ?

Les autorités provinciales et, à un moindre degré, les administrations municipales, ont aussi des responsabilités dans le domaine de la stabilité économique. Lorsqu'il existe des pressions inflationnaires, les provinces ont avantage à réaliser des surplus budgétaires et, au moins, à éviter les dépenses inutiles ou qui peuvent être retardées sans trop d'inconvénients. Certaines provinces ont pratiqué cette politique avec relativement de succès dans la période d'après-guerre et ont réalisé de véritables surplus, contribuant ainsi à la lutte contre l'inflation. Au cours des périodes de dépression, les gouvernements provinciaux ne doivent pas profiter de la réduction des taxes fédérales pour augmenter leurs propres impôts sous le prétexte que leurs revenus diminuent : ils annuleraient alors les effets bienfaisants de la baisse des taxes sur l'activité du secteur privé. Les contrôles monétaires spécifiques dont elles disposent sur le crédit au consommateur, à l'habitation et à l'agriculture, doivent également servir à réaliser la stabilité économique.

Enfin, la lutte contre les dépressions exige une phase préliminaire de préparation, surtout lorsqu'il s'agit d'un programme de travaux publics. La prévention des crises nécessite des préparatifs. Les projets d'investissements publics n'ont leur maximum d'efficacité que si on sait à l'avance sur quoi ils doivent porter, où et comment ils doivent être réalisés. Puisque les provinces ne peuvent financer entièrement ces projets et que le gouvernement fédéral ne doit pas en assumer la direction exclusive, la réalisation d'un programme conjoint destiné à prévenir les effets d'une dépression exige des ententes intergouvernementales préalables. Chaque fois que le gouvernement fédéral a voulu discuter de tels projets dans le passé, certaines provinces ont refusé leur collaboration, de sorte que présentement, faute d'accords, notre système de défense contre une crise éventuelle est loin d'être adéquat [1].

Le rôle de l'Etat dans le domaine de la stabilité économique est d'une extrême importance. De lui dépendent le bien-être général de la population canadienne et le maintien du système reposant sur l'initiative privée. Puisqu'il ne semble pas y avoir d'autre alternative que d'en confier les principales responsabilités au gouvernement fédéral, nous devons accepter les principales implications qui découlent de ce principe. Les provinces, pour leur part, ne doivent pas négliger la contribution qu'elles peuvent apporter à la stabilité économique et elles ont l'obligation de guider leur action le plus possible selon les exigences de cet objectif.

---

[1] Au sujet des exigences complexes d'un programme d'investissements publics, on peut consulter le livre *Public Investment and Full Employment*, International Labour Office, Montréal, 1946.

b. *Les gouvernements et les finances publiques*

La politique de stabilité économique a bouleversé les conceptions qu'on se faisait jadis des finances et de l'administration publiques. En particulier, elle pose le problème du partage des pouvoirs de taxation dans une nouvelle perspective.

1. *Les pouvoirs de taxation du gouvernement fédéral*

Les Pères de la Confédération ont accordé au gouvernement fédéral tous les pouvoirs de taxation, dont, les taxes indirectes, en exclusivité. Nous avons noté les raisons qui les avaient amenés à une telle répartition. D'autres facteurs sont venus s'y ajouter. Ainsi, le coût élevé de la sécurité sociale et de la défense ne pouvait pas être envisagé au moment de la Confédération. Mais le changement survenu dans la conception de la politique fiscale est le facteur le plus important à retenir. Dans un système caractérisé par l'instabilité économique, le gouvernement fédéral ne peut plus considérer la taxation uniquement comme une source de revenus: elle devient avant tout un instrument de contrôle économique en vue de la stabilité. Dans un pays qui veut éviter l'inflation et les crises, elle est un moyen indispensable, car elle contribue très efficacement à décourager ou à stimuler l'activité du secteur privé. En période inflationnaire, en particulier, son seul substitut est l'économie planifiée avec le cortège de contrôles rigides et de tracasseries administratives. Si la population canadienne désire que son économie demeure aussi libre que possible, il faut que le gouvernement fédéral, en assumant un rôle prédominant dans la lutte contre l'instabilité économique, retienne tous les pouvoirs de taxation que lui reconnaît présentement la constitution. En fait, aucun groupe important au Canada ne réclame à l'heure actuelle de changement à ce sujet.

Mais si le gouvernement fédéral doit envisager la taxation d'abord *comme un instrument de contrôle économique indispensable,* les provinces ne peuvent la considérer que *comme une source de revenus.* Tel est, semble-t-il, le nœud du problème fiscal au Canada. Le gouvernement fédéral affirme qu'il ne peut abandonner ni les taxes directes ni les taxes indirectes, puisqu'il en a absolument besoin pour assurer la stabilité économique dont il est le principal responsable. Les provinces, de leur côté, déclarent qu'il leur faut des pouvoirs de taxation pour financer leurs dépenses. On se croit devant un dilemme. Comment en sortir ?

Avant de voir s'il existe des solutions, il n'est pas inutile de revenir sur la distinction qu'établit la constitution canadienne entre les taxes directes et indirectes. Au cours de la première partie de cette étude, nous avons vu comment le Conseil privé avait précisé la différence entre ces deux espèces d'impôts en se basant sur une définition de l'économiste classique anglais John Stuart-Mill et comment les provinces avaient réussi à s'introduire dans le domaine des taxes indirectes. Cette distinction entre les impôts directs et indirects est-elle vraiment satisfaisante ? Il nous semble que non. Quel que soit le facteur qui sert à établir la différence, celle-ci demeure variable et subjective.

Selon les spécialistes en taxation, une taxe est indirecte si celui qui la verse à l'Etat n'est pas celui qui la supporte en définitive. Cette définition semble être la plus claire et la plus précise que l'on puisse maintenir, tout en respectant la réalité. Pourtant, le critère sur lequel elle repose est encore trop variable et imprécis pour permettre à la constitution d'un pays fédératif de partager les pouvoirs de taxation entre ses membres. Les économistes ont pu constater que c'est surtout la plus ou moins grande sensibilité de l'offre et de la demande aux variations de prix qui fait qu'à un moment donné une taxe de vente est supportée en définitive soit par le vendeur soit par l'acheteur. Ainsi, une taxe de vente imposée en même temps sur un produit de première nécessité et sur une marchandise de luxe sera vraisemblablement indirecte dans le premier cas, puisqu'elle sera supportée par l'acheteur qui ne peut se passer du produit, et directe dans le second, car elle sera absorbée en grande partie par le vendeur ou le producteur de peur que le consommateur cesse d'acheter. L'incidence d'un impôt dépend aussi beaucoup de l'état de la conjoncture économique: il peut être direct en période de dépression, et indirect pendant la prospérité. L'impôt sur le revenu des corporations, en particulier, subit très probablement de telles variations. En effet, les entreprises peuvent assez facilement le prévoir et l'inclure au moins en partie dans leur prix de vente lorsque les produits sont en grande demande, mais elles doivent l'absorber s'il y a surproduction et concurrence.

En somme, les critères qui peuvent servir à établir une différence entre les taxes directes et indirectes sont très variables et énigmatiques,

même pour les spécialistes. En fait, l'expérience canadienne a fait
constater que cette distinction était assez futile: elle n'a pas servi à
limiter les pouvoirs de taxation des provinces, comme c'était vraisemblablement sa raison d'être, mais tout au plus à leur interdire certains
modes de perception. La théorie fiscale moderne établit plutôt une
distinction entre les impôts sur le revenu net ou accumulé — revenus
nets des individus et des corporations, excédents de bénéfices, capital
et successions —, et les taxes sur la consommation, lesquelles portent
sur les produits et les services, et font partie du coût de production des
entreprises. C'est cette distinction qui sera retenue ici et qui servira
à différencier les impôts directs et les taxes indirectes [1].

2. Les pouvoirs de taxation des provinces

Dans cette perspective, quelles peuvent être les sources de revenus
des provinces ? Il existe des taxes de consommation qui ne peuvent
être utilisées par les provinces et doivent être exclusivement réservées au gouvernement fédéral: ce sont les droits douaniers. Par
contre, les revenus provenant du domaine public et de l'émission de
permis, qui furent accordés aux provinces lors de la Confédération,
doivent continuer de leur appartenir exclusivement. Cette source
de revenus est d'une très grande importance dans les provinces qui
possèdent d'abondantes ressources naturelles et qui savent en organiser
l'exploitation de façon rationnelle. Il est possible, par exemple, d'imposer des redevances élevées sur les matières premières exportées à
l'extérieur de la province, ce qui a pour effet ou d'accroître les revenus provinciaux ou de favoriser la transformation sur place des ressources naturelles.

Les provinces devraient pouvoir recourir sans détour aux taxes sur
la consommation ou, si l'on veut, aux taxes indirectes. Tous les
gouvernements provinciaux en utilisent déjà plusieurs en fait. Ce
sont seulement les modes de perception les plus efficaces et les moins
compliqués qui semblent leur être interdits.

Les taxes sur la consommation n'ont jamais été très populaires.
Avec les réformes qu'elles ont subies depuis leur apparition, elles
méritent cependant d'être réhabilitées. On dit souvent qu'elles sont

---

[1] Pour plus de détails, voir: Bureau fédéral de la statistique, *Government
Transactions Related to the National Accounts*, 1926-1951, Ottawa 1952,
pp. 28 et suivantes.

17

régressives et qu'elles frappent surtout les classes pauvres. Ce trait est grandement exagéré. Même les taxes générales de vente au Canada ne portent pas sur la nourriture ni sur la construction, de sorte qu'elles n'atteignent pas les deux principaux item du budget familial. Le discours sur le budget fédéral de 1951 indiquait, par exemple, que la taxe de vente fédérale ne touchait que 33 pour cent environ des dépenses des familles dont le revenu est inférieur à 7,000 dollars. Par contre, si le caractère régressif des taxes sur la consommation n'est pas aussi accentué qu'on ne croit, ces impôts rendent très difficile l'évasion fiscale. Ils atteignent toutes les classes de la société, les professionnels comme les hommes d'affaires, les cultivateurs comme les ouvriers. Leur rendement est donc élevé.

L'un des avantages les plus marquants des taxes sur la consommation, du point de vue du partage des sources de revenus à l'intérieur d'une fédération, est de pouvoir être décentralisées sans créer de trop grandes inégalités géographiques. Leur rendement ne dépend pas directement de la localisation industrielle, comme les impôts sur le revenu des corporations ou l'impôt foncier, mais des niveaux de vie et surtout du nombre d'habitants. Etant donné que les dépenses provinciales et municipales sont également fort influencées par ces derniers facteurs et que le rendement des taxes sur la consommation ne peut beaucoup varier entre les provinces et les municipalités riches ou pauvres, ce champ de taxation peut être utilisé avec avantage par les autorités provinciales et locales.

Non seulement le rendement des taxes sur la consommation est élevé, pour un taux donné, et assez égal sur le plan géographique, il est aussi relativement stable au cours du cycle économique. Pendant les périodes de prospérité et de dépression, la consommation varie toujours moins rapidement que le revenu. Puisque les dépenses provinciales et municipales sont assez incompressibles, elles ont besoin de sources de revenus relativement stables. Les taxes de consommation exigent peu de frais de collection, sont faciles à percevoir et ne nécessitent pas un nombreux personnel administratif pour informer, vérifier ou surveiller. Ces avantages ne peuvent être négligés quand dix gouvernements, les municipalités mises à part, doivent se partager un champ de taxation.

Il faut aussi mentionner le fait que les taxes sur la consommation ne nuisent guère au développement économique ni à la localisation industrielle. Même si elles sont plus élevées dans une province, cette inégalité n'affectera pas le revenu de ses industries et ne les mettra pas dans une position d'infériorité pour concurrencer les producteurs des autres provinces. En effet, ces impôts sont prélevés sur les produits provenant de l'extérieur mais ne le sont pas sur les marchandises exportées. A l'intérieur de certaines limites, chaque province peut fixer ses propres taux sans trop d'inconvénients.

Enfin, il reste à déterminer si les provinces devraient pouvoir prélever du manufacturier ou du détaillant les taxes sur la consommation. Dans le premier cas, les impôts sont plus ou moins cachés. De plus, ils ont des effets de « pyramide » car ils sont compris dans le prix de vente du manufacturier et c'est en s'attribuant un certain pourcentage de ce prix que les intermédiaires et les détaillants calculent leurs bénéfices. Dans le deuxième cas, par contre, les taxes sont plus difficiles à percevoir et l'évasion fiscale devient plus facile. Lorsqu'il s'agit d'une taxe de vente générale, le volume de chaque vente fait varier le rendement de la taxe, de sorte que le détaillant a un certaine discrétion qu'il peut faire jouer à son avantage. Dans ce cas, l'évasion fiscale constitue un désavantage plus grand que l'effet de « pyramide » des taxes prélevées du manufacturier. Par ailleurs, il ne faudrait pas exagérer l'inconvénient que présentent les taxes cachées dans le prix de vente. Ces impôts doivent, comme les autres, être votés par les représentants du peuple. Ils demeurent toujours visibles aux citoyens qui s'intéressent vraiment à la chose publique. Qu'ils ne soient pas perceptibles à ceux qui sont indifférents à la politique financière des gouvernements ne constitue pas un grand désavantage.

Ainsi les provinces devraient jouir des mêmes pouvoirs que le gouvernement fédéral dans le domaine des taxes sur la consommation et avoir le droit de prélever ces impôts du manufacturier. Ce changement constitutionnel est sûrement désirable, car les taxes sur la consommation sont particulièrement bien adaptées aux besoins et à la situation particulière des gouvernements provinciaux.

Les effets et les caractéristiques des impôts sur le revenu, ou impôts directs, sont fort différents. On les considère généralement comme progressifs et proportionnels à la capacité de payer. Il ne faut cependant pas oublier que l'évasion fiscale qu'ils permettent contribue à atténuer leur équité intrinsèque.

Le rendement des impôts sur le revenu est très inégal sur le plan géographique. Il varie principalement avec la localisation industrielle et le degré d'industrialisation. Il est très bas dans les régions agricoles qui possèdent peu d'industries et il peut devenir très élevé dans les provinces fortement industrialisées. Si la discrimination fiscale doit être évitée, il est difficile de décentraliser le pouvoir de taxation directe dans une fédération dont les membres ne sont pas également riches en ressources naturelles et ne sont pas parvenus au même degré d'industrialisation.

Le rendement des impôts directs est instable au cours du cycle économique. Les revenus des individus et des corporations varient plus rapidement que la consommation pendant les périodes de hausse ou de baisse cyclique. En outre, les impôts sur le revenu sont plus efficaces que les taxes sur la consommation pour contrôler le comportement du secteur privé de l'économie. Elles sont les instruments les plus commodes et les plus souples de la politique de stabilité, de sorte que leurs taux doivent être considérablement augmentés quand l'inflation devient menaçante et fortement diminués si la dépression apparaît comme grave. Ces deux facteurs contribuent à rendre le rendement cyclique des impôts sur le revenu très instable. Cette caractéristique s'accommode mal avec les dépenses incompressibles et les possibilités limitées d'emprunt des provinces.

Le développement économique et la localisation industrielle sont très sensibles aux différences régionales des taux d'impôts sur le revenu. On a pu le constater récemment quand l'impôt sur le revenu des corporations est devenu plus élevé dans la province de Québec qu'en Ontario, à la suite de l'entente fiscale intervenue entre cette dernière province et le gouvernement fédéral. Cette sensibilité s'explique par le fait que les entreprises localisées dans une province où le taux des impôts directs est plus élevé se trouvent dans une situation d'infériorité par rapport à leurs concurrentes des autres provinces. Une telle discrimination est dangereuse même lorsqu'il s'agit de l'impôt sur le revenu des individus. Ainsi, les provinces moins favorisées ne peuvent recourir impunément à des taux plus élevés que ceux qu'imposent les provinces plus riches. Par ailleurs, les provinces qui ont des avantages industriels comparables et qui sont en rivalité économique doivent maintenir les mêmes taux si elles veulent continuer à progresser au même rythme. Mais, que devient alors l'autonomie fiscale dans ce domaine si elle ne peut s'affirmer sans de graves inconvénients ou si elle se réduit, pour une province, à imiter les autres ?

Les impôts sur les revenus sont, enfin, difficiles à prélever, surtout sur une base provinciale. Ils entraînent des frais de collection élevés et exigent un nombreux personnel administratif. Supposons, par exemple, qu'en l'absence d'ententes fiscales fédérales-provinciales, les dix provinces canadiennes et le gouvernement fédéral décident de recourir en même temps à des impôts sur les revenus des individus et des corporations. Même avec des lois uniformes, on peut aisément imaginer la nuée de fonctionnaires, les tracasseries administratives, la duplication des services que provoquerait une telle décision collective. Supposons, de plus, que chacun de ces gouvernements, désirant affirmer son autonomie ou ayant des besoins spécifiques, fixe des taux, des exemptions et des règlements différents. Qu'arriverait-il ? La population ne tolérerait pas longtemps un tel régime et les gouvernements seraient bientôt forcés de s'entendre.

En somme, le droit que la constitution reconnaît aux provinces d'utiliser les impôts directs est, dans une très large mesure, illusoire, surtout si l'on demande au gouvernement fédéral de remplir sa fonction dans le domaine de la stabilité économique. Pour les provinces pauvres, qui ne sont pas encore développées ou dont l'économie est en stagnation, le rendement de ces impôts est faible en tout temps. Dans les provinces riches, l'utilisation de ces taxes est pratiquement impossible lorsqu'il existe des tendances inflationnaires car, à de tels moments, le gouvernement fédéral y recourt au maximum pour éviter l'inflation et diminuer sa dette. Par contre, cette utilisation est indésirable si la menace déflationnaire apparaît, car, dans ce cas, il faut absolument diminuer les impôts directs pour stimuler l'activité économique. D'ailleurs, leur rendement serait alors peu élevé, même dans les provinces riches. Les impôts sur le revenu ne peuvent donc accroître de façon notable les ressources financières des provinces pauvres, quel que soit l'état de la conjoncture économique. Ils n'ont pas d'autres résultats dans les provinces riches, en temps de dépression, et ils ne peuvent être utilisés que de façon limitée lorsque les pressions inflationnaires apparaissent.

Cet exposé conduit à une conclusion que confirme l'expérience canadienne depuis la Confédération. La nature et l'importance des responsabilités financières des gouvernements provinciaux les rendent normalement incapables de subvenir à leurs besoins par la taxation. Même s'ils peuvent recourir davantage et plus efficacement aux taxes sur la consommation, ils diminueraient indûment les niveaux de vie en utilisant trop intensément ces taxes. Par ailleurs, leurs pouvoirs de taxation directe sont souvent illusoires et leur utilisation crée de graves difficultés. Enfin leur capacité d'emprunt est limitée.

Que faut-il donc penser du principe très souvent évoqué de nos jours selon lequel le gouvernement qui dépense doit être aussi celui qui taxe ? Dans le contexte de la politique fiscale classique, ce principe se ramène à la règle de l'équilibre budgétaire qui interdit aussi bien l'emprunt que le système des subventions ou des paiements de transferts intergouvernementaux. Il semble se justifier d'autant plus facilement qu'il correspond au sens commun et qu'il paraît, à première vue du moins, assurer l'autonomie financière de chaque gouvernement et éviter l'irresponsabilité administrative que peut engendrer un régime de subsides.

Toutefois, cette règle de la politique fiscale classique est loin d'avoir une valeur absolue, même lorsqu'elle est applicable. Un budget équilibré sans subsides ne révèle pas nécessairement la sagesse gouvernementale. En temps de dépression, il peut signifier soit des taxes trop élevées, soit des dépenses insuffisantes. En temps d'inflation ou de grande prospérité, alors que le rendement de la taxation s'accroît, même si les taux n'augmentent pas, il peut être la conséquence du gaspillage et de dépenses inutiles contribuant à nourrir les pressions inflationnaires. Aucun de ces résultats ne provient d'un sens aigu de la responsabilité publique. En définitive, le gouvernement qui veut être honnête le sera, quel que soit le régime de finances publiques; celui qui n'a pas le souci de l'intérêt général se livrera au gaspillage et à des transactions louches, même s'il possède son autonomie financière. Le système le plus rigide de finances publiques peut empêcher l'efficacité administrative mais il ne saurait jamais remplacer la surveillance constante que seuls les citoyens et leurs représentants doivent exercer.

Dans le contexte canadien, si l'on tient absolument à ce que le gouvernement qui dépense soit aussi celui qui taxe, on aboutit inévitablement à la centralisation. Ce résultat n'est pas toujours nettement indésirable. C'est du moins ce qu'ont pensé les gouvernements provinciaux quand ils ont abandonné certaines de leurs responsabilités au gouvernement fédéral, en particulier dans le domaine de la sécurité sociale. Mais cette solution ne devrait pas être généralisée car elle n'est pas compatible avec le fédéralisme. La règle du financement des dépenses publiques sans subventions ne peut s'appliquer aux gouvernements provinciaux. Non seulement elle ne garantit pas leur autonomie financière mais elle les menace d'incapacité, surtout dans un régime d'instabilité économique.

3. Les finances provinciales et le problème des subventions

On semble d'accord pour reconnaître qu'à l'intérieur du fédéralisme canadien le régime des subventions est inévitable et qu'il est nécessaire pour la majorité des provinces. Deux formules différentes sont proposées par différents groupes. Une troisième est également possible.

D'après la première méthode, le régime des octrois serait organisé sur une base interprovinciale. A cette fin, on suggère que les gouvernements fédéral et provinciaux s'entendent pour voter des lois uniformes imposant le revenu des individus et des corporations et pour faire du gouvernement central l'agent de perception. Un comité de coordination serait créé en vue de redistribuer parmi les provinces, selon les besoins fiscaux, un fonds constitué par une portion déterminée des revenus provinciaux provenant des impôts sur les revenus et sur les successions. Un tel plan est difficilement réalisable. Il nécessite l'uniformité législative et des taux identiques d'une province à l'autre. Il confie la détermination des taux d'impôts à des ententes intergouvernementales annuelles. Il ne tient pas compte de l'instabilité économique ni des exigences de la politique fiscale. En définitive, il ne garantit même pas l'autonomie provinciale qu'il veut pourtant protéger.

Les deux autres méthodes respectent davantage la tradition du fédéralisme canadien. Elles tiennent compte du fait que le gouvernement fédéral et les provinces ont deux attitudes différentes à l'égard de la taxation. L'autorité centrale a plus besoin des pouvoirs de taxation comme instruments indispensables de contrôle économique en vue de la stabilité que de l'argent que leur utilisation lui procure. Les provinces, au contraire, envisagent uniquement la taxation comme une source de revenus, mais alors, ainsi considérée, elle n'est plus indispensable, car une partie des dépenses provinciales peut être financée d'une autre façon. Il s'agit évidemment de subventions provenant du gouvernement central.

Les subsides fédéraux aux provinces ont été institués lors de la Confédération et, sans eux, celle-ci n'aurait probablement pas été possible. Ils ne sont ni inconstitutionnels, ni contre l'esprit de la Confédération, comme certains le laissent entendre. Encore en 1880, ces subventions représentaient 50 pour cent des revenus provinciaux. Leur importance relative dans les budgets des provinces diminua ensuite graduellement pour atteindre 9 pour cent en 1929. Elle s'accrût rapidement pendant la dépression pour s'élever de nouveau à 46 pour cent en 1935. Depuis la fin du deuxième conflit mondial, les octrois fédéraux se maintiennent à environ 25 pour cent des revenus provinciaux [1]. Deux changements importants méritent d'être signalés depuis 1932. Entre cette date et la signature des ententes fiscales du temps de guerre, les subventions conditionnelles ont été plus élevées que les subsides sans conditions. Ceux-ci retrouvèrent leur importance traditionnelle avec les accords fiscaux. Ces ententes curent pour effet de redonner aux octrois fédéraux la place qu'ils occupaient dans les budgets provinciaux au début de notre siècle.

Les subventions du gouvernement central aux provinces semblent donc inévitables à l'heure actuelle et fortement établies dans la tradition politique canadienne. La méthode des ententes fiscales destinées à résoudre le problème des finances provinciales constitue une première solution reposant sur les octrois fédéraux.

En quoi consistent ces accords ? Ils exigent que les provinces s'engagent pour une période de cinq ans à ne pas utiliser les impôts sur le revenu des individus et des corporations ni la taxe sur le capital des compagnies. Les provinces peuvent cependant retenir les impôts sur les profits des compagnies minières et forestières. Pour sa part, le gouvernement fédéral s'engage à verser aux provinces une compensation financière. Ces octrois sont fixés à deux niveaux différents dont l'un est un minimum garanti pendant toute la durée de l'accord, et l'autre, un montant ajusté chaque année selon les conditions qui existaient l'année précédente. D'après les ententes de 1952 qui sont encore en vigueur, le minimum garanti par la principale option offerte

_____
[1] A. M. Moore et J. H. Perry, *Financing Canadian Federation*, Canadian Tax Foundation, Tax Paper No. 6, pp. 78 et 79.

aux provinces se calcule en deux stages. On détermine d'abord un montant qui se compose d'un octroi *per capita* de 15 dollars, basé sur la population de 1942, et des subsides statutaires payables en 1947. Ce montant une fois déterminé est ensuite augmenté selon l'accroissement du produit national brut *per capita* et de la population de la province au cours de la période 1942-1948. Ce minimum correspond au montant annuel auquel a droit chaque province, de 1952 à 1957, quel que soit le mouvement du revenu national et de la population au cours de cette période. Les ententes prévoient aussi un montant ajusté qui, s'il est plus élevé que le minimum, sera celui que les provinces recevront. Il s'obtient en multipliant le montant minimum par un cœfficient qui dépend de deux facteurs : les indices du produit national brut *per capita,* et de la population provinciale pour l'année précédant celle du paiement de l'octroi, — l'année 1948 étant la période de base [1]. Après leur expiration, ces ententes peuvent être renouvelées du consentement des deux parties.

On peut évidemment reprocher à ces accords de ne pas pécher par un excès de logique. Il ne faut cependant pas oublier qu'ils doivent tenir compte de réalités complexes et de besoins très différents et qu'ils résultent de négociations longues et parfois laborieuses. Ils ont au moins l'avantage d'être réalisables et de permettre l'adhésion de provinces aussi différentes que l'Ontario, la Saskatchewan et l'Ile du Prince Edouard. Mais ce ne sont pas là leurs seuls mérites.

---

[1] Une analyse détaillée des différentes ententes, de leur contenu et de ce qu'elles ont rapporté aux provinces ne peut être faite ici. A ce sujet voir: A. M. Moore et J. H. Perry, *op. cit.*

Voici toutefois comment se calculeraient les octrois minimums et ajustés en vertu des ententes fiscales de 1952, dans le cas de la province de Québec:

a. *Minimum annuel garanti pour la période de 1952 à 1957:*

$$\$56{,}382{,}000 \times \frac{\text{revenu national de 1948}}{\text{revenu national de 1942}} \times \frac{\text{population de 1948}}{\text{population de 1942}} = \$85{,}080{,}000.$$

Le montant de $56,382,000 est le minimum garanti par les accords de 1947. Le montant minimum garanti à la province de Québec par les accords de 1952 s'élèverait à $85,080,000.

b. *Octroi ajusté pour l'année fiscale de 1952-53:*

$$\$85{,}080{,}000 \times \frac{\text{revenu national de 1951}}{\text{revenu national de 1948}} \times \frac{\text{population de 1951}}{\text{population de 1948}} = \$115{,}004{,}000.$$

Dans les deux cas, le revenu national est calculé sur une base *per capita* et il s'agit de la population provinciale.

Ces ententes, en fait, favorisent les deux parties, c'est-à-dire le gouvernement fédéral et les provinces. En accordant des pouvoirs exclusifs à l'autorité centrale dans le domaine des impôts sur le revenu, elles lui permettent d'exercer un contrôle parfait sur le taux de ces taxes et d'organiser sa politique financière en fonction de la stabilité économique. Le financement des octrois versés aux provinces ne crée pas de difficultés particulières. En période de prospérité, ces subventions sont financées en grande partie par les impôts abandonnés par les provinces, sauf dans le cas des provinces pauvres. En période de fléchissement économique, elles pourront provenir du financement déficitaire et de l'emprunt, auxquels le gouvernement fédéral devra recourir de toute façon.

Du point de vue provincial, les ententes prévoient l'abandon de droits de taxation qui sont souvent illusoires et qui ont été peu utilisés dans le passé. Elles établissent un système de paiements de transferts intergouvernementaux satisfaisant pour les provinces pauvres et qui ne fait rien perdre aux provinces riches en temps de prospérité. Elles mettent sur pied un régime de subventions qui varie avec l'accroissement des responsabilités provinciales et qui garantit dans une large mesure la stabilité des revenus provinciaux, même lorsque l'activité économique diminue. Elles prévoient des octrois sans conditions — laissant ainsi aux provinces leur pleine autonomie législative et administrative — dont le mode de détermination et les minimums sont fixés pour une période de cinq ans, à la suite de négociations libres. Une fois les ententes signées, les octrois sont déterminés indépendamment des parties par des facteurs quantitatifs facilement vérifiables.

Les accords fiscaux sont donc des traités à l'avantage mutuel des gouvernements signataires et qui sauvegardent leur indépendance. Quels liens de dépendance peuvent découler du fait qu'une partie s'engage à verser des montants spécifiques et sans conditions à une autre partie, si celle-ci promet à son tour de ne pas utiliser certains droits qu'elle conserve ? Ces accords sont surtout destinés à bénéficier à l'ensemble de la population, laquelle est toujours la victime des mésententes entre gouvernements.

On objectera peut-être que le gouvernement fédéral peut ne pas tenir ses engagements, ne pas verser les octrois, ou surtout, vouloir ultérieurement imposer des conditions. Cette objection n'a aucun fondement historique. Il n'est pas encore advenu, depuis 1867, que les octrois statutaires n'aient pas été versés ou aient été soumis à des conditions. L'expérience passée, poursuivra-t-on peut-être, n'est pas une garantie pour l'avenir. Admettons-le. Mais alors, si le gouvernement fédéral ne tient pas ses engagements, les ententes prennent automatiquement fin; les provinces peuvent de nouveau utiliser leurs droits de taxation et se retrouver dans la situation antérieure aux accords.

Aucune province n'est obligée de conclure une entente avec le gouvernement fédéral. Mais qu'arrive-t-il, en fait, si une province refuse de participer à ce régime? Cette province peut utiliser ses droits de taxation et en ce cas, le gouvernement central permet aux contribuables de déduire de leurs taxes fédérales une somme n'excédant pas 7 pour cent de l'impôt sur les corporations et 5 pour cent de l'impôt sur le revenu des individus. Si la province décide de fixer des taux plus élevés, les contribuables doivent débourser la différence et supporter des taxes plus lourdes que les citoyens des provinces signataires, ce qui soulève évidemment de graves difficultés.

C'est ainsi que se pose la fameuse question de la déductibilité. Un gouvernement provincial peut-il l'imposer à l'autorité fédérale? Il ne le pourrait que s'il avait un droit prioritaire dans ces domaines de taxation. Or il semble assez évident que cette priorité n'est accordée ni aux provinces ni au gouvernement fédéral par la constitution canadienne. Cette théorie d'une priorité indéfinie n'est pas compatible avec l'existence d'un droit concurrent, car, appliquée dans son intégrité, elle aboutit à la négation de ce dernier. La priorité indéfinie ne peut, en effet, se limiter à rien moins qu'à une déduction de 100 pour cent et, si l'on a raison de l'appliquer à un impôt provincial, on est aussi justifié de l'étendre à toutes les autres taxes, de sorte que, théoriquement, le gouvernement fédéral se trouverait limité aux droits douaniers et aux taxes d'accises [1]. La doctrine de la priorité n'a pas de fondement constitutionnel. Elle n'est pas applicable, en fait, dans un régime de droits concurrents car elle aboutit implicitement à l'affirmation d'un pouvoir exclusif.

Si un gouvernement provincial ne peut pas, en droit, exiger la déductibilité de l'autorité fédérale, il peut au moins la lui demander. Mais alors, des démarches, des discussions et une entente sont néces-

---

[1] D. C. Abbott, *Discours sur le Budget,* 6 avril 1954.

saires pour en fixer le niveau. Si le gouvernement fédéral ne peut pas accepter n'importe quel pourcentage de déduction, ce n'est pas pour lui une seule question d'économie. Il doit respecter les ententes avec les provinces signataires et les conditions offertes au moment où ces ententes furent signées. Autrement, il manquerait à ses engagements.

On a proposé que le montant maximum de la déduction permise dans le cas de chaque province corresponde à l'octroi qu'elle recevrait en signant une entente fiscale. Mais, puisque les accords prévoient deux niveaux possibles de subventions, duquel s'agit-il ? Du montant ajusté par rapport au produit national et à la population de l'année antérieure, ou de l'octroi minimum garanti pour toute la durée de l'entente ? L'octroi ajusté est celui que reçoivent les provinces signataires lorsque le produit national et la population provinciale augmentent, comme ce fut le cas jusqu'ici. Mais il varie d'une année à l'autre et il n'est pas possible d'en prévoir le niveau. Il peut diminuer ou augmenter selon le cas. Comment pourrait-il servir de base à un système de déduction et à la détermination du taux d'un impôt provincial ? Puisqu'il varie chaque année, il faudrait que le taux de la taxe provinciale subisse les mêmes fluctuations annuelles. Ce ne serait plus la législature provinciale qui déterminerait le niveau de l'impôt. En outre, on peut imaginer les complications administratives et le désarroi que ferait surgir un tel régime. Le contribuable lui-même ne saurait plus s'y reconnaître. Une telle façon de calculer les montants déductibles semble inadmissible.

Il faut donc utiliser, comme base, l'octroi minimum garanti, lequel demeure invariable pendant toute la durée de l'accord, même s'il est inférieur à l'octroi ajusté lorsque le revenu national et la population augmentent. C'est le seul montant assuré que le gouvernement fédéral s'engage à payer à la province au moment où les accords sont signés. Cette base est la seule qui semble pouvoir être utilisée pour le calcul des déductions. Elle est invariable, ce qui est très désirable pour la fixation du taux de l'impôt provincial, et elle n'est pas incompatible avec les ententes fiscales.

D'après cette formule, les contribuables de la province de Québec auraient pu réclamer du gouvernement fédéral sous forme de déductions, au cours de la période de 1952 à 1957, un montant global annuel de 85 millions de dollars. Par contre, en 1952-53, la première année où les ententes actuelles sont entrées en vigueur, les citoyens du Québec auraient eu droit, selon la formule de déduction présentement appliquée par le gouvernement fédéral, à un total approximatif de 87.1 millions de dollars. Cette somme appréciable aurait été constituée comme suit: environ 52.0 millions correspondant à 7 pour cent de l'impôt ordinaire sur les corporations; 14.3 millions, correspondant à un impôt de 5 pour cent sur le revenu des individus; 12.8 millions, correspondant à la part des droits de succession revenant à la province; enfin, un montant approximatif de 8 millions correspondant, d'une part, à une portion de la taxe sur les profits servant à alimenter le fonds provincial de l'éducation, d'autre part, à une portion de la taxe sur le capital des corporations pour laquelle on accorde actuellement des remises.   Puisque d'après la seule base de calcul qui semble possible et équitable, les contribuables du Québec pourraient déduire 85 millions, et que, d'autre part, ils auraient pu recevoir en 1952-53 environ 87 millions grâce au système de déductions présentement appliqué par le gouvernement fédéral, il semble bien que le traitement dont bénéficie à l'heure actuelle la province de Québec est juste et qu'il n'y a pas lieu de le reviser, comme plusieurs le demandent, — du moins, tant que les ententes fiscales ne seront pas changées.

Même si la présente base servant à calculer les déductions n'apparaît pas comme satisfaisante, c'est en 1952, au moment où se discutaient les accords fiscaux, que chaque gouvernement provincial ayant l'intention de les refuser aurait dû faire des représentations à l'autorité fédérale et proposer une autre formule.   Il semble bien que l'étude du problème de la déductibilité ne pourra maintenant être reprise avant les discussions qui précéderont les accords de 1957, à moins qu'il n'y ait, d'ici là, une autre conférence fédérale-provinciale.

Dès que la méthode des ententes est collectivement reconnue comme moyen de résoudre le problème des finances provinciales, il devient pratiquement impossible pour une province de l'éviter.   Même le gouvernement provincial qui ne désire pas participer aux accords fiscaux généraux doit prendre part aux discussions préliminaires et en arriver à une entente séparée avec l'autorité fédérale sur la déductibilité.   Etant donné qu'à ce stage le gouvernement central peut difficilement permettre une déduction plus considérable que le montant de l'octroi minimum garanti aux autres provinces par les accords généraux, il est financièrement plus avantageux pour chaque gouvernement provincial de participer aux ententes générales. Il peut alors profiter des octrois ajustés, à mesure que la population et le produit national augmentent, et retirer des revenus stables dans l'éventualité d'un fléchissement économique, tout en épargnant pour lui-même le coût élevé de la perception des taxes directes, et en évitant, pour les contribuables, l'inconvénient d'une deuxième déclaration d'impôt. Même du point de vue de l'autonomie financière, la principale différence entre les ententes fiscales générales et les ententes séparées sur la déduction réside dans la perception des impôts laquelle, dans le premier cas, est faite par le gouvernement fédéral et à ses frais, dans le deuxième cas, par le gouvernement provincial et aux dépens de celui-ci.

Il existe une troisième formule susceptible de résoudre le problème des finances provinciales. Elle repose sur les octrois fédéraux, à l'instar de la méthode des ententes fiscales. D'après cette formule, le gouvernement fédéral détermine les subventions qu'il accorde aux provinces mais ne demande pas à celles-ci de renoncer à l'utilisation de leurs pouvoirs de taxation directe. Cette alternative est davantage dans le sens des traditions fédérales canadiennes. En effet, depuis 1867, le gouvernement fédéral distribue des octrois statutaires aux provinces sans leur demander une contrepartie. Il pourrait, encore aujourd'hui, élaborer un système de subventions sans conditions, selon le modèle de celles qu'il distribue présentement sous le régime des ententes fiscales mais sans demander aux provinces de s'engager, même temporairement, à ne pas utiliser certains de leurs pouvoirs de taxation directe.

Cette alternative offre plusieurs avantages. Non seulement elle n'implique pas un détour constitutionnel mais elle signifie un retour à l'esprit initial de la Confédération, en redonnant aux octrois fédéraux l'importance qu'ils avaient jadis dans les budgets provinciaux. Elle permet à toutes les provinces de stabiliser leurs revenus, de remplir leurs responsabilités législatives et administratives et de conserver le droit d'utiliser tous leurs pouvoirs de taxation. Enfin, elle évite la formule des ententes ainsi que les longues discussions et les désaccords que celles-ci entraînent. Elle n'implique aucun sacrifice de la part des provinces. Le gouvernement fédéral pourrait tout simplement avertir les provinces qu'il leur offre une subvention annuelle sans conditions, fixée sur telle base et d'après telle procédure, et qu'elles n'ont qu'à la réclamer si elles la désirent.

Ce système comporte aussi ses inconvénients. Même s'il permet aux provinces de faire des représentations au sujet du montant des octrois, c'est le gouvernement fédéral qui, en définitive, fixe les subventions, — ennui qui n'est guère différent de celui que comporte le régime des ententes fiscales. En outre, ce système rend possible la double taxation dans le domaine des impôts sur le revenu, — inconvénient qu'il ne faut cependant pas exagérer.

Il est indiscutable que plusieurs provinces, ayant dorénavant des revenus suffisants, n'utiliseront pas leurs droits de taxation directe. Elles ne l'ont pas fait dans le passé, même lorsque leurs ressources financières étaient trop limitées. Quant à celles qui pourront y avoir recours, — le Québec et l'Ontario, par exemple — , elles devront se limiter à une utilisation prudente et restreinte, même dans les périodes de stabilité économique. Ce genre d'impôts s'adapte mal à une base provinciale et les différences régionales de taux soulèvent des difficultés et provoquent de vives réactions de la part des contribuables les plus atteints. D'ailleurs, en période d'inflation, le recours à ces impôts par les provinces deviendra difficile, car le gouvernement fédéral devra taxer avec une telle intensité dans le domaine des impôts directs que les provinces se trouveraient pratiquement éliminées de ce champ de taxation. En période déflationnaire, à l'inverse, lorsque le gouvernement fédéral désirera réduire le taux de ces impôts pour stimuler l'activité économique, certaines provinces pourront en profiter pour recourir à ces taxes ou pour les augmenter si elles les utilisent déjà, ce qui aura pour résultat d'annuler partiellement les effets de la politique fiscale du gouvernement fédéral. Même alors, il ne faut pas exagérer ce danger, car l'autorité centrale pourra y parer en augmentant les subventions aux provinces si une hausse des revenus provinciaux est vraiment désirable. Les provinces hésiteront longtemps avant d'augmenter les taxes directes en période de dépression car la simple sagesse électorale et les pressions de l'opinion publique les obligeront à réfléchir sérieusement avant de prendre de telles mesures. Enfin, si l'une ou l'autre des provinces manifeste une mauvaise volonté réelle et met en danger le programme national de stabilité économique, le gouvernement central pourra toujours exercer des mesures de représailles en déduisant de l'octroi qu'il accorde à cette province au moins une partie du montant additionnel qu'elle perçoit après avoir accru ses taxes directes.

Les ententes fiscales entre le gouvernement fédéral et les provinces étaient inévitables pendant la dernière guerre. Elles sont encore nécessaires si on ne parvient pas à trouver une formule qui, tout en répondant aux mêmes objectifs, n'aura pas l'inconvénient qu'on leur a attribué. Il semble que les gouvernements, ayant trouvé la méthode des ententes fiscales au cours du deuxième conflit mondial, ne lui ont pas cherché d'autres substituts au lendemain de la guerre parce qu'ils étaient déjà habitués à cette formule. L'alternative qui vient d'être proposée est sûrement plus simple, plus souple que la formule des ententes, tout en étant très probablement aussi efficace pour résoudre le problème de l'instabilité économique et les difficultés financières des provinces. Elle offre aussi l'avantage de ne pas séparer en secteurs isolés les sources de revenus de gouvernements qui, par ailleurs, ont tant de responsabilités communes. Est-elle désirable ? Peut-elle faire l'unanimité entre les gouvernements ? On devrait au moins l'étudier attentivement avant de la rejeter.

Le plan d'ensemble suggéré dans cet exposé contribuerait incontestablement à renforcer la position financière des provinces. Si celles-ci cherchent à retirer le plus de revenus possibles de l'administration du domaine public et de l'émission des permis de toutes sortes, si elles possèdent des pouvoirs plus efficaces dans le domaine des taxes sur la consommation, si elles reçoivent des octrois substantiels du gouvernement central et si elles peuvent recourir en dernier ressort aux impôts sur le revenu, elles devraient être en mesure de remplir leurs responsabilités administratives. Même le régime actuel des ententes fiscales a fortement contribué à renforcer leur position et, du même coup, à consolider le fédéralisme canadien.

d. *Les gouvernements, la distribution et le bien-être*

Au Canada, les fonctions de l'Etat dans les domaines de la distribution et du bien-être sont déjà réparties entre les gouvernements. Elles ne sont pas séparées en secteurs isolés. Elles forment plutôt une zone de responsabilités communes à l'intérieur de laquelle on a effectué une certaine division des tâches.

Les relations du travail relèvent principalement des gouvernements provinciaux. Seules, les industries d'intérêt national tombent sous la juridiction du gouvernement central. Cette distinction peut paraître assez imprécise, car il est difficile de distinguer les industries nationales de celles qui ne le sont pas. Dans la pratique, sauf en de rares exceptions, l'autorité fédérale s'est limitée aux entreprises relevant de sa compétence immédiate. En elle-même, cette délimitation des tâches ne semble pas soulever de difficultés.

Les vrais problèmes tiennent à la diversité des lois, aux façons différentes de les appliquer et à l'impossibilité des négociations à l'échelle de l'industrie. Sur ces plans, les provinces elles-mêmes pourraient facilement améliorer la situation présente. Qu'elles ne l'aient pas encore fait n'est pas un motif suffisant pour réclamer une plus grande intervention du gouvernement fédéral. Si cependant elles retardent trop à faire disparaître les différences inutiles, si elles s'opposent systématiquement à toute forme de négociations sur une base industrielle et si leur législation devient moins impartiale que celle du gouvernement fédéral, il ne faudra pas s'étonner qu'un mouvement favorable à une plus grande centralisation de la législation du travail prenne naissance et parvienne tôt ou tard à s'imposer.

La lutte contre les formes indésirables de monopoles doit relever principalement de la compétence fédérale, surtout lorsqu'il s'agit de situations ou de pratiques touchant le commerce international ou interprovincial. Il faut que la juridiction du gouvernement central soit précisée ou accrue afin que son intervention ne soit pas limitée aux cas où il y a raison de croire qu'un « crime » a été commis et que les remèdes à sa disposition ne reposent pas principalement sur les poursuites criminelles.

Les provinces ont également leur part de responsabilités dans la lutte contre les monopoles. Elles doivent au moins s'efforcer de ne pas favoriser certaines pratiques monopolistiques, de ne pas encourager la formation de cartels de producteurs et de ne pas consolider les trusts par leur politique de ressources naturelles. Elles pourraient sans doute aussi créer un organisme spécialement chargé de prévenir les situations et les pratiques monopolistiques qui ont une incidence locale ou régionale. Sur ce plan, une collaboration pourrait facilement s'établir entre les organismes fédéraux et provinciaux.

La politique agricole peut difficilement faire l'objet d'une division des tâches satisfaisante. On peut, il est vrai, alléguer que la politique de courte période — le soutien des prix, la disposition des sur-

18

plus, la découverte de marchés pour la production courante — , relève de la compétence fédérale, tandis que la politique de longue période — le nombre de fermes, l'orientation de la production, l'amélioration des rendements et des produits — , dépend des provinces. Cette distinction ne reflète qu'une tendance générale qui ne tient pas compte des cas particuliers. Elle est trop imprécise pour permettre de diviser les tâches. Même si on parvient à distinguer les problèmes de courte et de longue période, ils demeurent souvent interdépendants. En ce domaine plus qu'en tout autre, les responsabilités conjointes sont inévitables. Une politique agricole efficace ne peut résulter que d'un système bien établi d'ententes et de consultations entre gouvernements.

La lutte contre l'insécurité sociale n'a pas soulevé de conflits intergouvernementaux au Canada. L'élaboration d'un système de répartition des tâches a été parfois difficile et a causé des retards dans la réalisation de notre programme de bien-être social. Malgré tout, la population canadienne bénéficie de plusieurs mesures nationales de sécurité sociale et les gouvernements provinciaux ont tous accepté l'aide financière de l'autorité fédérale dans plusieurs secteurs de leurs programmes d'assistance. Il faut espérer que la bonne entente continuera de régner et que c'est dans cet esprit de collaboration en vue d'une œuvre commune qu'on abordera bientôt l'étude des mesures destinées à protéger la population contre l'invalidité et la maladie. Il est également souhaitable qu'un accord intergouvernemental soit conclu le plus tôt possible pour résoudre le problème de l'habitation des classes pauvres, par la construction de logements à loyer modique.

Au Canada, tout le monde s'accorde à reconnaître que l'enseignement organisé qui mène à l'obtention de diplômes relève de la compétence provinciale. Il s'agit là d'une responsabilité législative et administrative qui peut et doit demeurer décentralisée. Est-ce à dire que l'aide financière du gouvernement fédéral soit absolument inadmissible, même si elle va d'abord à l'autorité provinciale qui la distribue ensuite ? Si cette participation financière indirecte est inacceptable, elle l'est dans tous les secteurs de l'enseignement organisé, et alors, il faut la faire cesser là où elle existe déjà. Si elle est utile dans les domaines où elle est présentement acceptable, comme l'enseignement spécialisé, pourquoi ne le serait-elle pas dans d'autres, comme l'enseignement universitaire ?

Il ne faut pas trop se hâter d'affirmer que l'éducation — l'enseignement organisé mis à part — est du ressort exclusif des provinces. La constitution canadienne l'affirme sans doute, mais les Pères de la Confédération n'ont pu anticiper les découvertes qui ont révolutionné le système de communications. La T.S.F. et la télévision sont devenus de puissants instruments d'éducation et de culture. Ils relèvent pourtant de la compétence fédérale et la population canadienne n'a pas encore exprimé le désir de modifier cette situation. Il y a là deux droits concurrents qui ne peuvent s'exercer qu'en étant reconnus de part et d'autre.

Ainsi, dans presque tous les domaines, y compris celui de la culture, il est extrêmement difficile d'en arriver à séparer les fonctions de l'Etat moderne de façon telle qu'en régime fédératif chaque gouvernement possède une sphère de juridiction exclusive. Les responsabilités gouvernementales, en augmentant, et les instruments de la politique, en se perfectionnant, se rejoignent, se compénètrent et se complètent, au point qu'il devient impossible de les diviser.

C. Le fédéralisme et les relations intergouvernementales

Puisque le fédéralisme exige l'indépendance des gouvernements qui l'adoptent et que les fonctions modernes de l'Etat ne peuvent se diviser en secteurs séparés, l'administration d'un pays vivant sous un régime fédératif doit se faire par ententes et consultations intergouvernementales. Cette constatation, qui se dégage des exigences mêmes de la réalité, est aussi une règle pratique dont l'observance est nécessaire à la solution des principaux problèmes politiques et à la survivance du fédéralisme. En définitive, les relations intergouvernementales sont la pierre d'achoppement de cette forme d'unité politique.

Si les membres d'une fédération se considèrent comme des adversaires ou comme des gouvernements étrangers, ils ne sont plus faits pour la vie difficile du fédéralisme. S'ils envisagent les projets d'entente ou les réalisations conjointes comme des conjurations ou des menaces à leur indépendance, s'ils n'ont plus confiance les uns dans les autres, ils devraient mettre fin à leur association, dans leur propre intérêt et dans celui de leur population. Sur le plan mondial, la vie internationale devient impossible si la confiance mutuelle n'existe pas, si chaque nation interprète les ententes et les traités comme des menaces à sa souveraineté ou refuse de collaborer dès qu'elle n'a pas réussi à faire complètement triompher son point de vue. L'orgueil national, qui interdit les compromis, et la méfiance, qui met en doute l'honnêteté des participants, paralysent les relations internationales. Elles nuisent tout autant à la vie d'une fédération.

Le Canada n'a pas encore trouvé de solution satisfaisante au problème des relations intergouvernementales. En fait, il n'a pas tellement cherché à le résoudre. Quand tout semble bien aller, les gouvernements se donnent l'illusion d'être souverains dans leur propre sphère et n'éprouvent pas le besoin de se consulter, encore moins de s'entendre. Quand les difficultés surgissent, ils tentent de les régler au cours de réunions conjointes.

Le Canada est devenu l'un des pays appuyant avec le plus d'ardeur les institutions internationales. Il croit avec raison que ces organismes, de même que les ententes et les consultations entre nations, sont nécessaires à la paix et à la prospérité mondiales. Il conçoit le retour aux accords séparés comme indésirable et il favorise par tous les moyens les pourparlers multilatéraux, même si ceux-ci n'aboutissent pas toujours à des résultats tangibles.

L'attitude que notre pays prend sur le plan international est infiniment louable mais elle est en contraste avec celle qu'il tient sur le plan intérieur à l'égard des relations intergouvernementales. Et pourtant, l'unité nationale a aussi son importance.

Le fédéralisme canadien ne possède aucun organisme permanent chargé des relations entre les gouvernements. Les conférences fédérales-provinciales ont été rares et n'ont guère donné de résultats. Les raisons de ces échecs sont multiples. Les divergences de partis politiques, les inimitiés personnelles et la recherche de succès électoraux ont sûrement exercé une influence. D'autres facteurs, peut-être plus fondamentaux, ont aussi joué.

Les conférences fédérales-provinciales ont été espacées et presque toujours convoquées pour tenter de régler des problèmes complexes qui n'avaient pas toujours été clairement définis. Les délégués, toujours des hommes politiques, étaient assaillis par une masse de documents longs à étudier, préparés par des spécialistes, et difficiles à comprendre. Il est probable que la majorité de ceux qui assistaient à ces réunions consultaient peu cette documentation, ne connaissaient pas tous les aspects des questions discutées et ne pouvaient pas estimer toute la portée des solutions proposées. Certains d'entre eux pouvaient ainsi en arriver à la conclusion que le gouvernement fédéral désirait plus de pouvoirs tout en ayant peu à offrir à la province qu'ils représentaient. Il n'est pas étonnant, dans ces circonstances, qu'ils aient rejeté des propositions avantageuses et des projets dont la population canadienne aurait pu bénéficier.

Ce n'est pas en réunissant occasionnellement des hommes qui ne sont pas habitués à travailler ensemble, qui croient souvent avoir des intérêts divergents et qui n'envisagent pas toujours les problèmes sous les mêmes aspects, qu'on peut espérer régler rapidement les graves questions que soulève le fédéralisme contemporain. Le peu de succès de ces conférences plénières a semblé faire perdre confiance en l'efficacité de tout genre de rencontres collectives. Alors que le Canada prônait avec une patience remarquable la nécessité des rencontres internationales, en dépit de l'insuccès au moins apparent de ces pourparlers, il adoptait, sur le plan national, le régime des ententes séparées.

A l'heure actuelle, chaque province traite individuellement avec le gouvernement fédéral. Dans certains cas, les relations sont même rompues et la guerre froide est déclarée. Une telle situation ne peut durer longtemps sans menacer les bases mêmes du fédéralisme. L'unité politique du Canada ne peut conserver sa forme actuelle si plusieurs des fonctions de l'Etat ne s'exercent pas conjointement grâce à une certaine division du travail, à des consultations et à des ententes intergouvernementales. Si les gouvernements d'une fédération deviennent à ce point jaloux de leur indépendance qu'ils nient en pratique toute forme de collaboration et d'entente, l'administration du pays devient impossible. Le professeur Bailey d'Australie arrive à la même conclusion en analysant la situation de son pays:

« ... the lawyer's picture of a federal structure as being a formal division of sovereign powers in which the federating governments are co-ordinate in rank and independent in function, and exist as equal jurisdictional entities, is very unreal in actual practice. In plain fact, any federal state operates as a system of interlocking responsibilities to the same people, and inevitably issues in a large area of cooperation of agreement. If it did not, the federation would soon break up » [1].

---

[1] K. H. Bailey, *Federalism*, Melbourne 1952, p. 164.

Le Canada ne peut pas éviter les relations intergouvernementales. Il doit trouver une solution au problème qu'elles soulèvent. Pour qu'elles deviennent plus fructueuses, il faut qu'elles soient institutionnalisées et continues. Les gouvernements ne doivent pas se réunir uniquement pour tenter de s'entendre sur un problème urgent et complexe. Ils doivent s'habituer à collaborer en échangeant des informations et en se consultant plus régulièrement. De la sorte, ils apprendront graduellement à coopérer et parviendront à mieux s'entendre si une question difficile surgit. Sir Douglas Copland, actuellement Haut-Commissaire de l'Australie au Canada, insiste particulièrement, dans une étude sur l'administration publique dans son pays, sur la nécessité de rencontres et d'échanges plus fréquents entre les gouvernements d'une fédération. Ses commentaires à ce sujet méritent d'être notés, car ils s'appliquent directement à la situation canadienne.

« Yet it is essential to the satisfactory working of a federal system that the administrative machine should be flexible and capable of preparing the basis of government by agreement' among the constituent members of the federation. Government is a far more complicated business than it was fifty years ago, and all governments have far greater commitments. The administrative machine has just not kept pace with these growing responsibilities of government. In Australia, the Commonwealth Government is now moving towards the acceptance of responsibility for maintaining economic stability at a high level of activity. It is unable to do this by its own fiat; such is the nature of the federal system where the States have great responsibilities for development and the provision of what may be called social capital. The rate of public investment by the States has a powerful impact upon both the level of activity and its stability. In these circumstances the Commonwealth cannot implement its policy unless it has a complete understanding with the States.

For this purpose the first condition is agreement on the facts of the situation, and the appropriate place to begin to get this agreement is at the official level. It should be possible to have a federal secretariat which could keep the seven gouvernements fully informed of the facts of a changing situation. The sources of information are more readily available to the Commonwealth Government than to the States, though the latter have better facilities for informing themselves than would appear to be the case at times. But it is clear that the Commonwealth has wide sources of information, and that if it shared this more fully with the States the possibilities of securing agreement on fundamental policy would be greatly enhanced. The problem is not easy, because some of the information to be disclosed would have reference to the budget policy of the individual government. Nevertheless, the exchange of information on the official level would provide a better basis than is now available for formulating an overall fiscal policy for all the governments. Without such a policy any plan that aims at promoting the maximum degree of economic stability through fiscal control cannot attain its objective.

Periodical meetings of officials are not enough, and in any case they are not primarily concerned with exploring the underlying economic facts that should be the determining influence in policy making... It is not merely in fiscal matters that closer and sustained consultation at the official level is essential for policy making and administration. In agriculture, health, social services, industrial relations, development and migration, there is urgent need for a much greater integration of administration than has been developed over the first fifty years of federation » [1].

La formation d'un comité fédéral-provincial de coordination est devenue tout à fait désirable. Un tel organisme serait consultatif mais il pourrait, à l'occasion, servir à l'élaboration d'ententes intergouvernementales. Il se réunirait en séance plénière au moins une fois l'an, de préférence à la fin de janvier, alors que la prévision sur la conjoncture économique de l'année qui commence est formulée et que les gouvernements pensent à établir leurs budgets. A ce stade, des échanges de vues portant sur la situation économique qui prévaudra vraisemblablement au cours de l'année et sur les implications qu'elle peut comporter pour l'orientation générale de la politique économique et fiscale permettraient aux gouvernements de mieux prendre conscience des objectifs communs de leur action et les inciteraient à coordonner davantage leur activité.

Le comité plénier posséderait un secrétariat permanent chargé d'assurer la continuité du travail, de maintenir la liaison entre les

---

[1] Sir Douglas Copland, *Federalism*, Melbourne 1952, pp. 152-153.

membres, et d'instituer un service de renseignements et de recherches accessible à tous les gouvernements. Il pourrait, avec avantage, être complété par des sous-comités spécialisés chargés de faciliter les consultations et la coordination intergouvernementales en des domaines tels que l'agriculture, le bien-être social, le développement industriel ou les relations du travail. Ni le comité central ni les sous-comités ne feraient de recommandations spécifiques. Même si, à l'occasion, il se dégageait des délibérations conjointes une ligne de conduite désirable, aucun gouvernement ne serait tenu de la suivre. Chaque gouvernement aurait au moins l'avantage de pouvoir comprendre, grâce à ces rencontres, pourquoi d'autres gouvernements ne se comportent pas de la même façon que lui-même.

Le Canada posséderait ainsi un véritable organisme fédéral qui, à la longue, pourrait rendre de grands services et peut-être résoudre le problème des relations intergouvernementales tel qu'il se pose sur le plan national. Pour que les consultations soient plus fructueuses et aboutissent à une meilleure coordination législative et administrative là où celle-ci est désirable, il faudrait que les principaux fonctionnaires de chaque gouvernement assistent aussi aux réunions.

Pour que l'avantage ainsi obtenu soit réel, il importe que les fonctionnaires de tous les gouvernements soient compétents, que les hommes politiques leur laissent une certaine initiative et des responsabilités administratives. L'efficacité de l'administration, la consolidation de l'autonomie L'efficacité de l'administration, la consolidation de l'autonomie provinciale et, en définitive, le bon fonctionnement du gouvernement par consultations, dépendent dans une large mesure de la qualité du fonctionnarisme et de la place que celui-ci occupe dans l'administration publique. Il ne s'agit pas ici d'entreprendre un plaidoyer en faveur de la bureaucratie mais de proposer une saine division des tâches à l'intérieur des services de l'Etat. Les gouvernements, à notre époque, ont des fonctions si complexes à exercer et des décisions si importantes à prendre pour le bien-être de l'ensemble de la population que l'un de leurs premiers soucis doit être d'attirer et de garder des hommes compétents dans les carrières administratives. Il n'est plus permis de penser que les meilleurs spécialistes doivent tôt ou tard aller travailler dans le secteur privé. L'administration publique ne peut pas être envisagée comme un refuge ni comme une étape préliminaire à l'exercice d'une profession. Pour y attirer de bons candidats et les conserver, tout en leur permettant de donner leur maximum de rendement, il faut respecter la personnalité du fonctionnaire, lui demander de jouer un véritable rôle consultatif et administratif, et lui assurer des conditions satisfaisantes de salaire, d'avancement et de stabilité selon ses mérites. Il existe dans le fonctionnarisme de certaines provinces des vides inexplicables. Il est injustifiable que des gouvernements provinciaux n'aient pas encore d'économistes à leur emploi, alors que l'aspect économique et fiscal de leur politique a pris une importance fondamentale.

La multiplication et la complexité croissante des fonctions de l'Etat, même au niveau provincial, tout autant que le progrès accompli dans le domaine des sciences sociales (qui permet la formation de spécialistes dans les divers secteurs des sciences politiques, de la sociologie et de l'économique) ont rendu nécessaire le recours à des fonctionnaires spécialisés dans les différentes disciplines touchant immédiatement les affaires de l'Etat. La croissance du fonctionnarisme crée, bien sûr, des problèmes pour le contrôle démocratique de nos institutions publiques et privées. Ceci n'est pas une raison pour accepter l'attitude de ceux qui prétendent éviter ces difficultés en écartant les experts ou en ne les consultant pas. Cette attitude drastique est à la fois irrationnelle et utopique. Il est au moins aussi désirable de demander l'avis des spécialistes en sciences sociales que celui des savants qui s'intéressent aux sciences de la nature. La tendance à recourir à des fonctionnaires spécialisés et compétents s'accentue sans cesse. Elle est inévitable et désirable. Si elle comporte des dangers, il ne s'agit pas de la combattre mais de tenter de la bien orienter. Des réformes importantes dans certains fonctionnarismes sont devenues urgentes. Tant qu'elles n'auront pas été accomplies, on peut difficilement espérer des améliorations dans l'administration publique et dans les relations intergouvernementales.

CONCLUSION

L'évolution passée et les problèmes actuels du fédéralisme canadien ont été analysés au cours de cette étude. A partir de ces deux ordres de considérations, il est peut-être possible de tenter une prévision de notre évolution future.

L'intégration politique effectuée en 1867 a été principalement provoquée par les répercussions défavorables de la première révolution industrielle. L'Etat assuma un rôle primordial dans le domaine du développement industriel et la Confédération reconnut explicitement que seule l'autorité centrale pouvait s'acquitter convenablement de cette importante responsabilité. C'est pourquoi le gouvernement fédéral occupa une place dominante dans la fédération canadienne jusque vers 1920.

Après le premier conflit mondial, les objectifs initiaux de la Confédération avaient été atteints et l'intervention de l'Etat dans le secteur du développement industriel n'était plus nécessaire, étant données les conditions favorables créées par la nouvelle technologie. L'importance du rôle joué par le gouvernement fédéral diminua considérablement. D'autre part, l'avènement du règne de l'automobile, la contribution croissante des ressources naturelles au développement économique, l'industrialisation et l'urbanisation rapides, permirent aux provinces d'occuper à leur tour une position dominante à l'intérieur de la Confédération. Il semble que la dépression de 1930 ait mis fin à cette prédominance.

Les gouvernements provinciaux n'étant pas parvenus à établir un système cohérent de sécurité sociale, l'autorité fédérale a dû se charger de cette responsabilité. On peut présumer qu'elle continuera à en assumer le principal fardeau et que c'est d'elle que viendra surtout l'initiative quand il s'agira de satisfaire les exigences minima des principaux besoins et risques sociaux. Le gouvernement fédéral continuera à exercer les principales responsabilités de l'Etat dans le domaine du bien-être social.

Si nous considérons le phénomène de l'instabilité économique, le principal problème que l'Etat aura à résoudre dans l'avenir, le rôle que peuvent jouer à son sujet les gouvernements provinciaux est relativement limité. Le chômage et l'inflation cycliques n'ont pas leur origine sur le plan local ou régional et ne peuvent recevoir là une solution adéquate. Les gouvernements provinciaux n'ont pas de compétence dans les domaines du commerce international et de la politique monétaire. Leurs pouvoirs d'emprunt et de taxation sont limités. Enfin, un programme de stabilité économique requiert une direction centrale et une politique économique bien intégrée. Tous ces facteurs indiquent que le gouvernement fédéral devra jouer un rôle dominant dans la lutte collective contre l'instabilité. Il ne faut pas, au surplus, oublier les graves responsabilités qu'il doit assumer dans le domaine de la défense nationale.

La situation présente et celle que l'on peut prévoir pour l'avenir ne sont pas sans analogie avec celle qui existait avant la Confédération. En 1867, l'unification politique fut placée sous l'égide du gouvernement fédéral en vue de favoriser le développement économique à long terme. Depuis le deuxième conflit mondial un nouveau fédéralisme s'est développé au Canada. Le gouvernement central y occupe encore une place dominante, toujours en vue d'organiser la défense nationale, mais aussi afin d'assurer la stabilité économique et le bien-être social.

Le nouveau fédéralisme canadien a déjà quinze années d'existence. Non seulement plusieurs facteurs objectifs le justifient mais la majorité de la population canadienne l'a accepté et neuf provinces sur dix y ont adhéré. Il est bien consolidé. Notre fédéralisme a retrouvé son esprit initial et il semble improbable, il est indésirable, qu'il retourne durant les prochaines années vers son passé immédiat des années 1920. Son orientation fondamentale est inscrite dans la réalité même. Ses modalités pourront changer. Des mesures destinées à atténuer la centralisation et à assurer une saine autonomie des provinces pourront être prises. Plusieurs ont été suggérées dans cette étude. Il ne faut cependant pas oublier une leçon importante. On n'a pas réussi à résoudre les problèmes créés par l'urbanisation en vantant les beautés de la vie rurale. De même, ce n'est pas en glorifiant abusivement l'autonomie provinciale et en refusant de reconnaître une évolution économique, sociale et politique pourtant évidente et inévitable, que nous parviendrons à influencer les modalités du fédéralisme qui s'élabore sous nos yeux. Le seul recours de ceux qui refusaient d'accepter l'urbanisation était d'aller vivre à la campagne et de fuir les problèmes créés par les villes. Les attitudes possibles à l'égard du nouveau fédéralisme canadien ne sont pas tellement différentes. Ou bien, on l'accepte dans son orientation fondamentale tout en s'efforçant d'en influencer les modalités afin de conserver le plus possible une décentralisation désirable, ou bien, on refuse de le reconnaître, — et alors il faut s'en dissocier.

ÉPILOGUE

LE DILEMME DE LA PROVINCE DE QUÉBEC

Il n'est pas nécessaire d'observer très longtemps ce qui se passe en notre pays pour en venir à la constatation que la province de Québec est parvenue à un tournant de son histoire. A partir de 1940, le fédéralisme canadien s'est redéfini en fonction des problèmes créés par l'industrialisation et par la situation internationale. Il fallut d'ailleurs une grave dépression et un conflit mondial pour provoquer cette nouvelle formulation. La province de Québec, dans l'ensemble, n'a pas accepté l'orientation nouvelle. Croyant rester fidèle à l'esprit originel de la Confédération, elle est demeurée attachée à la conception du fédéralisme élaborée entre les deux guerres. Elle refuse le nouveau fédéralisme — sauf peut-être dans le domaine de la sécurité sociale — , parce qu'elle considère l'orientation de celui-ci comme injustifiée et comme dangereuse pour la culture canadienne-française.

La nouvelle orientation de la fédération canadienne est pourtant justifiée objectivement et elle semble inévitable. Il faut la considérer comme irréversible. La province de Québec, en cherchant à vouloir ramener le fédéralisme canadien à ce qu'il était avant 1940, livre une lutte déjà perdue qui l'empêche de saisir les véritables alternatives qui s'offrent à elle.

La position actuelle du Québec est hybride et équivoque et ne peut durer. L'un des membres d'une fédération ne peut s'accrocher indéfiniment à une phase révolue du fédéralisme pendant que tous les autres associés désirent évoluer vers des formes nouvelles. La façon dont le Québec participe présentement à la vie de la fédération canadienne est telle que cette province subit les inconvénients de la fédération sans en retirer tous les avantages, et que le reste du Canada est empêché d'atteindre de nouveaux objectifs. Pour un temps, les autres membres de la fédération accepteront de marquer le pas, en attendant que la province de Québec les rejoigne. S'ils constatent qu'elle demeure imbronchablement au même point, ils cesseront de l'attendre. Le séparatisme ne pourrait-il pas lui être plus ou moins imposé un jour ?

Sur le plan économique, la province de Québec participe pleinement au financement de la nouvelle politique nationale, pour autant que le coût de celle-ci est défrayé à même la taxation. Cette province ne peut éviter cette obligation, car à l'intérieur d'une fédération, le gouvernement central ne peut pas taxer une seule partie du pays. Mais le Québec ne retire pas tous les avantages de sa contribution. Comme conséquence de sa propre décision, il ne bénéficie pas comme il le pourrait du programme de dépenses du gouvernement fédéral. Quand celui-ci dépense directement, comme lorsqu'il distribue les bénéfices de sécurité sociale, la population du Québec reçoit sa juste part. Mais la situation est différente quand il s'agit d'une contribution financière fédérale à des programmes réalisés conjointement avec les gouvernements provinciaux ou avec leur autorisation. Mentionnons, en particulier, l'aide financière fédérale aux universités, à la protection et à la conservation des forêts, à la construction de la route transcontinentale, à la construction de logements et à certains secteurs de l'industrie agricole. Ajoutons la perte qu'entraîne le refus de participer aux ententes fiscales. Il est difficile d'établir un calcul exact des sommes annuelles que le Québec pourrait recevoir du gouvernement fédéral en acceptant de prendre part à ces programmes conjoints, mais elles s'élèvent incontestablement à plusieurs dizaines de millions de dollars. C'est en définitive la population de la province de Québec qui doit supporter cette perte importante. Ou bien elle ne bénéficie pas de services qui accroîtraient son bien-être, ou bien elle doit, pour se les procurer, payer des taxes supplémentaires. Dans les deux cas, les niveaux de vie s'en trouvent diminués.

Les inconvénients de la situation actuelle ne sont pas uniquement d'ordre économique. Ils ont une répercussion au niveau de la vie culturelle et politique. Les institutions d'enseignement, les artistes et les étudiants ont besoin d'une aide financière qui tarde à venir. Les mésententes continuelles entre les gouvernements en cause engendrent la frustration ou l'apathie parmi la population, laquelle, sous l'influence constante de préjugés qu'on alimente, devient incapable de voir où se trouve la vérité, s'enfermant ainsi dans un cercle vicieux. L'attitude qu'elle exprime au moment des élections fédérales et provinciales est

19

apparemment contradictoire. A l'analyse, cependant, on constate que la population du Québec donne toujours un vote ethnique. Sur le plan fédéral, elle se prononce contre les partis qui lui semblent « dangereux ». Sur le plan provincial, elle s'affirme contre le gouvernement fédéral qu'elle considère comme une menace. Au lendemain des élections générales, les mésententes gouvernementales reprennent avec une vigueur accrue, les problèmes importants demeurent sans solution et les frustrations de la population continuent à s'accentuer. Une telle situation est instable et ne peut durer qu'un temps. Si elle a pu se prolonger jusqu'ici, c'est grâce à la prospérité des années d'après-guerre. Cette prospérité elle-même ne saurait se maintenir indéfiniment, surtout si la tension internationale demeure ce qu'elle est.

Encore une fois, il faut noter que l'orientation nouvelle du fédéralisme se maintiendra pendant une assez longue période. Elle ne provient pas de l'entêtement d'un parti politique. Si c'était le cas, il serait possible de la combattre avec succès en renversant ce parti. Quelle que soit l'attitude actuelle des partis d'opposition, une fois aux prises avec les responsabilités de l'administration du pays, ils *devront* maintenir cette orientation tant que la population canadienne demandera à l'Etat d'exercer des fonctions importantes dans les domaines de la stabilité économique, de la sécurité sociale et de la défense. Lors des élections présidentielles de 1952 aux Etats-Unis, le parti républicain avait promis de revenir aux conceptions politiques de 1932 et de faire oublier vingt années d'administration démocrate. Après avoir assumé les responsabilités du pouvoir, il *dut* accepter l'orientation fondamentale de la politique suivie par l'ancien gouvernement parce qu'il fut forcé de reconnaître qu'il n'existait pas de méthodes différentes pour régler les mêmes problèmes.

La province de Québec doit donc prendre conscience de la réalité et faire un choix. Elle est présentement dans un dilemme : ou bien elle accepte le nouveau fédéralisme canadien et s'y intègre, ou bien elle le refuse et s'en dissocie. Que doit-elle faire ? Doit-elle accepter le fédéralisme dans son orientation nouvelle ou se résoudre au séparatisme ? Telle est la question que se pose, plus ou moins confusément, la population. Telle est la question à laquelle certains, même parmi la classe dirigeante, ont déjà implicitement répondu dans le sens du séparatisme.

Le retrait québécois de la Confédération ne peut se justifier par des motifs économiques. Cette proposition n'est pas à démontrer et personne ne la contestera sérieusement. Moins la population d'un pays est élevée, plus son administration coûte cher *per capita*. La frontière douanière qui s'élèverait entre la province de Québec et le reste du Canada contribuerait à diminuer les niveaux de vie de cette province et ne profiterait évidemment pas aux industries qui sont venues s'établir dans le Québec afin de s'emparer du marché canadien. Tout le système bancaire serait à reconstituer et la capacité d'emprunt du Québec serait relativement limitée. En définitive, il n'y a rien à gagner, au point de vue économique, à créer des frontières artificielles, alors que les économies nationales deviennent de plus en plus interdépendantes.

En fait, ce n'est pas sur des facteurs économiques qu'on peut fonder le séparatisme. Les motifs sont plutôt d'ordre culturel et psychologique. Il s'agirait pour le Québec de conquérir sa souveraineté complète afin de donner à la culture canadienne-française un milieu mieux intégré et d'en protéger le développement en faisant disparaître le danger qui la menace. Il faut donc tenter de rendre compte de l'origine et de la nature de la véritable menace contre laquelle la culture canadienne-française doit se garantir afin de savoir si la solution séparatiste est capable de conjurer ce danger.

Rappelons d'abord, brièvement, la réalité historique. Il n'y a aucun doute qu'au cours de son histoire, la province de Québec a été considérée par les Canadiens de langue française non seulement comme *leur* coin de pays, mais comme le cadre politique essentiel, comme l'incarnation même de leurs ambitions culturelles. Par ailleurs, il faut aussi évoquer certains traits dominants qui caractérisent les Canadiens français et qui se sont élaborés depuis la conquête anglaise. Notre groupe ethnique a dû s'affirmer en s'opposant. Il a dû se défendre. Par la force des événements, il s'est replié sur lui-même. Il a dû se protéger, ou, plus exactement, il s'est laissé protéger par ses chefs religieux et politiques. Repliement et protection sont les deux phénomènes qui semblent, en définitive, rendre compte le plus justement de la mentalité de notre groupe. Or, ces deux phénomènes eux-mêmes se ramènent fondamentalement à ce qui est le motif élémentaire du comportement canadien-français, comme celui de tout groupe « minoritaire »: *le besoin de sécurité*. Ce besoin s'est manifesté par la volonté de demeurer « autonome », sinon de devenir souverain, dans la province de Québec.

Ce sentiment d'auto-suffisance n'a pas créé de difficultés tant qu'il a coïncidé avec l'évolution du fédéralisme canadien. L'émancipation graduelle des provinces et leur prédominance au sein de la fédération correspondaient exactement aux exigences de cette volonté collective. Le sentiment d'autonomie pouvait s'affirmer avec d'autant plus de sérénité que l'évolution de la réalité elle-même s'y conformait.

Il ne faut pas penser, cependant, qu'au cours de cette période, les Canadiens français n'éprouvaient pas de difficultés ni d'embarras. Ils constataient que leur culture était menacée, mais, comme tous les groupes placés dans des situations similaires, ils refusaient de chercher en eux-mêmes les origines et les causes de ce danger. Il leur fallait trouver les responsables de cette menace à l'extérieur de leur groupe. Ils crurent les découvrir, successivement ou parallèlement, chez les « Anglais », les « Juifs » et les « Américains ». Ceux-ci devinrent les objets de l'agressivité collective. On peut ainsi constater qu'il s'est créé un décalage sans cesse croissant, voire une contradiction, entre l'attitude de la collectivité canadiene-française, qui attribuait ses déboires aux « étrangers », et celle des chefs politiques provinciaux, qui incitaient les Américains et les Canadiens anglais à venir avec leurs capitaux industrialiser la province de Québec.

Depuis quelques années, on a découvert un nouveau bouc émissaire, sur le plan politique. On a discerné un nouvel « étranger » responsable de nos problèmes et de nos maux: le gouvernement d'Ottawa. Ce nouveau phénomène de transfert psychologique fut d'autant plus facile qu'il se produisit au moment où le nouveau fédéralisme redonnait, au sein de la Confédération canadienne, une place prédominante au gouvernement fédéral. C'est lui qui fut chargé de tous les maux. Il est devenu *le* responsable des malheurs et des menaces qui pèsent sur la province de Québec.

Cette nouvelle explication qu'on a donnée du danger menaçant la culture canadienne-française est apparue d'autant plus plausible que le nouveau fédéralisme venait en conflit, du moins apparemment, avec le besoin de sécurité et le désir d'autonomie de la population. Toutefois, cette explication repose sur des mythes beaucoup plus que sur des réalités. En effet, peut-on sérieusement accuser le gouvernement fédéral de s'acharner contre les Canadiens français ? Les programmes culturels qu'il a entrepris ont-ils servi à affaiblir la culture canadienne-française ? Ce serait manquer d'objectivité que de l'affirmer quand on songe à ce qui a été fait dans les domaines de la radio, du film et de la télévision. Peut-on reprocher au gouvernement central d'utiliser les fonds gelés qu'il détient en France pour distribuer, chaque année, des bourses qui permettent à des Canadiens, en grande majorité de langue française, d'aller faire un séjour dans ce pays ? Un tel programme, même s'il est limité, sert à combler une lacune car, jusqu'à maintenant, les chercheurs dans le domaine des sciences sociales, les écrivains et les artistes au Canada dépendent presque uniquement de l'aide financière provenant des fondations privées américaines. Ces fondations seraient-elles moins à craindre que le gouvernement canadien ? La province de Québec conserve la complète responsabilité législative et administrative dans le domaine de l'enseignement institutionnalisé et la pleine liberté de réaliser la politique culturelle de son choix.

On peut toujours invoquer que le fonctionnarisme fédéral est dominé par les Canadiens anglais. Mais quand on veut expliquer le petit nombre de Canadiens français à l'emploi du gouvernement central, il est important de noter qu'une très forte proportion des postes offerts par l'administration fédérale — certains estimés atteignent 75 pour cent — exigent, de la part des candidats, une spécialisation dans l'une ou l'autre des sciences sociales. Tous les ministères offrent de nombreux emplois aux spécialistes en science politique, aux économistes, aux sociologues et aux travailleurs sociaux. Or, les universités de langue française donnent un enseignement spécialisé en sciences sociales depuis à peine dix ans et les étudiants du Québec qui se consacrent à ces études sont encore peu nombreux. Par contre, certaines universités de langue anglaise enseignaient déjà les sciences sociales au début du siècle.

Non seulement les Canadiens français spécialisés dans les domaines qui conduisent au fonctionnarisme fédéral sont peu nombreux, mais une proportion importante d'entre eux ne désirent pas se faire une carrière dans le fonctionnarisme ou ne veulent pas aller vivre à Ottawa. Si on veut expliquer le petit nombre de Canadiens français dans le fonctionnarisme fédéral, il faut tenir compte de ces facteurs importants. Il ne faut surtout pas s'imaginer qu'une représentation ethnique plus adéquate sera obtenue par de simples récriminations.

En imputant ainsi au gouvernement fédéral la responsabilité de leurs difficultés et de leurs embarras, les Canadiens français ont continué d'accepter un mythe comme substitut de la réalité. Grâce au récent phénomène de transfert que nous venons d'évoquer, ils ont continué à refuser de voir les faits tels qu'ils sont. Leur perception de la réalité a été déviée. C'est ce qui explique pourquoi la population canadienne-française continue d'être indifférente et passive devant les vrais facteurs qui compromettent sa culture. Elle les accepte inconsciemment. Elle s'y soumet même avec docilité, tandis qu'elle devient subitement intéressée et même agressive dès qu'on lui montre les mythes contre lesquels on l'a habituée à combattre. Notons-le encore une fois, il existe chez les Canadiens français un profond décalage entre l'ordre des faits concrets et l'ordre de la « pensée » collective. Il est devenu impérieux de se rendre compte de cette dissociation. Tentons donc de voir, très sommairement, quels sont les problèmes réels qui se posent présentement à la culture canadienne-française.

Il est indiscutable que la vie culturelle des Canadiens français est vulnérable. Elle est devenue menacée dès la conquête anglaise. Elle se ressent toujours, de plusieurs façons, d'avoir été séparée trop tôt de la culture française. La position géographique de la province de Québec dans un continent anglo-saxon a rendu sa vie culturelle plus précaire. Par surcroît, la sujétion politique initiale a laissé un sentiment d'écrasement.

A l'invasion politique datant de la conquête est venue s'ajouter, à notre époque, une invasion culturelle associée à l'industrialisation du Québec. Cette industrialisation encore récente a été financée en grande partie par du capital américain et dirigée par des industriels et des techniciens provenant des Etats-Unis ou du Canada anglais. Ces faits sont connus. Mais on ne semble pas avoir suffisamment insisté sur un aspect important de cette « invasion »: elle fut souhaitée et recherchée par les chefs politiques de la province de Québec, comme l'indique le professeur Jean-C. Falardeau:

« Il y a toute une tradition québécoise, depuis Chapleau et Mercier, d'hospitalité joyeuse envers le capital et les magnats américains. Qu'il suffise d'évoquer la politique de concessions à perpétuité d'immenses portions du domaine public aux compagnies américaines

fabricantes de pâte et de papier, établie par le gouvernement Gouin
et poursuivie par tous les gouvernements subséquents; les dégrève-
ments d'impôts accordés aux entreprises minières et hydro-électri-
ques; les ententes officieuses ou occultes aux termes desquelles de
puissants intérêts étrangers se sont vu octroyer des privilèges éton-
nants. Sans oublier les cas innombrables où, nonobstant les textes
officiels de la législation du travail, le pouvoir politique s'est allégrement constitué l'allié des employeurs étrangers dès qu'il s'agissait de reconnaissance ou de revendication syndicale » [1].

Puisque le développement industriel s'est accompli dans ces conditions, il n'y a pas à s'étonner que l'économie de la province de Québec
soit encore dominée par l'élément anglo-saxon. Ce fait économique
a des implications culturelles importantes. La langue des affaires est
encore, dans une large mesure, l'anglais, et les Canadiens français
demeurant dans les villes — qu'ils soient industriels, professionnels,
hommes de science, techniciens, voire ouvriers — doivent parler cette
langue pour réussir et souvent pour se trouver un emploi. Ce péril
à notre culture n'est pas extérieur à nous, il est à l'intérieur même de
la société canadienne-française.

A ce danger vient s'en ajouter un autre qui lui est étroitement lié:
l'américanisation. C'est une menace à laquelle les Canadiens français sont exposés, comme l'ensemble du Canada [2], mais de façon
particulièrement aiguë. Ce danger a été récemment analysé par le
professeur Falardeau:

> « Pas plus que le Canada tout entier, nous ne pouvions échapper
> à la pénétration multiforme de notre milieu par les institutions et
> les modes de vie et de pensée de la civilisation américaine. Le bilan
> général de l'étendue de l'influence américaine dans les domaines
> politique, économique et social, établi par M. Gustave Lanctôt en
> 1941, conserve toute son actualité [3]. M. Lanctôt observait que
> cette américanisation se révélait plutôt dans l'existence matérielle

---

[1] Jean-C. Falardeau, *Essais sur le Québec contemporain*, Les Presses Universitaires Laval, Québec, 1953, p. 245.

[2] *Rapport de la Commission Royale d'enquête sur l'avancement des arts,
des lettres et des sciences au Canada*, Ottawa, 1951.

[3] Le Québec et les Etats-Unis, 1687-1937, dans *Les Canadiens français et
leurs voisins du sud*, publié sous la direction de Gustave Lanctôt, Montréal,
Editions Bernard Valiquette, 1941, ch. VII, pp. 269-310.

que dans la vie morale mais que « le Québécois, matériellement américanisé, n'a guère de réadaptation à faire pour s'américaniser de maintes façons socialement et moralement » [1]. M. Minville, à la suite de M. Montpetit [2], note avec une juste perplexité quels dangers accrus la promiscuité du géant du sud comporte pour la culture canadienne-française... Inutile d'énumérer les agents de cette américanisation qui ont inclu, — bien avant les touristes saisonniers, les agents d'assurance et les techniciens de l'industrie — , nos propres grands-parents ou leurs cousins qui émigrèrent en Nouvelle-Angleterre et réimportèrent dans notre campagne et nos villages le mirage des « villes des Etats ». Tout bien considéré, la notion d'américanisation n'est pas loin de désigner les mêmes réalités que sous-entend le concept d'urbanisation. Les causes et les modes du développement urbain en notre province furent américains par nature. La métropole montréalaise en représente la synthèse finale en même temps que le prototype et le lieu constant d'inspiration [3].

Récemment, dans un discours prononcé à Paris, l'honorable Antoine Rivard reprenait le même thème:

« Les dangers que nous avons craints dans le passé ont peut-être changé d'aspect mais demeurent encore. Nous n'avons jamais cessé d'être une minorité de langue et de pensée française sur le continent américain et la menace qui pèse aujourd'hui sur la vie française de la province de Québec nous vient de la république américaine voisine qui, par son mode de vie facile et matériellement agréable, le cinéma, la radio et la télévision, pénètre dangereusement au plus intime de nos foyers québécois » [4].

Or, à cause de l'état actuel de la mentalité collective du Québec dont nous venons de souligner l'orientation mythique, la grande majorité de la population est passive devant ces méfaits de l'américanisation et devant la détérioration de la culture canadienne-française. Bien plus, cette passivité même contribue à accentuer davantage la médiocrité intellectuelle et explique sans doute dans une large mesure

[1] *Ibid.*, pp. 304, 309.
[2] *Reflets d'Amérique,* Montréal, Editions Bernard Valiquette, 1941.
[3] Jean-C. Falardeau, *Ibid.*, pp. 251-252.
[4] A. Rivard, « La défense de la culture et de la langue française au Canada », *France-Amérique,* Nos 1-3, 1954, p. 41.

pourquoi la province de Québec n'a jamais eu une véritable politique culturelle, pourtant si désirable.

L'absence d'une telle politique a eu des conséquences néfastes. Les institutions d'enseignement ont été incapables de fournir leur pleine contribution, souvent à cause du manque de ressources. Les bibliothèques publiques sont rares et pauvres. Les manifestations culturelles sont peu nombreuses et les artistes manquent d'encouragement. Par ailleurs, la culture canadienne-française aurait eu grand besoin d'un apport extérieur, mais elle est demeurée trop longtemps séparée de la France. L'immigration française reste limitée et, à tout événement, elle est peu souhaitée par notre milieu. Les échanges culturels profonds avec la France ont été rares et superficiels.

Il est vrai que plusieurs groupes résistent à cette déperdition d'originalité culturelle, mais, en résistant, ils se séparent souvent de leur propre milieu. Comme l'indique encore M. Falardeau:

« D'une part, le nombre de ceux qui résistent consciemment à l'américanisation du langage et de la pensée augmente constamment; on les retrouve dans l'enseignement universitaire et secondaire, dans les beaux-arts et les lettres, à la radio, dans le journalisme. Ils constituent une avant-garde de plus en plus lucide et résolue à purifier notre culture par une osmose plus intense avec la civilisation française. Mais il semble qu'au fur et à mesure que cette avant-garde croît en nombre et en sagesse, l'écart s'élargit entre elle et la masse de la population. On croit voir s'ouvrir une paire de ciseaux » [1].

En somme, la culture canadienne-française a cru trouver son salut en luttant contre des mythes et en cherchant à se replier sur elle-même. Elle n'a réussi qu'à s'isoler de la principale source extérieure qui aurait pu la vivifier. Elle s'est appauvrie et n'a pas tenté de rayonner. Elle n'a même pas cherché à s'affranchir de son entourage américain immédiat qui a pu l'influencer d'autant plus facilement qu'elle s'était déjà affaiblie elle-même. Telles sont, semble-t-il, les données fondamentales du problème qui se pose à la culture canadienne-française.

La solution séparatiste peut-elle résoudre ces difficultés ? Une fois séparée de la Confédération, que pourrait accomplir de plus la pro-

---

[1] Jean-C. Falardeau, *Ibid.*, p. 253.

vince de Québec pour conjurer la menace à la culture canadienne-française et pour enrichir celle-ci ? Le séparatisme ne changerait rien au voisinage américain qui est un fait géographique inéluctable. Les communications avec les Etats-Unis ne peuvent pas être facilement coupées. C'est la province de Québec elle-même qui invite le capital et les industriels américains à venir exploiter ses ressources naturelles. Il n'est pas nécessaire de recourir au séparatisme pour arrêter ce mouvement, si l'on juge que l'on peut s'en dispenser et qu'on n'en veut plus. S'il y a actuellement détérioration culturelle, cet état dépend avant tout de notre milieu lui-même. L'aide financière à l'enseignement, aux arts et à la culture serait-elle plus généreuse et plus systématique si la province de Québec se séparait de la fédération ? L'encouragement à l'immigration française et aux échanges culturels entre la France et le Québec serait-il plus soutenu ? Les liens politiques de la province de Québec avec le reste du Canada n'empêchent aucunement une action vigoureuse dans ces domaines. Enfin, ceux dont les attitudes se rapprochent le plus de la thèse séparatiste sont souvent ceux qui sont les plus favorables à la venue des capitaux et des industriels étrangers, qui se consolent le plus allégrement de la médiocrité intellectuelle, qui ne semblent pas reconnaître la nécessité d'une politique culturelle vigoureuse et qui tiennent le moins aux échanges culturels avec la France.

Dans ces conditions, l'apport du séparatisme semble surtout négatif. Il risque de condamner la culture canadienne-française à un appauvrissement encore plus grand et à un repliement définitif qui diminueraient la capacité de résister à la menace d'américanisation, laquelle demeurera agissante, quoi qu'il arrive. Il serait enfin une catastrophe pour les Canadiens français des autres provinces et n'aiderait pas la cause des Acadiens au Nouveau-Brunswick.

Le séparatisme peut être l'aspiration normale d'un nationalisme frustré et désirant se consolider en se créant une vie et des cadres politiques à lui. Il revient sans cesse hanter certains esprits comme une nostalgie. Mais il enfermerait la culture canadienne-française dans un vase clos où elle finirait par étouffer. Le rêve, en se réalisant, signifierait peut-être le suicide. C'est sans doute pourquoi la grande majorité des Canadiens français sont opposés au séparatisme.

S'il est nécessaire d'apporter des illustrations prouvant qu'un séparatisme québécois est déjà contredit par des faits à l'intérieur même de notre société, nous n'avons qu'à considérer jusqu'à quel point plusieurs groupements économiques ou professionnels de notre milieu, en prenant conscience de leurs problèmes particuliers, se sont spontanément associés à des groupements dont ils étaient solidaires dans le reste du pays.

« Une prise de conscience de plus en plus vive des différences d'intérêts économiques entre les classes contribue, semble-t-il, à atténuer dorénavant les différences ethniques et religieuses entre les Canadiens français et le reste du pays. De plus en plus, les réactions sociales de notre milieu sont des réactions de classes. Notons seulement, comme expression de cette tendance, le ralliement du syndicalisme catholique et des fédérations syndicales nationales, la collaboration entre la Fédération des Chambres de commerce québécoises et les Chambres canadiennes ainsi que l'engagement de plus en plus actif des Canadiens français de divers groupes commerciaux et professionnels dans les associations nationales ou américaines » [1].

Puisque le séparatisme ne semble ni possible ni désirable, même sur le plan culturel, il faut espérer que sa hantise disparaîtra bientôt de l'esprit de certains dirigeants afin que la culture canadienne-française puisse s'orienter plus librement vers des réalisations et des objectifs plus prometteurs. En somme, le dilemme qui se pose à la province de Québec n'appelle qu'une solution: *une intégration lucide au nouveau fédéralisme canadien.*

Cette solution comporte-t-elle vraiment des dangers pour la culture canadienne-française comme on le laisse entendre ? En contribuant à accroître et à stabiliser le bien-être de la population, elle apporterait un élément indispensable à l'épanouissement de la culture. Elle n'exigerait l'abandon définitif d'aucun droit ni d'aucune prérogative que possède présentement la province de Québec. Elle laisserait au gouvernement provincial la complète liberté d'orienter sa politique culturelle comme il le désire. Bien plus, elle mettrait à sa disposition des ressources financières plus abondantes, de sorte qu'il serait mieux en mesure de remplir toutes ses responsabilités dans le domaine culturel.

Il est grand temps que l'ensemble de la population canadienne-française du Québec, non seulement une minorité et une « avant-

---

[1] Jean-C. Falardeau, *Ibid.,* p. 251.

garde », prenne conscience du vrai problème qui se pose à notre société. Or, si on y regarde bien, on constatera que ceux parmi les Canadiens français qui, à notre époque, ont été les ferments réels de notre culture — écrivains, artistes, chercheurs scientifiques, éducateurs, penseurs — n'ont pu accomplir leur œuvre que parce qu'ils ont su dépasser l'horizon de notre société. Si la vie scientifique, artistique et intellectuelle du Canada français contemporain a été vivante, c'est parce qu'elle a été intrépide. C'est parce que ceux qui y ont participé ont pris contact avec l'« extérieur » — soit au point de départ, par la formation qu'ils y ont reçue; soit dans leur labeur professionnel, par une communication et une collaboration continues avec des collègues de toute province et de tout pays; soit à titre de représentants de leur culture. On devrait enfin comprendre que ce n'est pas en se refermant sur elle-même que la culture canadienne-française se perpétuera et s'enrichira.

Cette lucidité et cette objectivité qui font voir les problèmes tels qu'ils se posent et qui les font résoudre dans la perspective d'horizons dépassant la stricte frontière provinciale, nous devons aussi les utiliser dans le domaine politique. Il faut abdiquer l'attitude séparatiste qui a déjà causé trop de ravages dans notre milieu. L'état d'esprit séparatiste ne peut nous mener nulle part. Un séparatisme de fait serait, en fait, inviable. Ce n'est pas en s'isolant du reste du pays que les Canadiens français pourront influencer la vie canadienne. Et pourtant, la culture canadienne-française ne pourra trouver un dynamisme qui lui permettra de s'épanouir et de s'affranchir d'une frustration paralysante qu'en s'affirmant sur le plan canadien. Il n'y a aucun doute que les Canadiens français doivent maintenir des relations culturelles étroites et suivies avec la France. Ce n'est pas verser dans le colonialisme intellectuel que d'affirmer que la culture française doit être la principale source d'inspiration de la province de Québec. Il est également urgent que le gouvernement du Québec adopte une politique vigoureuse dans le domaine culturel. S'il s'acquitte de ses graves responsabilités sur ce plan, les initiatives fédérales viendront tout simplement s'y surajouter. Celles-ci ne seront qu'un apport de plus et il n'y aura pas lieu de les craindre, car il ne faut pas oublier la puissance électorale des Canadiens français sur le plan national.

Ayant intensifié ses contacts avec sa source naturelle d'inspiration intellectuelle et s'étant fermement enracinée et renforcie grâce à

l'encouragement d'une vigoureuse politique provinciale, la culture
canadienne-française sera assez forte pour s'épanouir aussi dynamiquement que tous le désirent et rayonner dans l'ensemble du pays.
Il faut que les Canadiens français cessent de regarder vers le passé
avec nostalgie et de se délecter dans le rêve séparatiste aux heures de
crise. Leur avenir est lié à celui du reste du pays. Leur grande
ambition doit être de faire du Canada un pays vraiment bi-culturel.
C'est encore la meilleure façon de servir leur propre cause.

« Le Canada est et doit rester un pays à deux cultures. Ainsi le
veulent l'histoire, les traités, l'esprit de la constitution canadienne et
le droit naturel. Le Canada doit chercher la perfection de sa civilisation dans l'excellence de ces deux cultures qui, bien que nettement différentes, doivent s'appuyer l'une sur l'autre, se développer
parallèlement et s'enrichir mutuellement tout en restant elles-mêmes. Elles ne peuvent, en effet, se fondre l'une dans l'autre sans
perdre leur valeur de culture. Le devoir du Canada est d'utiliser
au maximum les richesses spirituelles de ces deux cultures au profit de l'homogénéité d'une civilisation unique qui devra refléter
le génie propre de chacune des deux races qui ont bâti ce pays.
La raison en est que la civilisation n'est pas seulement une pensée
comme la culture, mais c'est la vie de la nation. Or si le Canada
doit être une nation, il est nécessaire que la vie canadienne soit une.
Mais cette unité n'interdit pas la présence dans cette vie de deux
courants de pensée et de deux langues qui manifestent l'action de
deux cultures très vivantes. L'unité dans la diversité, telle doit
être la formule de la vie canadienne: l'unité de civilisation dans la
diversité des cultures et des langues » [1].

Ceux qui ne croient pas cet objectif possible accentuent, par le fait
même, la vulnérabilité de la culture canadienne-française. Nous
reconnaissons que ce but n'est pas facile à atteindre. Néanmoins, il
ne faut pas croire que le bi-culturalisme canadien peut se réaliser
sans la participation active des Canadiens français. Les seules revendications sont stériles. Nous devons habituer les Canadiens anglais
à sentir une présence française. Nous devons créer chez eux un
intérêt qui les incite à apprendre le français pour, au moins, le

---

[1] Mémoire soumis par l'Université Laval à la Commission Royale d'enquête
sur les problèmes constitutionnels, p. 3. (texte polycopié).

lire, et à mieux connaître ainsi ce que peut leur apporter la culture canadienne-française. C'est en s'aidant l'une l'autre et en se supportant mutuellement que les deux cultures du Canada pourront le mieux se préserver du danger de l'américanisation.

Pour parvenir ensemble à ces objectifs, il faut plus que jamais renforcir l'unité de la nation canadienne. De ce point de vue, nous ne devons pas oublier qu'un rapprochement entre les divers groupes ethniques est impossible s'il repose sur le nationalisme, car celui-ci n'admet aucune concession importante, ni politique, ni économique.

Notre but ne doit pas être de supprimer la diversité dans notre pays. Les variétés culturelles qui existent entre les différents groupes ethniques constituent l'une des plus grandes richesses de notre existence comme nation. Nous devons avoir seulement pour objectif d'empêcher ces variétés de dégénérer en conflits et de créer dans notre pays un ordre politique qui rendra possible la solution des graves problèmes économiques et sociaux qui se posent à notre époque et qui menacent notre diversité culturelle elle-même.

La province de Québec doit entrer de nouveau dans la Confédération canadienne et participer activement au nouveau fédéralisme. Cette réintégration ne doit pas s'accomplir, comme en 1867, à l'occasion de pourparlers secrets entre les dirigeants, mais être l'expression d'une option collective, raisonnée et convaincue. La reconnaissance de la dualité culturelle et l'équilibre des forces dans la vie canadienne exigent une nouvelle intégration sur le plan politique. Il ne faut jamais oublier qu'une certaine unification politique est parfois nécessaire pour maintenir et sauvegarder la diversité culturelle.

TABLE DES MATIÈRES